JN117202

エジプト史が裏づける史実「ノアの箱舟」大洪水

金子 孝夫　*KANEKO Takao*

文芸社

はしがき

筆者は、古代の日本列島に渡来したヘブライ人に関する研究家であり、地学に関しては青年時から興味を持ち続けているものの、研究者の域には遠い素人であると言える。「ノアの大洪水」が史実であると主張する以上、「何がどのように起きたのか」ということについて、宇宙物理学のような視点から具体的に根拠を述べない限り説得性に欠けてしまうので、素人なりに学説を点検させて頂いてから論述するに至った。数ある資料の中でも、筆者の高校OBでもある山賀進氏のweb資料は量と質ともに秀逸であり、氏の学者としての質の高さを窺い知れた。そのような人たちを向こうに回して、まるで分かったような顔をして論述するつもりは毛頭ない。日々、真摯に研究にいそしむ多くの天文学や地学の関係者に対し、失礼にあたると思いつつも敢えて著述させて頂いた訳は、歴史学同様に天文学や地学も、学問としての原点がおろそかにされていると感ずるからである。一例を挙げれば、地球の歴史は46億年であるという。宇宙空間で火球が放つ熱量を電卓で雑駁に計算してみるだけで、「46億年」という数字が如何に非現実的な数字であるか、思い知らされる。また別の例では、地質学の関係から、恐竜が死滅したのは6500万年前とされている。現在の雨量と土砂堆積量を計算すると、「6500万年前」という数字は、超高層ビルを縦に数千棟並べたほどの高さの土砂量を必要とする。万が一、それほどの地表の激変を認めたとしても、恐竜の化石などがそのような激変を経た地上で発見される可能性はまずないが、現実には世界中至る所で発見されているのである。このようなことは、研究者が論を立てる前に自ら検証せねばならないが、その部分はまるで他の研究者が為すべきことであるかのように無視され、あるいは関与を避けられてきた。筆者の専門外の論述は、このような「素人が感ずる大矛盾」を起点に、本書をもって言わば学会に問題提起をしている。

本書の初稿完成日（2021.02.04）に、コロナで実質別居状態となっている妻子からimo（ビデオ通話）で連絡が入り、六歳の娘の乳歯が初めて抜けることを知った。本書は、娘八枝の成長一里塚の書となった。

目　次

第Ⅰ部

「ノアの箱舟」大洪水

第一章　世界史の原点「ノアの箱舟」大洪水

第一節　「ノアの箱舟」大洪水の史実性

世界史で“二度”存在した「中東発」の人類の歴史

筆者はいまインド史を執筆中であるが、インド史を語り始める前に一つ確かにしておかねばならないことがある。それは「世界史の始まりはいつか？」ということである。インド史に限らず日本史でもそうであったが、民族移動について一つひとつルーツを辿っていくと、必ず中東に行き着く。現世界史の始まりは、歴史時代の取り扱いはなされていないものの、アダムにあることは明らかである。アダムがイブとともに過ごした「エデンの園」の位置については諸説あるものの、人類が中東から世界各地に散っていった様子も、現世界史では暗黙の了解で、このアダム起源で始まる筋立てで描かれてきた。ところが、中東から世界各地に散っていった人類の歴史は、実はもう一つ存在している。それに適合する出来事が、「ノアの箱舟(方舟)」という名称に伴って知られる大洪水である。「ノアの洪水」もしくは「ノアの大洪水」とも称されている。本書では以後、原則的に「大洪水」と呼称する。

約300年間の世界史ブランクに収まる「大洪水」

□エブルとヘブルの歴史が裏づける「大洪水」の史実性

「大洪水」に関しては、その伝説は世界各地にあまねく存在し、また史実であったことの論証を試みる著述も実に多いが、世界歴史学会はほとんどこれを無視し続けてきた。歴史学者に限らず、地球をすっぽり水が覆ってしまうような大洪水など誰にとっても想像しようもなく、何よりその納得できる原因の説明がつかなかった。ところで、筆者は三十数年前に、日本人のルーツを探し求める歴史研究に着手した。筆者の研究にとって、「大洪水」の有無など興味外の事柄であった。ところが、半数弱の日本人のルーツは古代の「ヘブル」であることを掌握し、さらにヘブルのルーツの「エブル」を調べていくと、人の散らばりと民族の形成や、時間経過に伴うエブルの業務拡大の様子など、何もないような状態から人の営みが拡大していく様子が、旧約聖書に書かれている「大洪水」後の状況に、全てが当てはまってきた。エブルやヘブルの歴史を追う限りは、「大洪水」が史実であることは明らかであった。

□現世界史年表に無理なく収まる「大洪水」事件

日本人のルーツ探しについては、『日本人とは誰か』という著書の出版をもって筆者は一区切りをつけ、次にインド史の研究に入った。血液DNA分析や宗教文化の根幹の一致などから、日本人とインド人のルーツが一致することを知り、インド史の研究に本格的に着手した。インドの始まりはエジプト時代のヘブル、さらに時代を遡って現シリア北部のエブルに起源があった。筆者の研究は否応なく、エジプト文明やメソポタミア文明の領域まで足を踏み込むこととなってしまった。そこで気づいたことは、両文明に存在する大きな歴史の空白である。エジプトでは「第一中間期時代」に、またメソポタミアでは「エラム文化」において、それこそ少なくとも300年近くに及ぶ空白が存在していた。「大洪水」発生の年を旧約聖書記述から算出し、エブルとヘブル両民族の出来事をエジプト史やメソポタミア史に嵌め込むと、見事に無理のない歴史の流れが成立した。「大洪水」は確かに発生し、史実であった。

第二節　「大洪水」に関する論説の傾向

筆者に限らず、「大洪水」が史実であることを論じる試みは多かった。その多くは著書として残ったが、論文としてのみ発表されて現代に伝わらなかった論説も数多い。「大洪水」に関する論説の内容を大きく区分けしてみると、以下の３種類に大別できる。

（1）地域的洪水説

旧約聖書の『創世記』は、それこそ紀元前から知識人の間では知られていた。そこに書かれている「大洪水」は地球全土を襲った洪水であったが、近代科学の担い手たちはその原因とメカニズムを見出し得なかった。そこで歴史家たちの一部は、古くの世界をメソポタミア地域に限定し、メソポタミアで起きた大洪水が誇張されて世界の大洪水というふうに表現されたと考えた。この種の説の多くはメソポタミア地域に起きた洪水の実例を取り上げ、その大災害の進行と結果を論じる例が多い。

被災地を具体的に絞らず、時にはメソポタミアと仮定することもなく、ある大洋の周辺域あるいは「地球のかなり広い部分」という具合に、発生場所を特定せずに抽象的に述べる場合も多い。そのようなケースで最も多いタイプは、津波による「大洪水」発生のケースである。大津波の原因を、ある者は火山活動や造山運動に求め、またある者は大隕石の落下に求めた。

火山活動起因説の代表的な例はギリシアの考古学者アンゲロス・ガラノプロスの説で、紀元前18世紀から紀元前15世紀にかけて起きた、地中海のサントリーニ島の火山大爆発を原因とするものである。その爆発によりミケーネ文明が消滅したという論説は、現在でも古代文明に関して有力な位置を占めるが、彼はギリシア神話の「デウカリオンの洪水」の原因をその火山爆発に求めた。

大隕石落下説については、「大洪水」そのものに関するものではないが、「恐竜の死滅は、約6500万年前にユカタン半島に大隕石が落下し、その時に生じた粉塵が気候を変えてしまったことが原因であった。」とされる説が、一時は一世を風靡した。現在においても、たとえば「ノアの大洪水の原因はインド洋に落ちた大隕石が原因」という具合に、大隕石起因説と見做せる著書を散見することができるので、「大隕石」は「大洪水」発生の主要な原因と考えられる傾向にある。

最近目にする大洪水の説として、「黒海洪水説」がある。ウィリアム・ライアンとウォルター・ピットマンが提唱した説で、紀元前5600年頃に地中海から黒海にかけて発生した大洪水が、後の大洪水話の下敷きになったという内容である。これなども、メソポタミアではないが、地域的な洪水が「大洪水」話の源になったという例の一つである。

（2）海水面上昇説

地域限定の洪水ではなく、地球全部ではないが地球の主たる平野部が水に覆われたという説も現れた。氷河期が終了して現在の気候に移行する際に、溶けた氷の水が平野部を覆い「大洪水」が発生し、氷の量と地球表面積との関係から、氷融解前後比較で海水面が100ｍ以上上昇した。その水没した平野部が現在の大陸棚であり、「水没時の記憶が人々の間に残って神話や言い伝えとなって現代まで残った」というような内容である。現代の地球温暖化により南北両極部の氷床が溶けて崩壊し、南洋低地地帯の住人は海水面上昇により既に多くが住処を失っている。そのような海水面上昇の現実性と、とりわけ北極においては氷の消失と一部生物の絶滅が危惧されているなど、極部の氷が溶けてなくなるようなことが、理論ではなく実際に起こり得ることを目の当たりにして、そのような説が説得力を持ちがちな状況にあることは確かである。この説の決め手となるのは、たとえば都市の遺構など大陸棚における大規模な遺跡の発見であろうが、現在に至るまでそのような発見は成されていない。

(3) 全地球洪水説

これら二種類の洪水説とは明らかに異なり、「大洪水」は地球丸ごと水に覆われた事件であったという説が現れるようになった。この説の特徴は地球外の天体を原因としていることであり、太陽系内部の宇宙的出来事の中に「大洪水」事件が位置づけられていることが特徴である。

初発はインマヌエル・ヴェリコフスキーであった。彼は、1950年と翌1951年もアメリカでベストセラーとなった、『爆発する宇宙』というタイトルの本を出版した。その内容が衝撃的で、「今から僅か4000年前に木星の大火山から誕生した金星が、地球の傍らを通過した際に地球に大変動をもたらし、『大洪水』もその時に発生した。」とした。彼は精神科医であり、天文学や地球物理学の専門家ではなかったため、後にNASAのトップとなるカール・セーガンらに、専門家としてのプライドを傷つけられたことによる激しい憎しみを買い、彼の説が学会に受け容れられることは現在に至るまでなかった。彗星が地球に与えた影響についての彼の記述の個々については、「大洪水」関連記述も含めておよそ科学と呼べる質を備えていないものが多いが、彗星が星の大火山から生まれたという論理のスケルトンは、NASAの取り組みの基礎になったと伝えられている。

宇宙的出来事という範疇に収まる次の有力な説は、ゼカリア・シッチンのシュメール宇宙説の中の「大洪水」論である。彼は歴史学者であると同時に言語学者でもあり、古代のシュメール語を解読できる数少ない学者の一人であり、遺跡から発掘された粘土板などの解読を通じて、古代メソポタミアの文化論に止まらず、太陽系を主体とした宇宙論や、宇宙と密接に関係する神の世界について次々と論稿を出し、著書多数である。彼の論の特徴は、現在の科学の認知範囲を超えた内容であることで、たとえば人類の起源については、他惑星から公転周期を利用して宇宙船でやって来たというふうに、驚天動地で衝撃的な論になっている。「大洪水」に関しては、太陽系の一番外側に存在する、太陽系としては12番目に誕生した未発見惑星のニビルが、地球に大接近した際の大変動として「大洪水」が起きたとしている。第12番目惑星についてはNASAが実際に発見したという情報もあるが、彼の説には「大洪水」が発生した様子についての十分な科学的な裏づけは伴われていない。

これら二人以外でも、電子工学者である高橋実氏が「未知の灼熱の氷惑星が地球に大接近し、その惑星から地球に水が転移して『大洪水』が起きた」とか、論者の氏名は不詳であるが、「地球の地下に大量に蓄えられていた水が地表に大量に噴き出て『大洪水』が起きた」というような説もあるそうである。最近発表される説の特徴は、宇宙論や地球物理学などを根拠としつつ、「大洪水」事件を地球だけでなく太陽系内の出来事と位置づけていることであり、筆者の論説もその範疇に含まれる。

第三節　世界に残る洪水伝説

日本史に限らず世界史においても、「大洪水」は研究者たちに無視あるいは棚上げされていると言って良い。その一方で、「大洪水」が単なる伝説に止まらず、世界の歴史研究者から繰り返し実在の提起が成されてきた背景は、何と言っても旧約聖書の『創世記』での「大洪水」に関する記述の具体性にある。そこには洪水の始めから終わりまで時間の経過を伴いつつ、非常に具体的に洪水の顛末が書かれている。とてもではないが、単なる“創作話”であるようには思えない。書かれている内容も、最新科学で裏づけがとれる。それでも「大洪水」は、聖書という“一宗教書”が記載した単なる宗教ストーリーであったのであろうか？　その結論を導く前に、世界の歴史研究者が「大洪水」の存在を無視できない最大の理由となっている、世界中にあまた存在する“洪水伝説”について、予め整理をしておきたい。

世界の「大洪水」神話の系譜

大洪水に関する神話は、それこそ世界中に存在する。アフリカについては数が少ないように見受けられるが、これはおそらくはアフリカに関しての民族研究史が未だ浅く、サンプル数が他の地域より少ないことが原因であろうと筆者は推測している。ところで、世界地理では雑多に存在しているように見える大洪水神話は、実は大洪水からの時間経過と民族移動の流れによって、明確に系譜を読み取ることができる。それは僅かな例外を取り除けば、（1）「大洪水」後数百年以内で、まだその記憶が残っていた頃に民族・部族に遺された伝承と、（2）エブルからヘブルに繋がった古代ヘブライ民族の離散と移動に付随して各地に残った伝承とに、区分けできる。

（1）「大洪水」後数百年以内に遺された記憶の伝承

□文字の所有の有無が影響した伝承の有無

セムとハムそしてヤフェトというノアの３人の子たちが、「大洪水」後の人類繁殖の礎となった。セムは「大洪水」後およそ500年間生きた。彼らの父親であるノアも、「大洪水」後およそ450年間生きた。黄色人種、黒人種、白人種それぞれのルーツとなったこれら三人の子孫たちの間では、彼ら息子三人及び父ノアの「大洪水」後の生存期間を考慮すると、控えめにみても「大洪水」後数百年間くらいは、民族の言い伝えの中にその記憶が色濃く存在したはずである。それらの伝承が現在まで伝わったかどうかの差異は、民族・部族に文字の所有があったかどうかによって大きく影響された。セム族が分かれて住み着いた古代オリエント地域では、彼らが楔形文字を用いたため数多い神話が遺され、そして後世において発見された。一方、ロシア南部からヨーロッパ東部に至る地域に住み着いたヤフェト族と、カナンや紅海周辺域、さらにアフリカ大陸に住み着いたハム族子孫たちは、エジプトという例外を除けば、彼ら固有の文字を持つことがセム族と比較してかなり遅く、そのため大洪水の伝承は残りにくかった。

□民族自身の記憶が話種の古代オリエントの伝承

　メソポタミア文明の古代オリエントでは、シュメール、アッカド（アトラ・ハシース叙事詩）、バビロニア（ギルガメシュ叙事詩）、カルデヤ、ヘブライ（創世記）、エノク書、アルメニアに洪水伝説が残っている。エノク書については、「大洪水」以前から存在する“預言書”あるいは“予言書”の性格を持つもので、これを他の伝説と同列に論じることはできないものの、他の伝承は、彼らの民族自身の記憶が伝承の話種になったと考えることができる。

（2）古代ヘブライ民族の移転移住に付随して各地に残った伝承

□古代では当事者に限られた文化や技術の伝達

　古代オリエント周辺域とは全く外れた東南アジアや、南北アメリカ大陸にさえ洪水伝説は残っている。長らく文字を持てなかったようなこれらの地域において、古代オリエントと同じように人々が「大洪水」の記憶を持てたとは考えにくい。現代と異なり本や新聞などなかった古代では、文化や技術の伝達は当事者に限られた。模倣などそうそうは有り得ないことで、当事者が移転移住でもしない限りは、文化の伝達はなかった。そして古代における古代オリエント関係民族の移動の足跡を辿っていくと、該当民族が浮かび上がった。古代ヘブライ人である。

□最も完成度が高いヘブライ人の伝承『創世記』

洪水伝説で内容面において最も完成度が高いものは、古代ヘブライ人が記した旧約聖書の『創世記』の記述である。伝説の文量の多さで言えば、アッカド語で書かれた『アトラ・ハシース叙事詩』や、明らかにそれを下敷きに作られたと推測できる、シュメール語による大洪水物語『ギルガメシュ叙事詩』も『創世記』に引けはとらないが、記述内容の確かさのレベルが違う。たとえば、『創世記』には箱舟のサイズが書かれているが、そのサイズは現代科学が洋上航行用の船として最も安全性を追求し、そして結論として得られた長さ・幅・高さの比率と一致していて、記述内容の確かさが現代科学をもって裏づけられている。他の二つの伝承に伝わる船体では「大洪水」の災害を乗り切ることはできない。その最も現実性の高い内容の伝説を持った民族が、古代ヘブライ人であった。

洪水伝説理解の鍵を握る古代ヘブライ人の動向

筆者が紀元前1994年生まれと推定するアブラハムを始祖とする古代ヘブライ人は、中東のカナンの地（現イスラエル国周辺）を最初の根拠地とし、様々な事情により民族全体、あるいは部族や集団単位で世界中に移住した。その彼らの移住先で、『創世記』の記述に近い内容の洪水伝説を残した。移住先の数は多く、また場所も世界全体に広がっており、彼らの移住は時には逃避行であり、またスポットライトを浴びることのない歴史舞台から外れた時期と場所で行われたため、洪水伝説の研究者たちは古代ヘブライ人の存在に気づかなかったようである。世界の洪水伝説を理解するためには、まず古代ヘブライ人の動向を把握する必要がある。その一助として、以下に筆者が解する古代ヘブライ人の移住の歴史を抜粋で紹介する。

□古代ヘブライ人の移住先

イスラエル十二部族

■B.C 1704頃（筆者推定）

ヨセフ以下兄弟全員（イスラエル十二部族）が、パレスティナからエジプトに移住した。

■B.C 1555頃

この頃エジプトではギリシア系人支配による第十七・十八王朝へと変わり、ヒクソス人とともに第十五・十六王朝を構成したヘブライ人の一部は、被征服民となることを避けてインダス、揚子江、イラン、中央アジア西側方面に逃亡移住し、それぞれが興隆した。なお、エジプトに残留したヘブライ人は被征服民となり、奴隷となってエジプト王国の建設や工芸、農務に従事した。

■B.C 1274頃

神の命に従い、モーセがヘブライ人（イスラエル十二部族）を率いて１月15日にエジプトを脱出し、その後の40年間の荒れ野滞在を経て、カナンの地（パレスティナ）を征服した。征服途上でモーセは亡くなり、神の命によりヨシュアが指導を引き継いだ。ヨシュアはカナンを征服して十二部族の土地配分を決めた。

□B.C 1050頃（参考、移住なし）

イスラエルの民が王の存在を求めるようになり、ベニヤミン族の若者サウルが預言者サムエルに油を注がれて初代王となった。サウルの時代は異民族支配を脱するための戦いの連続であり、ペリシテ軍との戦いの最中にサウルは自刃して果て、息子のイシュ・ポシェトが二代目イスラエル王となる。サウル王に敵視されたユダ族の若者ダビデがユダ王となり、サウル王家とユダ王家との抗争が続いた。

□B.C 1005頃（参考、移住なし）

イスラエル二代目王が部下に刺殺されて後、ユダ族の王ダビデが（全）イスラエル国の王となった。ユダ王家とイスラエル（ユダ王家以外の十一部族は自らを“イスラエル”と呼称した）王家との抗争はその後も続いたが、サウル王の血筋七人の処刑をもって和解に至った。ダビデ王は40年間在位して（全）イスラエル王国の基礎を築き、王国の版図を拡げた。

■B.C 965頃

ダビデ王の指名により、ソロモンが後継王となった。ソロモン王はダビデが築いた王国の基盤をさらに発展させ、王国の版図は最大となった。ソロモン王は陸海の交易を促し、とりわけ海に関しては、ヒラムとタルシシュの二船団を持って貿易を活発に行った。王は鉄の入手に注力し、居住を伴う現地生産を行うための船団を、東南アジアや東アジア、極東、南北アメリカ大陸に向けて盛んに送り出した。生産者は現地に居ついた。

□B.C 925（参考、移住なし）

40年にわたるソロモン王の治世の後に、ソロモン王の後継レハブアムが王位を継ぎ、そしてエフライム族のヤロブアムも（北）イスラエル王として即位した。そのことによりレハブアムは、（全）イスラエルではなく（南）ユダ国王となってしまったわけで、この二つの王家は（北）イスラエル王国がB.C 722に滅ぶまで抗争を続けた。イスラエル十一部族のうちベニヤミン族は、ユダ王国に帰属した。

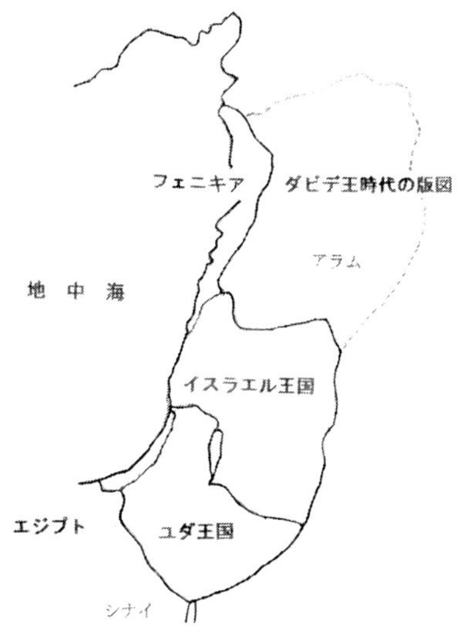

図Ⅰ-1-3-1　ソロモン王死後の二国分立

（北）イスラエル王国

ヨセフの血を引くエフライム族が王族として、マナセ族が貴族として、合計十部族の（北）イスラエル王国を統治したが、青銅器製の僅かな武器しか持たないイスラエル人に対して、豊富な鉄製武器を持つアッシリアが優勢となり、（北）イスラエル王国領は徐々に侵食されていった。

■B.C 734

ガリラヤ湖以北と、ヨルダン川東部の（北）イスラエル王国領がアッシリアの支配下となり、ルペン族、ガド族、マナセの半部族が虜囚となって、現イランの西部及び北部に連行された。マナセ族はヨルダン川西側にも領地を持ち、部族としては二つに分かれていたため、“半部族”という表現になっている。これら部族はスキタイ民族が捕囚地を略奪襲撃した時に解放され、彼らは後にスキタイを支配し、黒海のクリミア地方を根拠地として黒海周辺からカスピ海に及ぶ地域を領有した。

■B.C 722

アッシリアが（北）イスラエル王国を完全占領し、アッシリアの粘土板の記録によれば、（北）イスラエル王国の王侯貴族だけでも27,290名が捕囚となり、現在のイラクやイランの地に連れ去られた。その後、メディア国の勃興の隙をついて多くが捕囚地を逃れ、中央アジア全域に広く分布して騎馬民族となり、また北インドや中国南部にも定住した。

（南）ユダ王国

ダビデ王から引き続くユダ族の王が、レハブアム、アビヤ、アサ、ヨシャフト、ヨラム、アハズヤ、ヨアシュ、アマツヤ、ウジヤ、ヨタム、アハズ、ヒゼキヤ、マナセ、アモン、ヨシヤ、ヨアハズ、ヨヤキム、ヨヤキン、ゼデキヤと続いた。B.C 700に、ユダ王国の滅亡を預言で知ったヒゼキヤ王が、太子インマヌエルを後継とする王家避難隊を組織し、当時の世界一の鉄の生産地であった日本列島に向けて送り出した。B.C 587に最後の王ゼデキヤが、父王ヨヤキンとともにバビロンに連行され、ユダ王国は消滅した。以下に、以後のユダ地域の年表を示す。

B.C 587〜B.C 539　新バビロニア王国支配
B.C 539〜B.C 332　アケメネス朝ペルシア支配
B.C 332〜B.C 305　プトレマイオス朝エジプト支配
B.C 305〜B.C 141　セレウコス朝シリア支配
B.C 141〜B.C 63　ヘブライ・レビ族ハスモン朝統治
B.C 63〜B.C 37　共和制ローマ属州
B.C 37〜A.D 93　イドマヤ人ヘロデ王家ローマ承認の下に統治
A.D 44　　ローマ帝国のユダヤ属州となる

A.D 66〜A.D 70　第一次ユダヤ戦争
A.D 66　　イエス派のユダヤ教徒がエルサレム包囲を脱出・逃亡
A.D 74　　マサダ砦陥落し反乱完全鎮圧
A.D 93〜　ヘロデ王アグリッパ二世の死とともに王朝終焉
A.D 132〜A.D 135　第二次ユダヤ戦争
A.D 395　　ローマ帝国滅亡して東ローマ帝国が支配継続

第二次ユダヤ戦争終了後にローマ皇帝ハドリアヌスが、「ユダヤ属州」という名称を「シリア・パレスティナ属州」と改め、ユダヤ人にとっては彼ら自身の土地をパレスティナという敵の名称にされてしまった。第一次ユダヤ戦争当時からユダヤ人の離散は始まっていたが、この属州名称改めによって離散は一挙に加速され、パレスティナの地からユダヤ人は行く先知れずで、世界中に消えた。

□現存する世界中の洪水伝説のほとんどは古代ヘブライ人起源

世界地図を一覧すると、ヨーロッパでのギリシア、ゲルマン、アイルランド、南北アメリカ大陸でのアステカ、インカ、マヤ、ホピ、カドー、メノミニー、ミックマック、アジアでの日本、中国、朝鮮、台湾・中国南部、インド、インドネシア、太平洋の島でポリネシア、アフリカでのマンジャなどで、地域や部族単位で洪水伝説が残っているそうである。ゲルマンとアイルランドそしてマンジャについては不明であるが、筆者研究によれば、ギリシアはエジプト第十六王朝時代の古代ヘブライ人の宗教文化を吸収した国であり、その他については全て上述の古代ヘブライ人が居ついた地域である。この他にも東南アジアの少数民族であるとか、アフリカのマサイ族であるとか、無視できない伝説があまた存在する。最近のある関連著作では、250件もの例が紹介されている。筆者の目からすれば、そのほとんどは上述の古代ヘブライ人移住絡みとなっている。したがって、それぞれの話種は『創世記』にあるので、固有名詞はそれぞれの伝説と地域的特徴で異なってはいるが、話の構造は非常によく似通っているのである。

二千年前には“神話”ではなかった「大洪水」

ところで、今から約二千年前のユダヤ人で、ローマ・ユダヤ戦争のユダヤ側の指揮官の一人でもあったフラウィウス・ヨセフスは、西暦75年から80年にかけて『ユダヤ古代誌』という本を書き上げ、創世記から西暦60年に始まったユダヤ戦争直前までのヘブライ人の歴史を著述した。この本の貴重さは、二千年も前のヘブライ人本人による、それも当時の知識人による歴史書であることで、それが全て真実であるとは限らないが、当時のヘブライ人がそれ以前の彼らの歴史をどう認識していたのかを知る、大きな手がかりになった。そのユダヤ古代誌の中に「大洪水」に関する著述が含まれていて、そこには旧約聖書には書かれていない記述が少なからず存在する。その中から一つを紹介したい。

〈抜粋〉

アルメニア人は、箱舟が無事に上陸したという意味で、その地点を「上陸地点」と呼んでいる。彼らは現在でもその残骸を見せてくれる。この洪水と箱舟の物語は、非ギリシア人社会の歴史を書いた著作家ならば必ず記載している。たとえば、カルデヤ人ベーローソス（紀元前330年～紀元前250年の人、カルデヤのペーロスの神殿の祭司で、三巻の『カルデヤ史』を著した）は、ある箇所で洪水物語について次のように言っている。

「いやそれどころか、箱舟の一部は、アルメニアのコリュデュエーネー人（現在のクルディスタン）の住む山に残っており、人々は箱舟のアスファルトの一部を剥ぎ取って持ち帰り、魔よけにしているといわれている。」

そしてこれらのことは、フェニキアの古代史を書いたエジプト人ヒエローニュモスや、ムナセアス（紀元前三世紀のリュシアの人、エラトステネースの弟子で旅行家でもあった）、その他多くの著者によっても書かれている。

この引用文から分かることは、今から二千年前の時点で、中東を中心とするほとんどの国で「大洪水」の記憶が残されており、その当時に作成された“歴史書”の中に記録されていたということである。二千年前での「大洪水」認識は、現在のような“夢物語のような神話”というような扱いでは決してなかったのである。

第四節　「大洪水」が世界史学学会に提議された唯一事例

ところで、この稿を執筆するに当たり、「大洪水」に関してネットで検索してみたところ、出版物やホームページなどで新たな論稿が活発に展開されていることを知った。それらは、アララト山中で発見されたノアの箱舟の遺跡に基づく話であったり、またインド洋に大隕石が落ちたことを原因とする説であったり、地球を覆う水蒸気層に原因を求める説も存在し、本当に多種多様と言える内容である。ところで、世界史では大洪水に関して全く無視されてきたので、世界史学学会ではこれまで議論さえ成されたことがなかったのかと思いきや、なんと大洪水が史実であったことが発掘事例をもって提議されたことが、過去にあった。その事例は筆者も大洪水実在の証拠として相応しいと考えるので、以下に紹介する。

ウーリー卿が発掘した大洪水“史実”の証拠

□「処女層」とさらにその下の層の発見

アメリカとイギリスの合同隊によりメソポタミアのウルで、1922年から12年間発掘が行われた。詳細は1998年に刊行された翻訳版H・ウーリッヒ著『シュメール』を参照願いたい。そこではウル王墓が発掘されたが、団長のレオナード・ウーリー卿は、王墓のさらに下を深く掘った。王墓の下１mくらいは王墓の地層と似たような地層があり、その下には沈殿により生じた純粋な粘土層が存在した。現地の発掘作業者はそれを「処女層」と呼び、彼らの間ではそこから下にはもう何の遺物もないと信じられていた。卿はさらに掘り下げると、2.5mの泥地の下に別の層が現れ、火打石の道具とアル・ウバイド彩色土器のかけらが発見された。卿は翌年も別の場所で発掘を試み、そこでは3.5mの泥地の下に同じように別の層が現れ、壊れた粘土瓦、瓦礫、灰などの層があり、非常に装飾的なウバイド期の出土品や火打石の道具、土の偶像、葦の茎の模様が押印された平らで四角形の煉瓦、そして火を通して硬度を増した粘土製の漆喰の断片らが発見された。

□ウーリー卿の提議に対し学会不承認判断

そこで卿は学会に「大洪水実在の証拠」として報告書を提出したが、学会は「メソポタミアの他の場所を発掘しても泥土の沈殿堆積は見られないし、少なくとも同じような規模では見られない以上、ウーリーの“大洪水＝歴史的事実説”は認められない。」という決定を下した。卿は事前に「洪水の規模は様々であり、場所によって

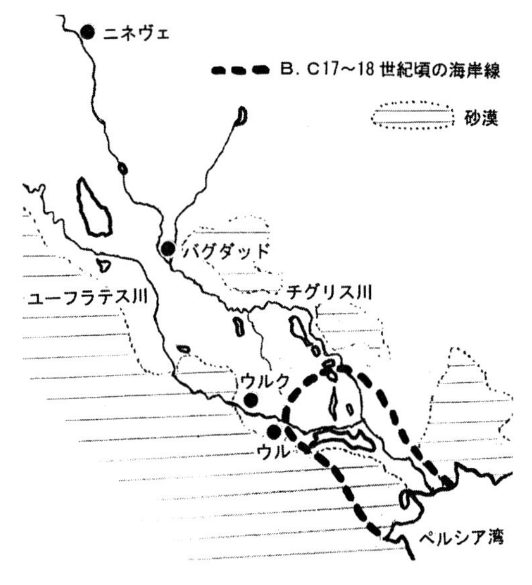

図Ｉ-1-4-1　ウルの位置

流れる速度も異なっていただろうから、どこでも一様に沈殿堆積が見られるわけではない。」と説明したが、逆にその点を突かれて不承認となってしまった。

学会不承認判断に欠けていた視点と要素

□「大洪水」以外に形成し得ない「純粋粘土層」

ウーリー卿は、ウルの発掘場所は高台であったのだが、以前そこは川に面した低地であり、「大洪水」後に発掘地は隆起して高台になったと考えていた。そうであると仮定すると、大洪水の最初の段階では濁流が激流となってペルシア湾に向かって流れ、地上に存在した家屋をはじめとする人間居住の一切の痕跡は濁流とともに流され、あちらこちらに瓦礫として泥土に埋蔵された、と考えることができる。卿の発掘で得られた埋蔵物は、「大洪水」時点の瓦礫と化した埋蔵物と、それ以前の生活用具埋蔵物が混在していたものであろう。洪水の水によって海水面が地上面以上に上がってしまえば濁流は止まり、次は地球全土を泥水が覆うことになる。旧約聖書の記述によれば、２月17日に大洪水が発生し、翌年の最初の月の第一日に「地上の水は乾いた」とある。すると約10ヶ月半の間に、世界中の地上部分に泥土の堆積が生じたはずであり、その痕跡が見られて良いはずである。水中に浮遊する泥土の粒子がゆっくりと堆積したのであるから、そうしてできた堆積層には何の遺物も存在しない、「処女層」と呼ばれるに相応しい純粋な粘土層が形成される。その粘土層の厚さが2.5mや3.5mとなると、地層になる前の沈殿した当時の厚さは、現在の地層の雑駁に10倍くらいの厚さを持っていたと推定できる。25mや35mという泥土粒子の自然沈殿は、とてもでないが局地的な洪水では成し得ない。

□どこにでも存在すべきものではなかった「純粋粘土層」

「処女層」と呼ばれた純粋粘土層はとても柔らかい。「大洪水」後の降雨による雨水が高地を浸食し、山間部などに存在した処女層は容易に流し去られた。また、水の通り道になるような低地では、処女層はすぐに河口に向かって流されてしまう。こうした動きを想定すると、大洪水による泥土堆積の痕跡は決してどこにでもあるわけではなく、地形によってまだら状態で残ったと考えるべきであろう。広い丘のような部分では粘土層のまま残り、その上に徐々に新たな堆積が進んで現在に至ったと推測できる。特殊な地である砂漠に関して言えば、砂漠は「大洪水」進行の段階で生まれたので沈殿物は砂の上に生じたが、それは水が引いてからは乾燥と風により砂と混じり、あるいは消失されたため、砂漠に処女層は存在しない。「大洪水」の際の沈殿物はどこにでも一様に残ると考えてしまった学会判断は、大きな誤りであった。

□「純粋粘土層」が残存している可能性の高いロシア

レオナード・ウーリー卿の提議内容は、現代ではどう捉えられているのかをネット検索で調べたところ、次のコメントを発見した。おそらくこのコメントが現代の学者たちの意見を代表しているように思われる。

> その後の発掘によって同様な文化層の上に粘土層を持つ古代諸都市――ウル、キシュ、ウルク、シュルパック、ニネヴェ――が発掘された。結果として明らかになったことは、各都市における堆積層の層順も年代も異なり、歴史的に全地を破壊する大洪水の粘土層を確定することは困難であり、むしろこうした諸都市の発掘は局所的な洪水が諸都市を襲ったことを裏づけることになった。

上記のコメントは、メソポタミア領域では無理からぬこととも思える。この地域では大きな洪水が、「大洪水」後も幾度も起きているのである。そこで筆者が知りたいのは、「大洪水」後の地殻変動の影響を最も受けなかったロシア地域の地層である。地質学では、地面表層の地層がどのようであるかを示す、「地体構造」という捉え方がある。その中に安定陸隗として「楯状地」と「卓状地」があるが、第六章の図Ⅰ－６－４－１（P183）で示すように、ロシアは極東部を除き大方は安定陸塊となっている。筆者の考えによれば、安定陸隗とは「大洪水」前の状態が現存されている所で、楯状地とは「大洪水」前の状態そのままの地であり、卓状地は楯状地の上に若干の堆積物が存在している状態である。卓状地の堆積物の地層の中に、ウルクで「処女層」と呼称されていた純粋粘土層が存在し、ロシアにはそれが広く残存しているように推察される。

第二章　推論「ノアの箱舟」大洪水

第一節　新天体起因説

新天体を「大洪水」の原因とする説の登場

□飛鳥昭雄氏の新説登場

レオナード・ウーリー卿の提議は別として、第一章第二節で述べた「大洪水」が史実であったと主張する数多くの論説について、その発生事由とプロセスについて、筆者が納得できるものは一つとして存在しなかった。しかし、とうとうとんでもない内容の著述が現れた。その冊子は飛鳥昭雄氏の『月の謎とノアの大洪水』であり、それは隕石や彗星とは異なる「新天体起因説」とも言うべきもので、しかもその“新天体”の写真まで掲載されていた。その著述の内容を、以下に要約して紹介する。

「太陽を挟んで地球と正反対の位置にある未発見天体で、NASAの暗号名『ヤハウェ』という惑星が、約4500年前に地球に異常接近した。その際に、惑星ヤハウェと地球との間に挟まれてしまった月が、その際に発生した強烈な潮汐力によって完全破壊一歩手前までのダメージを受け、氷天体であった月内部の大量の水がスプラッシュして地球に達し、その水が地球全体を覆い尽くして『ノアの大洪水』は起きた。人類は、箱舟に乗ったノア以下八人を除き死滅した。この時地球も割れ裂けによる強いダメージを受け、その時始まった地球内部気圧の低下が原因で、地球は体積が1.5倍になるまで膨張し、酸素濃度も洪水以前の三分の二位の濃度まで低下した。」とのことである。

□様々な問題や矛盾を解決する飛鳥説

この内容は衝撃的であった。「大洪水」の水が宇宙空間を経て月から地球に来たというのである。この大災害の元凶は“新天体”であり、それが地球の傍を通過した時に発生した潮汐力によって「大洪水」は発生した、ということであった。筆者は直感でこの説は正しいかもしれないと思ったが、すぐにそのまま受け容れはしなかった。延べ10年以上もかけ、懐疑心をもって検証した。「親星の大火山から子星が生まれる」、あるいは「潮汐力作用として一つの天体から他天体に宇宙空間を通過して物質が移動する」というようなことは、それまで聞いたことすらなかった。筆者に限らず、このような壮大な話をすぐに信じることができる人々はそうそういないと思うが、合点がいく内容も多かった。たとえば、地球と月がともに自転しているのに月がいつも同じ面しか地球に向けない理由や、地球から見て月の反対側部分ばかりに隕石落下跡が集中していること、さらにNASAの仕事を請け負った科学者がリークした月の写真、新天体ヤハウェが地球からは見えない理由解説、その他のリーク情報と歴史の実際の動きとを勘案した結果、筆者は飛鳥論を基本的に正しいと認識した。

□「大洪水」の物証―「ノアの箱舟」実物の遺跡が発見

さらに、「大洪水」の物証さえ存在するというのである。飛鳥氏によれば、「ノアの箱舟」の実物の遺跡が存在するとのことである。アルメニア国のタガーマ州に近いトルコのアララト山中において、第二次大戦直後の1948年に起きた大地震による崩落によって、「ノアの箱舟」実物の遺跡が発見されているそうである。その遺跡の存在は極秘であったそうだが、ネットを手繰ってみると、近年は秘密どころかトルコ政府によって国立公園にも指定され、かなり多くの人々に知られているようである。

□70年も前から存在している火山からの新星誕生説

地球近辺を他天体が通過する事例は意外と多い。多くの場合は岩石質や鉱物質の小物体が地球の大気圏に突入して燃え尽き、人々はそれらを「流れ星」として認識しているが、少し大きいものは「隕石」として地上に落下する。この現象が肥大化され、「大洪水」に限らない地球の大異変を「巨大隕石」や「巨大彗星（ほうき星）」に原因を求める論稿は多かった。そのような傾向の中で、「木星火山から誕生した“新天体”」を「大洪水」発生のそもそもの原因として取り上げたところに、飛鳥論の著しい特徴がある。ところが、この発想は今より70年も前に既に提起されていたものであった。第一章で既述のように、1950年及び翌年の二年続けて、アメリカでインマヌエル・ヴェリコフスキー著作の『爆発する宇宙』がベストセラーとなった。その内容は、「金星が木星大赤斑として知られる大火山から誕生して現在位置に落ち着いた」というものである。「親星の大火山から子星が生まれる」という思考が、既に70年も前に存在していたのである。

「新天体」の正体

□地上写真までもが流布されている「新天体」

金星は紀元前2000年頃に誕生しているので、それ以前に起きた「大洪水」の原因となる天体とは成り得ないが、「大洪水」の原因となった天体が、太陽系外ではなく太陽系内部の大惑星の火山から誕生し、それが地球の傍を通り抜けたと考えると、「大洪水」事件は筋を通して説明ができるのである。その天体は金星と同じように必ずどこかに落ち着いたはずで、私たちは特定できなければならないが、既存の公の情報ではそれを見つけることができない。この「大洪水」事件の構図と通過した天体を特定したのが、飛鳥昭雄氏である。彼はこの事件に月を加えて論説した。月が地球と他天体との間に挟まれてしまい、月はほとんど破壊されかけ、月の内部物質であった水と砂が潮汐力により地球に運ばれ、そして「大洪水」が起きたというのである。彼はさらに、その天体も太陽を挟んでちょうど地球の反対側で、地球と対になる楕円軌道に存在する未発見天体と特定した。その未発見天体はNASAの軍事衛星によって既に調査が成されており、その情報の一部がアメリカのカリフォルニア工科大の科学者によってリークされ、その地上写真までもが流布されていた。

□飛鳥説が解く様々な疑問

筆者はこれらを鵜呑みにして信じるということではなく、それこそ自分の頭でゼロから検証し、地学的に理論成立することを確認した。これまで宇宙で潮汐作用の一部始終が確認されたことなどないし、とにかく全体像が壮大過ぎてとてもではないが現実感を伴えないが、新天体原因説は理論的には可能であるし、仮に飛鳥説の大筋を正しいとして受け容れてみると、歴史上の様々な疑問が次々と解けていくのである。たとえば､地球は海嶺という大きな傷が原因で、西暦1990年代前半まで地球の体積は膨張を続けてきた。これは科学的な事実である。しかし、「その傷は何が原因でどのように生まれ、そもそもいつ起きたことなのか？」ということについて、これまで言及する科学者は筆者の知る限りでは存在しなかった。それどころか、これまでの科学者たちは、海嶺部分を地球の“傷”とさえ認識していなかった。飛鳥説が史実であるかどうかは別にして、飛鳥説は少なくともこの疑問に対して一つの解答として成立しているのである。他の傍証についても、論説の過程で順次説明していきたい。

第二節　洪水発生年の特定

これから「大洪水」の顛末について筆者の推論を述べるわけであるが、その前に「ノアの大洪水はいつ起きたのか？」ということを明らかにしておきたい。洪水発生年を特定できれば、世界史の流れの中で「大洪水」発生の可否を具体的に検討できるようになる。聖書学者たちはこれを「約4500年前」とし、飛鳥氏もそれを準用しているが、筆者は約4300年前とする。その設定根拠を以下に示す。

紀元前2284年に「大洪水」発生

□洪水発生年の特定方法

「大洪水」はノアの年齢600歳の時に起きたので、その年の西暦年を確定できれば「大洪水」発生の年も判明する。旧約聖書の『創世記』には、アダムからノアを経てヤコブに至るまでの系図が、子の出生時の父親の年齢と没年齢付きで記載されている。それを辿っていき、年号が明らかとなっている歴史的事件と系図上の人物との突合を行い、一致した事件時から系図を遡ってノアの600歳時を確定する。

■計算根拠１　旧約聖書年齢記述

アダム出現からヤコブの誕生までは子の出生時の父親の年齢および没年齢の記述があり、それらの年数を足し上げると、アダム出現から洪水発生までが1656年、洪水発生からヤコブの誕生までが450年となっている。

■計算根拠２　ヤコブのファラオ面会時の年齢が130歳

ヤコブの子が出生した時のヤコブの年齢は記載されていない。そのため、ヤコブについての12人の子の誕生時以降、通算年数計算は一旦途切れてしまう。ところが、ヤコブがエジプトのファラオに面会した時にファラオからヤコブの年齢を尋ねられ、ヤコブは130歳であったと答えていた。この時のエジプト王朝は、通史で読み取れる様子では第十四王朝もしくは第十五王朝であった。この面会が行われた年を確定できれば、アダムから始まる全ての年次を確定することができる。

■計算根拠３　イスラエル人のエジプト滞在期間が430年

計算根拠とできる数字が、もう一つある。それはイスラエルの人々がエジプトに住んでいた期間が430年であったと、旧約聖書の出エジプト記に明記されていることである。エジプト脱出がいつであったのか判明すれば、ヨセフがエジプトに住み始めた年を確定できる。エジプト脱出の年は明言されていないものの、諸資料によればB.C 1280頃であり、誤差の範囲は最近の論説では広くはない。仮に出エジプトをその年に設定すると、ヨセフの兄弟たちが全員エジプトに揃った年は430年前のB.C 1710だったことになる。

■計算根拠４　エジプト第十四王朝の通史に関連しての補正

「ヨセフの兄弟たちが全員エジプトに揃った年はB.C 1710だった」という仮設定をエジプト通史に照らしてみると、ヤコブが面会したファラオの王朝は、B.C 1725～B.C 1650頃にかけて下エジプトの東端部に存在した、アジア人の第十四王朝であったことになる。その王朝の初代ネヘシ王の治世と思しきB.C 1705頃以降、ナイル川デルタ地域が干ばつによる長期の飢饉と疫病に見舞われた痕跡が、発掘により発見されている。旧約聖書に記述のあるヨセフが予言した「７年間の飢饉」をこの飢饉に該当させると、ヨセフ以下兄弟全員がエジプトに移住した年は、旧約聖書の記述に照らせば飢饉の二年目頃と推定できるので、B.C 1704頃であったことになる。その時ヤコブも同行したので、ヤコブとファラオの面会もB.C 1704ということになる。すると、ヤコブの誕生年はその時より130年前のB.C

1834であった。それを次に掲載した『創世記』記述のノア以下後継者寿命表に当てはめると、ノアの洪水発生年はB.C 2284、そして人類の始まりはB.C 3940となる。またモーセに導かれたイスラエル人のエジプト脱出は、エジプト移住B.C 1704頃から430年後のB.C 1274頃に実行されたことになる。この想定で世界史を点検すると、セムの曾孫のエベルがB.C 2180〜2150頃に、ヘブライ人の先祖国であったエブラ王国を築いたことになり、考古学的な発見とその年代推定にさほどの矛盾はない。また、モーセ後継のヨシュア率いるヘブライ民族がカナンを制圧したのがB.C 1234となり、サウル王が出現するまでの士師時代の長さが、旧約聖書の士師記の記述に照らしてピタリと符合する。

旧約聖書年齢記述者の筆者分析による誕生年と没年

旧約聖書系図	後継を得た年齢	没年齢	誕生年	没年
アダム	130歳	930歳	B.C 3940	B.C 3010
セト	105歳	912歳	B.C 3810	B.C 2898
エノシュ	90歳	905歳	B.C 3705	B.C 2800
ケナン	70歳	910歳	B.C 3615	B.C 2705
マハラエル	65歳	895歳	B.C 3545	B.C 2650
イエシド	162歳	962歳	B.C 3480	B.C 2518
エノク	65歳	365歳	B.C 3318	(生去)
メトシュラ	187歳	969歳	B.C 3253	B.C 2284
レメク	182歳	777歳	B.C 3066	B.C 2289
ノア	500歳	950歳	B.C 2884	B.C 1934
セム	100歳	600歳	B.C 2384	B.C 1784

ノア600歳の時に大洪水発生 B.C 2284

アルパクシャド	35歳	438歳	B.C 2284	B.C 1846
シェラ	30歳	433歳	B.C 2249	B.C 1816
エベル	34歳	464歳	B.C 2219	B.C 1755
ペレグ	30歳	329歳	B.C 2185	B.C 1856
レウ	32歳	239歳	B.C 2155	B.C 1916
セルグ	30歳	230歳	B.C 2123	B.C 1893
ナホル	29歳	148歳	B.C 2093	B.C 1945
テラ	70歳	205歳	B.C 2064	B.C 1859
アブラム	100歳	175歳	B.C 1994	B.C 1819
イサク	60歳	180歳	B.C 1894	B.C 1714
ヤコブ		147歳	B.C 1834	B.C 1687

ヤコブがファラオに会った年（ヤコブ130歳）B.C 1704（飢饉の２年目）

ヨセフ		110歳	B.C 1745（推定）	B.C 1635（推定）
モーセ		120歳	B.C 1355	B.C 1235

モーセがファラオにエジプト出国を告げた時がモーセ80歳　翌年エジプト脱出（B.C 1274）

ヨシュア		110歳		

□聖書記述の矛盾が内包された紀元前2284年設定

この年齢表の作成において、一点だけ不都合があったことを述べておきたい。それは旧約聖書記述の矛盾である。「大洪水」は『創世記７－11』に、「ノアの生涯の第六百年、第二の月の十七日」に起きたと明記されている。すると、『創世記５』の「アダムの系図」

そして『創世記11』の「セムの系図」を、「後継を得た年齢」と各人の寿命の記述に基づいて正確に作表すると上図になる。ところで、「セムの系図」部分に書かれているアルパクシャドの誕生に関して、「セムが100歳になった時にアルパクシャドが生まれた。それは洪水の二年後であった。」という記述がある。「後継を得た年齢」で計算すると、ノアの年齢600歳、セムの年齢100歳の時に「大洪水」は起きているが、「セムの系図」記述ではセムが98歳になった時、そしてノアの年齢598歳の時が「大洪水」発生年となってしまう。旧約聖書の記述内容に不一致がある。筆者の「大洪水」発生紀元前2284年という説は、この矛盾を内包したままの数字であることを述べておきたい。あるいは、これは矛盾ではなく筆者の読み取り過誤であるならば、読者のご指摘をいただければ幸いである。

人口歴史面からの「ノアの洪水」検証

□「大洪水」直後の繁殖状況に照らしての人口計算

「ノアの洪水は、紀元前2284年頃の出来事であった。」ということになると、その時点で人口は僅か八人だけであったことになる。「そのようなことで、多数の国家がひしめき多くの戦争が展開された世界古代史が、人間の数として成り立ち得るのか？」という疑問が、まず先に立つ。「大洪水」については様々な疑問がつきまとうが、この人口面での疑問は最初に解決しておきたい。そこで、聖書に述べられている系図と記述を点検することにより、「大洪水」発生紀元前2284年説の人口面での可能性を自ら検証してみた。その方法は、「大洪水」発生後の人々の寿命と出産数との関係を捉え、当時の繁殖を再現しつつ人口増の計算を行うことである。

□当時の寿命と出産数の状況

まず寿命に関して述べると、洪水前の平均寿命は長く、皆900歳くらいまでの寿命があった。洪水の100年前に生まれたセトは600歳まで生きたが、洪水後に生まれた三人までは440歳位にまで寿命が縮まった。洪水後131年経って生まれたレウから三代までの寿命は230歳台であり、洪水後300年近く経って生まれたアブラハム以降は175歳、180歳、147歳と、寿命は100歳台にまで短縮した。洪水を境に人々の寿命は、時を経る毎に着実に短くなっていった。下図に載っている人々は、アダムと神が指定した後継者たちである。寿命を示す棒と棒の間隔は、間隔の左側の人が後継者を得た年齢を示す。大洪水発生後はその間隔が大洪水発生前と比べて著しく短くなり、寿命が短くなっただけでなく、同時に子を持つ年齢も早くなった。そのことはつまり、大洪水を境に人間の老齢化が急速に進むようになったことを示している。

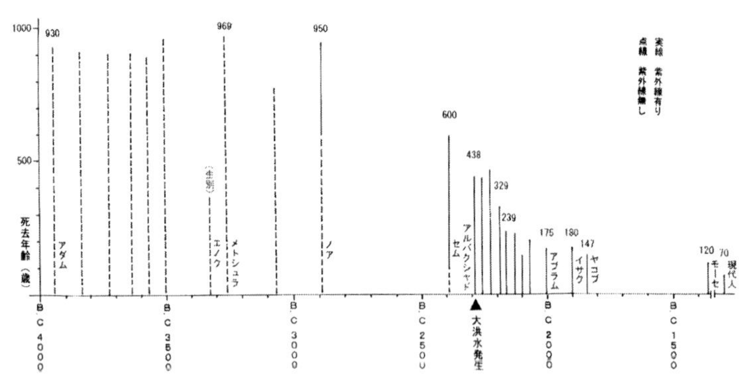

図I-2-2-1　アダムと後継者たちの誕生と寿命

次に出産数に関して述べると、旧約聖書には147歳まで生きたヤコブの妻たちの総出産数が記録されている。それによると、当時の女性たちの寿命も一応150歳前後と想定し、妻レアは33人、召使ジルバは16人、召使ラケルは14人の子を産んだ。ヤコブの召使との性交回数は妻と比べれば少ないと想定できるので、ヤコブの当時での正妻は、かなり控えめに見積もっても、少なくとも平均で20人位の数の子を持ったと推定できる。未婚や不妊症といった要素を加味しても、一人の女性は平均して15人位の子を産んだと推定できる。ヤコブの時代は洪水後450年も経った後であり、洪水直後の人々の寿命は450歳前後であったことから、一人当たりの平均出産数はどれだけ控えめにみても30人には達していたと推測できるので、15人という設定は半数であり相当少なめである。

□試算では紀元前2000年の世界人口は１億人超え

〈設定条件〉

1　一人の女性の出産数は平均して15人

2　出産間隔を二年に一人

3　出産年齢に達する以前の死亡率を20％

以上のように設定して試算すると、セム、ハム、ヤフェトのカップル六人での始まりが、100年後には僅か3,117人にしか過ぎないが、200年後には数百万人となる。紀元前2000年の頃には、世界人口はゆうに一億人を超えるのである。

□試算設定への反論予想

この計算に対して、「食料が追いつかない」あるいは「病死や戦死などの“死”が考慮されていない」などという反論もあろうが、どのように厳しく算定しても、数千万人には達している。最も有力な反論は、旧約聖書に記載されているノアの三人の子以降の、系図に記載されている名前の数がそれほど多くないことであろう。しかし、それは反論の根拠にはなりにくい。その理由を以下に述べる。

第一に、聖書記載の子孫の名に女性は含まれないことである。民数記についてもそうであるが、聖書で扱われる人間の数は、特別の断りがない限りは全て男だけを対象としているのである。

第二に、聖書に登場する名は基本的に正統家系の者だけであり、召使の子のような庶子は原則的に名前や数として登場しないのである。現在の道徳観念では、雇い主の男性が召使女性に子を産ませることなど許されないが、「大洪水」後は神の「産めよ、殖やせよ！」という号令の下、召使に子を産ませることも不自然ではなかったことは、歴史が証明している。聖書の記述によっても推測できるが、当時は異民族の女性も多く召使として採用され、召使全体の数も多かった。配偶者を持てない男性は少なくなかったと仮定しても、ほとんどの女性は繁殖し得たのである。

聖書に登場する名は基本的に正統家系の者だけであったという論拠として、聖書における名の取り上げ方と数の表示について、ヤコブの例をもって説明したい。ヤコブは二人の妻と二人の召使との間に、イスラエル十二部族の始祖となる十二人の子を持った。そのうち、二人ずつ四人が召使の子である。この四人については召使の子ではあるが、聖書では珍しく名前が記されていて出自も明確に述べられている。そして聖書では、ヤコブの子はこれら十二人、後に一人加わって十三人しかいないような文章となっているが、ヤコブは実は彼の生涯で合計65人の子を持ったと後述されている。このように聖書には、名前として表には出てこない子が数多く存在するのである。

□結論

人間の数という側面からの世界史は、「ノアの洪水は紀元前2284年頃」ということで、計算上は十分以上に成り立つのである。

「大洪水」で生き延びた人々は八人だけかという疑問

ところで、「大洪水」後の人口計算の項で触れておかねばならないことが、少なくとも一つある。それは「"大洪水" で生き延びたのは本当にノアの家族だけだったのか？」という、筆者自身の疑問である。深い疑問ではないのだが、時々この疑問が頭をもたげてくる。前章第三節末尾で触れたフラウィウス・ヨセフスのユダヤ古代誌の中での記述を、再度引用させて頂きたい。

〈抜粋１〉

さらにまた、ダマスコ人ニコラオス（紀元前64年頃生まれる。紀元前20年頃から紀元前４年までユダ王国ヘロデ王の宮廷のスポークスマンを務めた）は、その著作の第96巻で、この物語について次のように語っている。

「アルメニアのミニュアスの北にバリスと呼ばれる大きな山がある。言い伝えによれば、あの洪水の時、大勢の者がそこに難を逃れて助かったが、箱舟で運ばれてきた一人の男は、山頂に漂着して助かったと言われ、箱舟の残片が長い間保存されていた。思うにこの人物は、ユダヤ人の律法制定者モーセが書き記している者と同一人物であろう。」

〈抜粋２〉

さて洪水から助かった祭司たちは、エヌアリュオスの聖なる什器を携えて、バビロンのシナルにやって来た。

上記下線で示したように、「当時の言い伝えによれば、ノアの家族八人のみが“大洪水”で生き延びたのではなく、他にも多くの人々が生き延びた」とヨセフスは著述している。この「言い伝え」とは、アルメニアにおけるものであったか、あるいはヨセフス自身のヘブライ民族に伝わったものであったのか、古代誌の文章では判別が困難である。いずれにしても、いい加減な記述ではない。「ユダヤ古代誌」という本を二千年も前に書き上げた、当時のれっきとした知識階級のユダヤ人（ヘブライ人の一部でユダ族の人々）の著述である。旧約聖書とはヘブライ人に向けてのみ書かれた書で、他の民族は視野に置いていなかったと想定すると、他民族の生存者が存在したとしても無視されたと考えることもできる。あるいは、言い伝えの方が誤りであり、本当に八人だけが生き延びたのかもしれない。真偽のほどは定かではない。

第三節　筆者推論の概要

地学の常識の多くは単なる“説”

これから宇宙の事件を解明するわけであるから、当然のこととして地学分野での分析が主体となるわけであるが、具体的な論説に入る前に、地学に関して最初に一つだけ指摘しておきたいことがある。それは地学という学問の成熟度に関することである。

筆者は何事についても、常識や定説あるいは言動などを疑いなく信じ込むようなことはしない。必ず自分の頭で考え直し、その正否を判断する習慣がついている。とりわけ地学に関しては、全てゼロから考えるようにしている。参考までに、私たちが教科書で習ったような地学の常識は、“単なる説であって確定事項ではない”ケースが多いということを、予め指摘しておきたい。地学というのは地中を掘って確認することができないので、実はよく分からないことだらけなのである。たとえば、突然具体的な話になってしまうが、日本列島の糸魚川―静岡構造線以東は北米プレートということになっていて、それはこれまで揺るぎのない事実のように取り扱われてきた。ところが、実はこれはユーラシアプレートの一部であるという説や、あるいは北米プレートからは独立したオホーツク海プレートとする説もある。さらにユーラシアプレートの日本列島部分に関しては、最近のプレート地図を見るとアムールプレートと別名になっていて、ユーラシアプレートからは独立したプレートになっている。陸地の移動や形態を推し量る基本となるプレートの形や状態さえ、実は正確には分かっていないのが現状なのである。要するに地学では、疑問の余地のない確定事項のように断定的な表現で書かれていても、実は皆現時点での有力な“説”であり、それぞれが真実である保証は何もない。これまでの常識を常にゼロから問いただす姿勢が、地学という学問には必要なのである。

旧約聖書記述に対応する筆者推論の概要

「大洪水」事件の解明は、旧約聖書の記述に照らして順を追って行っていきたい。

□旧約聖書記述の大要

筆者の推論は常に旧約聖書の記述がベースとなっている。筆者推論理解の一助として、その記述の中心となる部分である『創世記』から、「大洪水」関連記述の一部を抜粋する。

1 「大洪水」発生前

(旧約聖書に記述なし)

2 「大洪水」の兆候

(それはノアの600歳の２月17日であって、)その日に大いなる淵の源は、ことごとく破れ

3 降雨開始と「大洪水」の様子

天の窓が開けて、雨は四十日四十夜、地に降り注いだ。洪水は四十日のあいだ地上にあった。水が増して箱舟を浮かべたので、箱舟は地から高く上がった。また水がみなぎり、地に増したので、箱舟は水のおもてに漂った。水はまた、ますます地にみなぎり、天の下の高い山々は皆おおわれた。水はその上、さらに十五キュビトみなぎって、山々は全くおおわれた。

4 「大洪水」発生後の気象変化

わたしは雲の中に、虹を置く。これがわたしと地との間の契約のしるしとなる。

わたしが雲を地の上に起こすとき、虹は雲の中に現れる。

□筆者推論の概要

「大洪水」に関する筆者の推論の概要は、以下のとおりである。

1 「大洪水」発生前

旧約聖書には記述がないため正確には日時不詳であるが、今から4300年前後も前のある時、木星の大火山から新天体が生まれて太陽に向けて進行し、地球と月に異常接近した。

2 「大洪水」の兆候

その新天体は紀元前2284年２月17日に地球に最接近し、その際に生じた潮汐作用で地球は外核に至るまで“割れ裂ける”という物理

的な影響を受けた。

3　降雨開始と「大洪水」の様子

同時に、地球と新天体との間に挟まれた月が完全破壊一歩手前までのダメージを受け、月の地殻の外部及び内部に存在した水と砂が潮汐力で引き寄せられ、それらが地球に到達して旧約聖書に書かれているノアの大洪水が起きた。地球はその深い割れ裂けが原因で、地球内部物質の地表に向けての上昇と内部圧力の低下を招き、そのことにより新たなマントル層が形成され、結果的にその体積が1.39倍になるまで膨張した。そのため、地球の上に一繋がりで存在した陸地は多数に分裂し、分離・移動して現在の世界地図の配置となった。

4　「大洪水」発生後の気象変化

この大事件を契機に直射日光が地上を照らし始め、そのことが原因で上昇と下降という空気の対流が始まり、気候は従前と様変わりに変化し、現在に至る降雨降雪が始まった。直射日光の地上照射は、事件後の人間の寿命を急速に短くさせもした。人類は紀元前2284年に人口僅か８人となってしまったが、当時の寿命の長さと繁殖率の高さにより、紀元前2000年の頃には人口一億人に達し、また同じ頃に地球膨張は九割方達成され、世界の地理・地形は現在に近い姿となった。

飛鳥昭雄氏の著書をご覧になった方は、これでは筆者の推論は飛鳥氏の完全コピーだと思われたであろう。しかし、それは違うのである。もちろん強い影響を受けてはいるが、筆者なりに論理をゼロから構築し直し、結果として得られた推論は、その概要だけを比較するとまるでコピーのようであるが、思考のプロセスと内容が相当に異なっていて、筆者の推論の具体的な内容の多くは新説となっている。

第三章　木星からの新星誕生と地球構造の特殊性

「大洪水」がなぜどのように起きたのかを論ずるためには、星の一般的な構造についての理解がまず必要となる。そして次に、「大洪水」事件は地球の内部構造を変えたので、その変化を認識また理解するために、太陽系における太陽と木星の特徴及び星の形成一般モデルに対しての現在の地球の構造について知る必要があり、本章はその一助としたい。

第一節　太陽系内木星からの惑星誕生

「大洪水」は地球だけの事件でなく、太陽系の中で起きた、太陽系システムの根本に関わる出来事であった。事件の直接の発生源は木星であるが、その木星をめぐる宇宙環境と現在の地球の特殊性について、まず理解しておきたい。

（1）太陽系のあらまし

太陽の周りを公転している星々をひっくるめて、「太陽系」の星というふうに呼称している。その中でも大きめの星を「惑星」と呼び、その他にも小さい惑星という意味の「準惑星」や、「太陽系小天体」あるいは「衛星」という分類もある。2006年の国際天文連合において、惑星の定義が明確化され、太陽系の惑星は水星、金星、地球、火星、木星、土星、天王星、海王星の八つとされ、それまで惑星に含まれていた冥王星が惑星から外された。なお、もう一つ「小惑星帯」という呼称もあるが、これに関しては後述する。

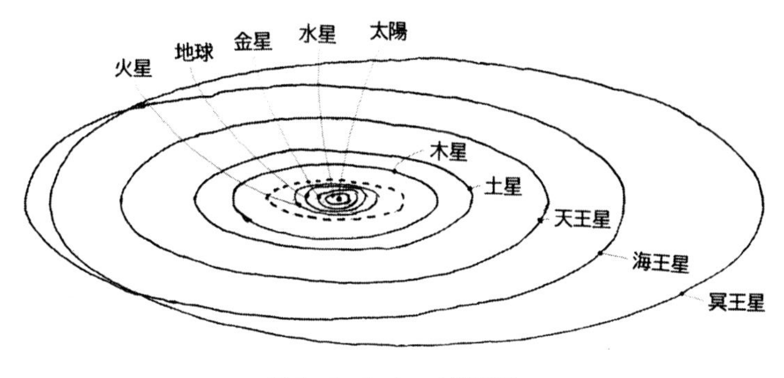

図Ⅰ-3-1-1　太陽系図

太陽系惑星はそれらの組成に関し、大きく分けて二種類に分類されている。一つは、木星、土星、天王星、海王星の四星のグループで、質量が大きくガスを主体とする惑星群で、それぞれが多くの衛星を引き連れ、「木星型惑星」と呼ばれている。もう一つは、水星、金星、地球、火星の同じく四星のグループで、質量は木星の千分の一程度と小さく、構造は皆地球と似ており、密度は大きく自転速度は遅い。これらは「地球型惑星」と呼ばれている。

□木星型惑星は太陽が親星

木星の大きさは地球の千倍である。太陽の大きさも木星の千倍である。木星型惑星は、それぞれが多くの衛星を伴っている。たとえば木星は2018年７月確認で79、土星は85、天王星は27、冥王星は14もの衛星を伴っている。地球型惑星では、丸い形の衛星を伴っているのは地球だけである。ここから推論できることは、木星型惑星は地球と比べて桁違いに大きく、地球型惑星とは明確に形成プロセスが異なるということである。筆者推論では、「この四星はともに太陽の黒点である大火山から生まれた」ということになる。そのように仮定すると、太陽系全体の姿形の様子をよく理解することができる。木星型惑星が同一火山から生まれたことにより、太陽から放たれた方向が一致するため、太陽を中心とした円面の上に木星型惑星の四惑星が綺麗に揃うことになる。この「円面＝黄道面」が形成されたことが、「大洪水」事件が発生した重要な要素となる。

（2）太陽のあらまし

「大洪水」事件に太陽は直接関わってはいない。しかし、木星に存在する火山からの噴出物である新天体が誕生し、その後に新天体が地球に異常接近するためには、新天体が「黄道面」に沿って進行したことを理解する必要があり、その「黄道面」は太陽によって形成された。さらに、太陽の存在は新天体の進行や定着に関し陰に陽に影響を与える。そのため、まず太陽のあらましについて若干述べておきたい。

〈資料〉太陽の物理的数値

直径	約140万km（地球の約109倍）
体積	1.40927×10^{18}km^3（地球の約130万倍）
質量	約1.99×10^{30}kg（地球の約33万倍）
平均密度	1.411g/cm^3（地球の約1/4）
自転周期	27日６時間36分（赤道部）

太陽は内部にプラズマ状態を持つ地殻星

□太陽内部の実態はほとんど未解明

太陽は銀河系の恒星の一つであり、地球を含む太陽系の中心星である。その物理的数値は、地球と比べて想像もつかないような巨大さであることを示している。その質量は太陽系の全質量の99.86%を占め、太陽系に属する全天体に重力の影響を与えている。太陽の温度は中心部で約1500万度、表面でも約5500度、そして太陽を取り囲むコロナは約100万度以上と推定されている。その高い温度に加え、太陽は光球の内側が電磁波に対して不透明であるため、普通の星のように電磁波によって測定するということができないので、探査を非常に困難にしている。太陽内部については全て推測の域にあり、正確なことはほとんど何も分かっていないというのが実態である。

□学説では太陽は原子爆発が常態の星

太陽がどういう星であるかの認識については、2020年の今は過渡期にあると筆者は考えている。筆者は学生時代には、太陽は原子爆発が連続的に起きている星であるように教わった。水素が核分裂を起こし、ものすごいエネルギーを放出してヘリウムに変化するということが、常態化しているとされた。日本は二発の原子爆弾を投下された国であり、筆者の青年時代ではその記憶が生々しく、「太陽ではあのような爆発が常に起きているのか」というふうに当時は理解した。

□通説では太陽は水素とヘリウムで98%組成のガス星

太陽における原子爆発の発想を辿ると、太陽がガス星であるという想定に行き着く。太陽の質量は、その体積に比して約四分の一の数値である。その数値では、太陽の組成は地球と同じような岩石や鉱物の物質構成では有り得ず、太陽全体がガス主体のガス星とされた。それでは星としては成り立たないので、岩石や重金属などから成る核の存在を設定せざるを得なかった。太陽の中心には、太陽の半径の約二割に相当する半径10万kmの核があるとされた。そのことに関し学説では、太陽全体の僅か２％ほどの体積の中に、約50%

の質量が存在する状態になっている。このことは、後に木星の内部構造を語る時に思い出してほしい。太陽の組成は、表面では水素70%とヘリウム28%、中心部では水素35%とヘリウム63%と考えられている。このことにより、体積に比して質量が軽すぎる問題と、核分裂を起こして太陽系全体にエネルギーを発散させる方法考案の、二つの問題が理論的に一挙に解決されたが､真実からは程遠かった。

□「水分子」の存在が意味する「太陽は地殻星」

ところで、NASAは確か1994年頃だったと思うが、太陽に関しとんでもないことを発表した。NASAは太陽に「水分子」が存在することを公表した。筆者は、その時の新聞記事を読んだ記憶を鮮明に持っている。「水分子」が存在するという表現はそれが初めてではなく、NASAはそれ以前にも確か火星でも使っていて、NASAの独特な表現方法の一つだった。後には月でも同じ表現を使った。それは水が存在することを指し示していた｡水が存在するということは、太陽はガス星などではなく、地殻を持った普通の星であることを意味する。当時の科学者の「何を信じたら良いのか、分からなくなった」というコメントをよく覚えている。たぶんあのことが契機となって、世界の研究者たちにおける太陽とはどういう物体であるかについての再考が始まった。

□最有力となった太陽内部プラズマ状態説

21世紀初頭では、太陽の内部はプラズマ状態にあるという説が最有力となった。「プラズマ状態」というのは、原子における電子が電離した状態を言う。物という状態は維持されるが、物と物との間の物質的障壁はなくなる。プラズマ状態では、幽霊が壁を通り抜けるように物体と物体は相互の存在の影響を受けない。太陽に関してようやく真実に近づいたと思いきや、太陽における水素の核分裂の論理は未だ保持されているようである。

□常温状態で発生するプラズマ爆発

核爆発と非常に良く似た現象で、プラズマ爆発というものがある。磁力線が交差することによって起きる爆発で、核爆発に似た爆発をするが、放射能を出さないことが大きな特徴である。似たような現象で非常に小規模なものが雷である。地球の地表では、常温状態で雷が発生する。同様に、太陽が地球と同じような地殻を持ち、また大海を持った星であっても、上空での磁力線交差によりプラズマ爆発は起こり、それは地球からはフレアとして視認され、また地表には影響しない遥か高空部分でコロナが形成され得るのである。

□推測できる太陽を覆う電磁層の存在

科学界での太陽についての疑問で、コロナの温度の問題がある。既述のように、太陽の表面温度は約5500度で、その温度よりも上空に存在するコロナの方が約100万度以上と、比べようもなく高い数値を示している。これに関しては、筆者は一つの想定を持っている。地球にはヴァンアレン帯という地球磁場で形成された電磁層があり、宇宙から飛来する陽子や電子をそこで捕捉している。同じように、太陽にも巨大な電磁層が存在すると筆者は考えている。電磁層の存在により地球では生物が生存することができる。地球の場合はこの電磁層は二層となっているが、太陽のように150前後もの磁力線が存在している所では、その電磁層は巨大かつ複雑となっていよう。プラズマ爆発は太陽のはるか上空で起こっている。爆発はその複数の電磁層の間もしくは外側で発生し、爆発エネルギーは電磁層の内側に及んでいないことが推測できる。そのため、太陽表面と太陽コロナの温度が全く異なっている。太陽の表面温度は約5500度と推測されているが、筆者の考えではそれは誤りで、おそらくはプラスマイナス200度の範囲に位置し、太陽の地上は普通の星と同じような風景を保っていると考えられる。そう考えると、太陽表面で観測される爆発は散発的であるのにコロナが光球を成していることや、コロナという状態で爆発エネルギーが保存されている理由も理解できる。地球から送る電磁波によって太陽内部を測定できない理由も、実はその強力過ぎる電磁層の存在に原因があると推察される。

□太陽内部の四分の三はプラズマ状態

最後に残る問題が、太陽の少な過ぎる質量である。筆者の思考では、プラズマ状態の部分は計器による計測では無物空間となってしまう。話が突然跳ぶが、飛鳥氏の著書の中でアポロ飛行士が撮影した「葉巻型UFO」の写真があった。あのUFOの周りは光で囲まれ、UFOがプラズマ状態の中にあることが推定できる。あのUFOは全長2kmもある大きな物体であるが、それが浮かんでいるのである。おそらくどんな計器を使っても、あのUFOの存在は確認できない。UFOは計器には無物状態と認識される中に存在し、その重力もゼロである。電子が電離した状態にあるので、UFOの固体としての機体と周りの気体が一体化している。このことを太陽に当てはめてみると、太陽の真実が見えてくる。太陽の質量は、体積との相対で約四分の一の量しかない。そのことはつまり、太陽内部の四分の三がプラズマ状態にあり、残り四分の一がそうではない地球と似たような状態にあるということである。恒星と惑星との違いは、複数の磁力線の存在によるプラズマ爆発の有無と、星内部のプラズマ状態の大きさの違い、そして星の外側の電磁層の強度の違いであると推察される。

太陽黒点の存在から導かれる宇宙の成り立ちと構造

□太陽が親星、木星が子星、地球は孫星

太陽には複数の黒点が存在し、その研究歴は長いが、観測に一つの特徴がある。黒点の位置は決して動かないことである。そのことから、黒点は太陽の火山であると指摘する研究者が複数現れた。そこにインマヌエル・ヴェリコフスキーの著述が結びつく。彼は「金星は木星の大火山から生まれた」と発表したが、太陽にも大火山が存在するのであれば、太陽系の星々も太陽の火山から生まれたという論が成り立つことになる。太陽が親星で木星が子星、そして地球は孫星ということになる。

□発見された太陽の兄弟星と母星

米タコマ・コミュニティ大学のイバン・ラミレス教授は、2014年にヘルクレス座の方角に見える太陽の兄弟星を発見した。彼は、欧州宇宙機関（ESA）の探査機ガイアが現在収集している恒星データベースを調べれば、行方不明の太陽の兄弟星の半数が見つかると予測している。この他に、太陽やそれら兄弟星の「母なる星」の存在も明らかになっている。これは太陽系内星群の親子関係のような関係が、さらに一つ上の段階でも存在することを意味している。

□この宇宙形成は一つの巨大星の大火山から始まった！

学説では、「太陽は超新星爆発で四方八方に散らばった星間物質が、何らかの影響によって再び集まって形成された」ということになっている。しかし、筆者はヴェリコフスキーの考えの延長で、「親星の大火山から子星が生まれる」ということが何代も繰り返され、この巨大な宇宙が成立したことを推測した。太陽系は宇宙としては末端に存在するに過ぎず、宇宙での最小集合体である。太陽系の太

陽は、実はさらに千倍も大きい「母なる星」の火山から生まれたと想定できる。その「母なる星」は、さらに千倍も大きい別の「母なる星」の火山から生まれた。こうして辿っていくと、最後にとんでもない大きさの一つの星に辿り着く。逆に言えば、この宇宙は、そもそもは一つの巨大星の火山から生まれたと想定できる。

□宇宙形成プロセスはカッバーラに一致

太陽系のさらに何段階か上である銀河系の形は、ある写真は渦巻き型をしているが、別の写真は横から見た円盤型をしている。銀河系のさらに上の、またさらに上の宇宙全体図が実際どのような形をしているのかは明らかではないが、ある予想図では二つの扇が要の位置で交わるような形をしている。それは、とんでもない大きさの一つの星から円面に広がった変化図のように見える。このように想定すると、この宇宙形成プロセスは、宇宙の真理を包含するカッバーラ（ユダヤ神秘主義、生命の木）の図柄にピタリと当てはまるように見える。カッバーラの「始めなり」は最初の巨星であり、「終わりなり」は地球、そして地球は最初から数えて10代目の星ということになる。

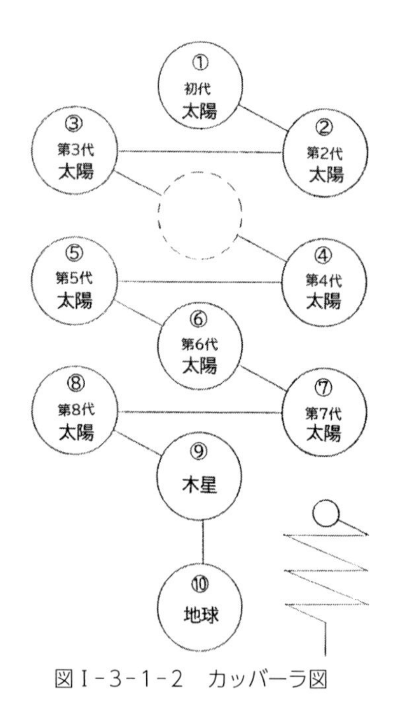

図Ⅰ-3-1-2 カッバーラ図

（3）木星のあらまし

本書の主要テーマである「大洪水」の発生は、木星の大火山の火口からの噴出物が新天体となることから始まる。まずそのことの科学的な合理性が得られなければ、推論の根拠を失うことになってしまう。この項では筆者推論の起点の現実性について論述するが、まずは木星という惑星の全体像を把握したい。

〈資料〉木星の物理的数値

直径	142,984km（地球の約11倍）
体積	1.43128×10^{15}km^3（地球の約1321倍）
質量	1.8986×10^{27}kg（地球の約318倍）
平均密度	1.326g/cm^3 1.411g/cm^3（地球の約1/4）
自転周期	9時間55.5分
表面重力	24.79m/s^2（地球の2.37倍）
表面温度	マイナス140°C

木星も内部にプラズマ状態を持つ地殻星

□太陽と全く同じ問題を抱えている木星質量の数値

木星の特徴の第一は、なんと言ってもその大きさである。その体積において太陽と比較すれば千分の一に過ぎないが、地球の1321倍もの大きさである。その質量は、木星以外の全ての太陽系の星を足し合わせても、2.5倍という大きさなのである。しかしながら、体積と質量の関係で、木星は太陽と全く同じ問題を抱えていた。体積に比しての質量数値が小さすぎるため、地球と同じような組成を想定することができず、結局太陽と同じ論理でガス惑星と定義せざるを得なかった。木星では核融合反応は起きていないので、その点が考慮されて中心核の組成は太陽とは別にされた。高圧性と融点の降下の論理を取り入れ、中心核の組成を水素金属としたのは苦し紛れとしか言いようがない。

□繰り返されるNASAによる木星への探査機派遣

木星について現代科学はどれだけ掌握しているかと言えば、実は心もとないのである。NASAは1972年からパイオニア10号、11号、ボイジャー１号、２号、1989年にはガリレオという具合に立て続けに探査機を送ったが、パイオニア11号が上空34,000kmまで接近したのがつい最近までの最接近例であった。そして、想定地上位置を測定したことは、現在に至っても一度もない。木星の大気層は5,000kmの厚みがある。1995年12月７日に、切り離されていた観測器が木星大気の探測を始めた。パラシュート降下で深度159キロメートルに到達するまでの75分間に及びデータを送信し続け、そして突然機能を停止した。たぶん、地上に激突して破壊されたのであろう。

□木星の実態把握に影響するNASAの情報非公開

これだけの数の探査を繰り返せば、NASAは相当なことを知り得たはずである。さらにNASAが2011年打ち上げた探査機ジュノーが2016年に木星に到着し、現在木星を日々観測中であるが、これらの情報が世間に十分伝えられることは考えにくい。世界中の人々にとって意外であるかもしれないが、NASAは軍事組織であり、自らの費用で行った探査の“軍事”情報を公開する義務もなく、木星に関しての新情報が断片的に伝えられることはあっても、真実がNASAから語られることは期待できない。要するに学説は、未だに地球から覗き見る程度の情報を頼りにした推論で構成されているのである。ただし、執筆中である2020年７月現在、探査機ジュノーによる映像が少しずつ公開され始めた。その一枚には南極方面を映した映像が含まれ、南極には木星を覆い隠していると思われたガス幕が存在しないことが分かった。NASAの情報原則非公開の姿勢の根本は変わらないであろうが、それでもこれからは若干でも公表される映像資料などにより、急速に木星の実態が知られていく可能性がある。

□木星の内部も四分の三はプラズマ状態

太陽の項で述べたが、太陽内部は四分の三がプラズマ状態であり、その部分の質量が計測されないため、その質量は体積との比較で約四分の一の量しか認識されていない。木星も太陽と同じで、木星内部の四分の三がプラズマ状態にあるため、質量の数値が異常に小さい。二つの星が「四分の三がプラズマ状態」ということに必然性を感じるが、今はそれ以上のことは分からない。この状態を内部構造として描けば、木星の核部分がプラズマ状態であり、核部分の質量の大きさを考慮すると、非常に雑駁な計算ではあるが、地表から中心点に至る中間地点あたりまでが核であることになる。巨大な核である。

□小天体の衝突が裏づける「木星は地殻星」

「木星はガス星」ということが数十年間も学校教科書に書かれてきたので、ほとんど誰もがそのことに疑いを持たないでいるが、実は木星も地殻を持った普通の星なのである。その傍証はいくつかある。たとえば、隕石を含む小天体の木星への激突である。これは2009年７月19日と2010年６月３日に小天体の衝突が確認され、記録されてもいるが、それに先立つ1994年７月16日から22日にかけて起こった、シューメーカー・レヴィ第９彗星の20個以上の破片が、一列になって木星の南半球に次々と衝突した事件は記憶に新しい。あまりに珍しい出来事であったため、TVで連日報道された。事前の予想では破片群は木星のガス層に吸い込まれ、その後の変化は予想が困難であったが、実際は雲のような大気が割れた瞬間に大爆発をした。あの映像を見て、「木星はガス惑星で地殻表面はない」などという説明を、誰もが信じることはできなくなった。あの瞬間をもって、木星のガス星説は実質的に消滅した。

□「木星は地殻星」であるもう一つの裏づけ

木星が地殻を持った普通の星である確かな裏づけは、さらにもう一つある。雷の存在である。木星では厚さ50kmの雲の層の中で稲妻の光が観測されているが、雷の発生には水が引き起こす電離作用が必要不可欠である。つまり水がなければ雷は起きないということであり、木星には地球と同じように水蒸気で生まれる雲が存在する。さらに、ただ雲があるだけでは雷は生まれない。積乱雲を生み出す強い上昇気流を生じさせるような地形や空気の対流も存在すると、考えるべきなのである。それは地殻の存在を認めることとなり、木星も行ってみたら地球と似通った地殻の存在する星であったという可能性が、雷の存在を考慮するだけでも、かなり高い確率で有り得るのである。

木星「大赤斑」から生まれたガリレオ衛星と地球型惑星

□「巨大な台風」と認識されている「大赤斑」

赤道から南に22度の位置に楕円形の大赤斑が確認できる。その寸法は長径2.4－４万km、短径1.2－1.4万kmであり、長径では地球３－４個が納まる大きさである。その赤斑の最も高い部分は、周囲よりも８kmくらい高い。周囲の温度が２度程度低いことから、過

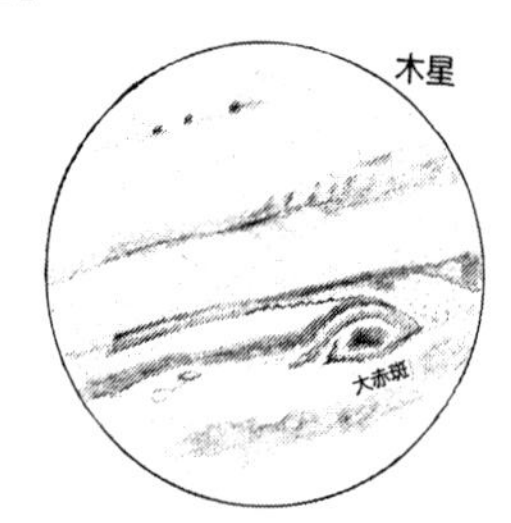

図Ⅰ-3-1-3　木星大赤斑

去だけでなく現在においても、これは巨大な台風と考える説が主流である。大赤斑の最初の発見者は、17世紀にパリ天文台長を勤めていたカッシーニであり、彼は土星の環の発見者として有名である。

□数百年間も位置を変えていないという矛盾

この大赤斑の問題点は、カッシーニの発見以来数百年間もその位置を微塵も変えていないことである。嵐などの気象現象でそのようなことは考え得ない。太陽の黒点も同じで、その位置を少しも変えないことから、黒点の成因は台風などの気象現象によるものではなく、火山の存在が真因であるという説が浮上した。木星の大赤斑についても同様に、最近では火山説を唱える研究者が増えている。太陽も木星も、ともにガス星であるとされていることが議論のネックになっていて、火山説は単なる説としての存在に止まっている。筆者の考えでは、木星は地殻を持った地球と同じような構造の星であるとともに、また同じように火山も存在している。地球から観測される「大赤斑」の真下は、想像を超える大きさの大火山が存在している。

□「ガリレオ衛星」だけが木星生まれの衛星

2018年７月現在において、木星には衛星が79個発見されているが、そのうち、ガリレオ・ガリレイが発見した「ガリレオ衛星」と呼ばれる４衛星の直径は、エウロパ3,122km、イオ3,660km、カリスト4,821km、ガニメデ5,262kmとなっている。地球12,756kmや月3,476kmと比較して、その大きさを想像してほしい。この４衛星以外の木星の衛星は、第５位が262km、第６位170km、第７位110km、第８位86kmという具合に、ガリレオ衛星である４衛星と比較して格段に小さく、直径が二桁以上のkm表示の衛星は第５位以下で僅かに12という数しか存在せず、残り63個の衛星の直径は平均3kmに過ぎない。衛星79個のうち、大きな四つの衛星である「ガリレオ衛星」だけが正常な丸い形をしている。筆者は、これら4衛星だけが大赤斑火山の火口から生まれたと考えている。最初は流体であったものが、時間をかけて星に成長したのである。その他の小衛星群は破壊された惑星の残骸を木星重力が引き寄せたもので、その正体について詳しくは後述する。

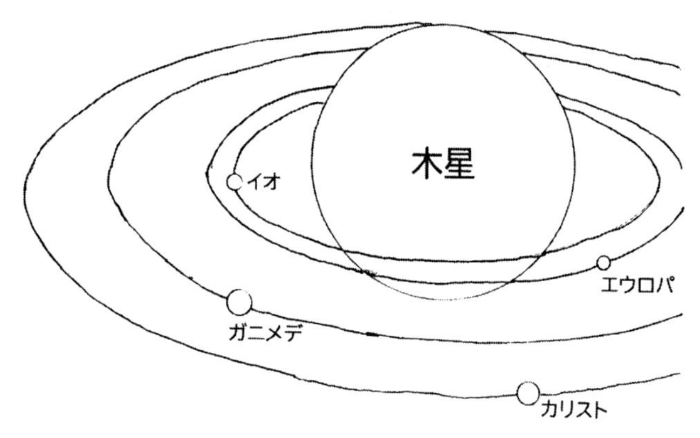

図Ⅰ-3-1-4　ガリレオ衛星配置図

□木星から生まれた地球型惑星

星から物体が飛び出る速度で、星の重力に打ち勝ち大気圏を飛び出し、かつ星に落ちない速度を「第一宇宙速度」と言い、さらにそれより速い速度で、星の重力を振り切って宇宙空間に飛び出せる速度を「第二宇宙速度」と言う。大赤斑火山から射出され、第一宇宙速度以上の速度は得たが、第二宇宙速度までには達しなかった星たちがガリレオ衛星である。ところが、第二宇宙速度を超えて木星の重力圏を脱出し、なおかつ太陽と木星との間に定着した惑星群が存在する。その一つが地球である。さらに、金星（直径12,103km）はヴェリコフスキーが既に木星生まれを提議済みであるが、火星（直径6,794km）と水星（直径4,879km）も木星から生まれたと筆者は考えている。これらは皆、学説では「地球型惑星」として定義されている。また、地球は月（直径3,476km）という衛星を一つ伴っているが、月は球体で正常の星の形をしており、また通常の衛星としては地球と比較して質量が大き過ぎる。月は木星から生まれた小惑星であり、木星の重力圏を脱して太陽の方向に向かう途中で、地球の傍を通り抜ける頃になって勢いを失い、地球の引力圏に入ってしまって衛星化したものであると、筆者は考えている。

地球の始まりは木星大火山から生まれた高熱流体

□学説とは真反対プロセスのヴェリコフスキー理論

一つの大きな星の大火山爆発から小さな星が生まれるという、第一章第二節で紹介したインマヌエル・ヴェリコフスキー理論は、筆者の星に関する大きな疑問を解いた。それは星の成り立ちと構造に関することである。少なくとも地球の内部は高熱の流体であり、中心部に比重が重い物質が存在している。そのことは、地球は誕生当初は熱い流体であり、それが外側からゆっくり冷やされて固体化が進むことによって地殻やマントルが形成されていき、なお残された液体部分が核となっていることを示している。学説における星の成り立ちは、超新星爆発で四方八方に散らばった星間物質が、高熱を伴い再集合して形成されたことになっている。その論では最初に高熱の核が誕生し、次に固体のマントル、そして最後に地殻が形成されたことになっている。ヴェリコフスキー理論におけるプロセスとは真逆の順となる。具体的な科学的根拠なしに、最初に核が形成されるという論理を仮に認めたとしても、次にマントル、そして地殻という順での星の形成は、どのように考えをめぐらしても成立し得ない。マイナス270度という宇宙空間を考慮すると、最初に地殻、次にマントルという順番が妥当なのである。

□現実性に乏しい学説の地球誕生論

学説による星の成り立ちは、研究者たちの間では実は信用性が低いように見受けられる。その一つの例が地球誕生論である。学説では太陽は46億年前に誕生し、その僅か3000万年後くらいに地球が誕生したことになっている。地球の核の温度は6000度くらいと推定され、太陽の表面温度も現在は5500度と推定されているが、成論当時は6000度と設定されていた。これでは暗に、「地球は、太陽が誕生して間もなく、太陽の表面の一部が切り離され、あるいは太陽の形成過程の最終段階に、太陽の分身として成立した惑星である。」と言っているのと同じである。ところが、どのように切り離されたのか、あるいは分身となったのかという論は全くない。木星の大火山から金星が生まれたとするヴェリコフスキー理論を拡大し、「金星を含む地球型惑星は木星の大火山である『大赤斑』から生まれた高熱流体が初期の姿であった」とする方が、学説より余程に説得力がある。

木星大火山からの新星誕生とそのメカニズム

□地球の事例からは想定し得ない火山からの新星誕生

そのように言いつつも、「星はより巨大な星の火山から誕生する」という点について、筆者には今一つ現実感が伴わない。我々が通常知る火山爆発は、地球断面で見れば地表近い部分のマグマ地表流失であって、それこそ巨大な花火のようなものである。新たな子星が誕生するほどの火山爆発による流出物は、親星のかなり深い部分から出されたと想定せざるを得ない。地球の例として最大の火山爆発事例を探せばイエローストーンが該当するが、新たな星の誕生という観点からすればあまりに小規模であり、その小規模な例でさえ歴史時代に入ってからは爆発事例が存在しない。そこで親星から子星が誕生する論理は地球火山の爆発事例研究考察を離れ、想定推理の方法で理論解明するしかない。

□未だ想起されていない星が誕生するほどの火山爆発

一般的な火山爆発の原理は、「マグマが高圧状態で閉じ込められていて、それが何かの拍子に蓋が外れ、マグマが一気に外に飛び出す」ということである。このマグマが地表近くに位置する場合、マグマの高熱が原因で地殻内部に部分的に高圧状態が生まれるが、その場合では新たな星を生み出すほどの圧力は生じ得ない。マグマが原因で大量の水蒸気が発生し、それが相当量閉じ込められた後に一気に爆発する「水蒸気爆発」でも、山の上部あるいは中・上部を吹き飛ばすくらいがせいぜいである。ところが、奥深い内部のマグマが飛び出るとなると、様相は一変する。星は地殻によって内部物質が閉じ込められているため、地殻より内部は高圧状態になっている。地殻の内側のマントルも、冷却の進行に伴ってさらに自身が縮小し、そして内部をより圧縮する。このように星の内部は重層的になっているため、マグマの位置が深ければ深いほどより高圧状態が増し、もし爆発で外に飛び出るようなことが起きれば、飛び出る量は桁違いに多く、またスピードも物凄く速くなると想定できる。そのようなことが起きるメカニズムは、未だ想起されていない。

□火山爆発の原因は星内部でのプラズマ爆発

筆者はそのことについて、誰からも支持されないであろう一つの想定を描いている。それは、「星深部でのプラズマ爆発によって、星の内容物が一気に押し出される。」というようなメカニズムの存在である。太陽や木星の内部でプラズマ状態が発生するのは、未発見の重金属が関係していると筆者は考えている。現在判明している物質は元素118までであるが、理論上は元素173まで存在し得る。その元素Xの量に応じてプラズマ状態の規模が決まるとなれば、太陽や木星の巨大なプラズマ領域の存在も理解できることである。元素Xは地球にも存在し、地球の内核はプラズマ状態であると判断できる。ところで、地球は最も重い重金属類が中心点一ヶ所に集まっているが、太陽や木星はそのようにはなっていない。複数個所に分散しているのである。太陽と木星及び土星との間の重力関係、あるいは歳差運動などとその重金属分散とが絡まり、たとえば雷が発生するが如くに何らかの偶然が重なった時に、木星の内部で例外的なプラズマ爆発が発生したのではなかろうか。その時の爆発力に応じて噴出物は飛び出すが、爆発力が比較的弱くて第二宇宙速度に達せず、高熱流体が丸い星となって木星の衛星として現存するのが、ガリレオ衛星の４衛星であると考えられる。

□木星の重力圏を脱した高熱流体群の行先

それでは、第二宇宙速度以上の速度で木星の重力圏を脱した高熱流体群は、現在どこに存在するのであろうか。木星より太陽側に存在する「地球型惑星」は、そのルーツが木星であったことは既に述べた。それだけでなく、太陽系で木星の外側に存在する「木星型惑星」の衛星群の中で、球体をした衛星のうち特大のものは、木星のプラズマ爆発により誕生したのではないかと、筆者は考えている。たとえば土星である。土星は82個もの衛星を伴っているが、そのうち７衛星は正常な丸い形をしている。土星の他の衛星群はそれらとは比べようもなく小さく、そして形もまるで瓦礫である。丸い７衛星のうち直径約5,150kmのタイタンだけが異常に大きく、その質量は他の６衛星のうち最大であるレア星の50倍に相当する。小球体である６衛星は土星から生まれ、タイタンは木星から生まれて土星の重力圏に落ち着き、その衛星になったと筆者は推測する。同じようなことは、海王星の衛星である直径約2,706kmのトリトンにも言える。直径約2,370kmの冥王星も、実は木星から生まれた準惑星である可能性が高いと推察される。

第二節　一般理論としての高熱流体から星への成長プロセス

木星大火山から誕生した新天体は、黄道面を木星から太陽に向かって移動し、地球で「大洪水」事件を起こす前に、太陽系の惑星群に接近して様々なトラブルを引き起こしていくが、それらの異変現象及び「大洪水」発生後の地球の変化をより良く理解するために、木星火山から生まれた高熱流体が地球や月という惑星となるまでの一般的なプロセスを、仮想で探ってみたい。

惑星の公転と自転

□公転

木星大火山より射出された高熱流体は、慣性の法則に従って、木星の自転方向と同じ方向に向けて移動進路をとることとなる。銃で動いている物体を撃つ時、銃の動きを止めて打つと当たらないが、標的の動きに合わせて銃も一緒に動かして撃つと当たるという理由と一緒である。銃から発射される弾は高熱流体であり、発射時に銃が動いていれば弾もその動きに合わせて動くように、高熱流体も木星の動きに合わせて動く。高熱流体が第一宇宙速度を超えて宇宙空間に漂う状態になると、木星の地殻表面に落ちることはないが、それでも木星の重力の影響は受け続け、第二宇宙速度を超える速度を持てなかった流体は、やがて離れる動きを止めて木星との一定距離を保つようになる。このようにして木星の公転軌道に落ち着いた星がガリレオ衛星（4衛星の集合名）である。

□公転に働く目に見えない力の作用

太陽系の場合は、太陽と惑星との間の公転運動に対して法則が働いている。それはケプラーの法則の一つであり、惑星の公転の速さは太陽に近い方ほど速いという特徴である。もしかすると木星とガリレオ衛星との間にも同様に、筆者が掲げた事由以外の力学作用が存在するのかもしれない。目に見えない力の作用は、実はもう一つ存在する。太陽と木星との間に働く潮汐力である。この潮汐力は、木星との位置関係において太陽の重心が移動するほどに強いものであり、木星の千分の一程度の質量しか持たない惑星は、皆がこの二巨星の潮汐力の影響を受けて公転軌道を取ることとなる。

□自転　原因1――高熱流体の重心位置の偏り

火口から射出された高熱流体は回転するらしい。それが星の自転の根源的理由と考えられるが、この点に関しては筆者の思考力では回転する理由を見出せないでいる。一口に自転と言っても、たとえば金星の自転周期は地球時間で243日を要して一周する。こうなると金星は、“自転している”というよりも“ちょっと回っている”程度に動いているに過ぎない。全ての星が同じように回転しているわけではないので、そこから考え得ることは、高熱流体が火口から射出された際の流体組成は均等ではなく、重い物質の偏在により流体の重心位置に偏りが生じ、物体の物質的中心と重心位置が一致せず、その関係で射出された後に流体全体に回転がかかる可能性である。しかし、これは筆者の単なる想像に過ぎない。

□自転　原因2――判明されていない磁界

自転の原因は、もう一つ考えることができる。それはプラズマ作用である。二十世紀の時代では、宇宙の根本は光を中心に据えて考えられた。宇宙空間における距離も「光年」と言うように、光の速さが基本に据えられた。しかし、二十一世紀の時代では、宇宙はプラズマで形成されていることが明らかとなった。プラズマとは、磁界の中で起きる様々な現象であるが、現在の科学ではその解明は緒に就いたばかりであり、宇宙におけるプラズマの実態などはほとんど分かっていない。高熱流体の成分には大量の鉄が含まれている。太陽系や銀河系などには、現在では判明されていない磁界が存在し、それに星内部の鉄が影響されて自転という作用が生まれる可能性もある。それゆえ、ほとんどの星が同じ方向に向けて動く。金星や天王星のように逆回転している星は、過去に他の天体と接触事件を起こし、潮汐作用による外部圧力を受けて星自体が回転させられ、そのため自転方向が逆になったと考えることもできる。しかしながら、これは推論と言うには理論構成があまりに幼稚である。自転理由をネットで調べても答えはない。星の自転という宇宙科学の極めて初期的な現象が、学問的には未だ解明されていないようである。

惑星が球体となる理由

高熱流体の温度は、地球の核の温度が6000度くらいと想定されているため、正確性は欠くが数千度と仮定しよう。その流体の外部表面は摂氏マイナス270度という宇宙空間冷気に接するものの、巨大な高温の塊はすぐには冷えない。その高熱流体には、質量に応じて重力が働いている。高熱流体は当初どのような形であるのか、その規則性はないと思われるが、流体の重心に向かって重力が働き、流体を構成する物質間において、より重いものが中心に向かって重心を成し、そしてより軽いものは逆に外側に排出される。このようにして星は、最も外側に水素や酸素など原子量が軽い大気、次に水、地殻という具合に、重力の軽いものから重い物の順の物質で構成されていく。重力はどこでも均等というわけではなく、重い物質がある所ではより重力は増す。高熱流体は、誕生後の時間の経過によって中心部に最も重い物質が集まるようになるため、重心の位置は安定し、重心から外周部まで整然と物質構成が成され、星の形は綺麗な球体となっていく。流体の回転が求心力と遠心力の関係で、この動きを助長する。

地殻形成の様子と地殻が星形成に果たす役割

□卵の殻に喩えることができる地殻の形成

高熱流体が球体を形成する頃には宇宙空間冷気に接する外部表面の温度は低下し、流体を構成する様々な物質が凝固点を迎えるようになり、流体外周部には液体の中に固体が混在するようになる。外周部の温度がだいたい1200度から800度くらいまで下がると岩石が固体化し、球体を覆う硬い殻を作る。それが地殻である。喩えてみれば、地殻は卵の殻に似ている。卵は外から見れば個体であるが内側の内容物は液体であり、星も同じである。そして、薄い殻は中身を保護している。

□地殻の形成が促す高熱流体の二段階凝固化

地殻の形成は、その後に形成される星の構造に関して非常に大きな影響を与える。熱の発散が最少化されるために、ゆっくり時間をかけて星の内部が形成される。地殻の内側で、星の中心点に向かうほど比重が高い物質が位置を占めるようになり、物質軽重の秩序が時間の経過とともに整然と成されることとなる。また、地殻が形成されることによって高熱流体が閉じ込められ、高熱流体内部物質の二段階の凝固化が促される。物質の軽重差によって物質分離が進む過程で、時間を切って一旦凝固化が成され、物質分離のプロセスが地殻より内側でリスタートされることになる。そのため、鉄などの比重の重い物質は、本来であれば星の深部にしか存在しないはずであるが、深部に沈み込む前に外周部での冷却化に巻き込まれた鉄が地殻下部に存在し、造山運動などでそれらが地表近くに現れたために人間の利用に供されることとなった。

□地殻形成がもたらす星内部の高圧化

地殻が星の形成に果たしたもう一つの役割は重要である。それは星内部の高圧化である。そもそも高圧化発生の根本原因は重力である。水中を思い起こせば容易に理解できる。水位下10mでは10気圧、100mでは100気圧という具合に、深くなればなるほど圧力は高くなっていく。高熱流体にも同じ原理が適用されるが、星内部の高圧化には他の原因も作用する。その一つを理解するために、喩え話として陶芸の“焼き”を考えてほしい。陶芸では素焼きと本焼きの二回に分けて焼きを行うが、素焼きと本焼きでは同じ物質であるのに焼いた後の大きさが異なる。二度目に焼く本焼きの方が一回り小さくなる。それと同様に、球としての地殻の大きさも、地殻が最初に形成された時点と星としての冷却化が進んだ時点とでは、大きさが異なるのである。冷却化が進むほど地殻も小さくなる。それゆえ、星の内部体積は縮小を余儀なくされ、高圧化が進むのである。なお、星の内部に高圧化をもたらす原因には、もう一つマントルの存在がある。マントルは地殻が形成された後の冷却化の進行により形成された固体であるが、その後のさらなる冷却化の進行により、マントルにも地殻同様に縮小化が発生し、星の核部分の高圧化を促進させる。

□存在し得ない地殻不存在のガス星

このように、星の原初が高熱流体である限りは、球形状態と地殻の存在は星形成の必須要件となる。恒星や惑星という種類に関係なく、地殻の存在しない星など有り得ないのである。地殻の存在しないガス惑星など、それこそ存在し得ない。もしガス惑星が存在するという論を立てるのであれば、宇宙空間に一つのガスの塊が存在し得ることから説明する必要がある。さらに、ガスと若干の岩石質の物質だけで、どのように球体を形成し、また桁外れの高圧状態を実現できるのかを、具体的に論じる必要がある。学説のガス星説は、太陽や木星の体積に比して異常に少ない質量数値の説明立てから生まれた。しかし、論理の組み立ては双方向で成されねばならない。ガス星が形成されたプロセスについても、納得できる論理立てを示してほしい。

地表と地中における水と砂の形成

地球になぜ海が存在するかについて、考察しておきたい。

□星の形成過程に必須な海（水）の形成

筆者の限られた知識で地表に水が存在する星は、恒星である太陽及び惑星の天王星と海王星、地球、水星、そして木星の衛星であるガニメデとエウロパである。その他に、かつて海が存在した星は火星と月である。火星はNASAが飛ばした探査機が地上写真で川や海の痕跡を確認しているし、月の場合はアポロ宇宙船の宇宙飛行士が初めて月に降り立った時に、「水だ！　水だ！」と叫んでしまったことが映像で全世界に伝わってしまった。金星と公式には未発見とされている新天体ヤハウェは、ともに星としての誕生後間もなく、未だ熱球状態であるため水は視認されていないが、金星については水蒸気の存在が確認されている。これらを総合すると、木星から太陽寄りにある惑星は、皆が海のような大量の水を現在持っている、かつて持った､あるいは大気温度が下がって将来持つ可能性がある。このことから、星の形成過程において、海（水）の形成も必須要素として組み込まれていると考えることができる。

□結露から最終的に海の形成へ

久保有政氏が「ノアの大洪水」の発生原因として、地球の「水蒸気層」の存在を挙げている。筆者はこの推論にヒントを得て、海形成のメカニズムを考察することができた。星の初期状態である高熱流体は溶解状態であり、後に空気を構成する気体や水蒸気もその流体の中に含まれている。それらの軽い物質は、重力に起因する球体の形成、流体の回転及び冷却の進行とともに外側に押し出されていき、星の外側を取り巻く形で大気層を形成する。地表温度が100度を割り込んだ時に､気体成分のうち水蒸気だけは地表に結露し始め、やがて水の塊が形成されていき、最終的に海が形成される。なお、星の冷却がさらに進行すると、海の表面部分から深部に向けて氷で覆われることになる。現在では氷惑星と視認されている惑星でも、現地踏査してみたら氷の下は海で覆われている地殻惑星であったというようなことが、有り得るのである。

□地殻の下の水の層

星は地殻層で覆われているが、地殻の下にも水の層が存在する。高熱流体が球体を形成する時に、流体内部の比重の軽い水蒸気部分は外側に押し出されていくが、その進行途上で地殻が形成されてしまうことにより、内部に居残った水蒸気は地殻の下に押し込められ、地殻のすぐ内側に水蒸気層ができる。そして外側からの冷却の進行により、水蒸気は液体の水に変わっていく。まるで海や湖のような水の塊が、地殻内部にも存在するとみて良いのである。これを裏づける出来事が旧ソ連で起きた。ソ連ではかつて、世界で一番深い12km穴が掘られたことがあった。穴の深さが10kmを超えた時、突如大量の水が湧き出始めたそうである。高熱流体は様々な物質が溶け合った溶融状態であることは明らかであり、そこに水分子も含まれていて何ら不思議はない。水に酸素が含まれると同様に高熱流体に水蒸気が含まれる限りは、論理的には地殻の内側に水分子は溜まるのである。

□地殻の下にも形成される砂

地殻の下での水の存在という現象については、さらにもう一つの思考が必要となる。仮に地殻の内側に水の層が形成されたことを想定すると、地上に水流が発生するのと同じように、地中でも水流が生じ得ると推測できる。また、地殻下部とさらに深部との温度差の関係から、水の対流も起きるであろう。もしそのことが正しければ、地殻内に存在する水が動くことによって地殻が洗われ、地殻の岩質部分が徐々に削られ、大量の砂が形成されることが想定できる。一口に「砂」と言っても、地上の川や海辺で形成される砂とは形状と物質の種類が異なるであろう。地球の年齢とされる46億年などという数字は科学者が使う数字ではないが、地球上で降雨と水流で形成される砂と比較すれば、星内部の砂は数万年、数十万年、数百万年という時間をかけてゆっくりと形成される。そのため、形状はより丸く、そしてより小さい粒となるであろう。そして星の岩質分布と同じように、地上で形成される砂よりも密度が高く、比重も岩石質より重い鉱物質の砂となることが推察される。後述するが、それは地球の砂漠の砂が該当する。

□地殻天体と氷天体の区別

高熱流体の組成がどれでも一様であるとすれば、自転速度という要素を除けば、星の構造は一般的に共通となると考えられるが、実際にはそうなっていない。星には地殻天体と氷天体の二種類が存在し、これはある程度外観で判断できる。双方陸地は存在するが、隕石が衝突後にできたクレーターの形状により、どちらの種類かを判別できる。地殻天体の場合は衝突跡が深く掘られるのに対して、氷天体の場合は淵が丸い形として残り、穴部分は水で満たされ氷となるので衝突跡は平たく残るのである。

□高熱流体の水分量の異なりによる分類

筆者の論では地殻天体と氷天体というような種類分けはしないが、高熱流体のそもそもの物質組成の異なりにより、冷えて星となった時の構造は相当異なるであろうことは推測できる。その要素の一つが、高熱流体内の水分の含有量である。高熱流体が火口から射出されるメカニズムの全体像が明らかにならないと論説はしにくいが、高熱流体が射出されれば親星内部に物質欠損の空白が生じ、そこに周囲から物質が流入して穴が埋められ、火口が一つであれば再びそこから射出されることになろう。その親星内部の物質の補填に関し、充填された物質が流体であるがゆえに組成が一様であるとは考えにくい。時には水分少なめの固めの状態の時もあれば、泥水とは言わないまでも水蒸気量の割合が非常に高い流体である時も有り得る。それらが再度射出されて新天体となれば、前者が地殻質の星で地殻天体、後者が氷天体と分類されるのであろう。

マントルと核の形成

地殻が形成された後の内部に閉じ込められた流体は、冷却の進行は非常に緩やかになり、何万年、何十万年、何百万年という時間の経過の中で、物質の軽重の順序に従って整然と内部が構成される。中心に向かうほど高圧になるので物質の密度が高くなり、また融点＝凝固点も圧力の上昇とともに下がっていくので、液体である流体は中心に向かうほど固体化しにくくなる。冷却は緩やかながらも確実に進行するので、地殻に近い面から中心に向かって徐々に固体化が進む。地学では物質の状態において､固体化した部分をマントル、そして液体部分をマグマと呼んでいる。マグマ部分は球体の中心部となるので、星の構造名では「核」と呼称された。ところがマントル部分の名称は、物質状態を表す言葉である「マントル」が構造名ともなっている。マントルと核の星全体に対する占有割合は、星の年齢ごとに変化していくことになる。マントルと核との境となる物質は元素記号表に基づき、時の経過に応じて元素記号番号の小さい方から大きい方の物質に移っていくと考えて良い。このように、星のマントルと核部分は、重力差と温度差そして圧力差に従って、物質は整然と順を成して並び存在していると考えて、大きな間違いはない。

第三節　地球構造の特殊性

高熱流体が星となる一般的なプロセスを描いたところで、次はその標準モデルと地球との差異を検証してみたい。

〈資料〉地球内部構造

<table>
<tr><th>地表からの深さ</th><th>化学的層</th><th>力学的層</th><th>鉱物相</th></tr>
<tr><td>0–70km</td><td>上層地殻</td><td>高鋼性リソスフェア</td><td>花崗岩</td></tr>
<tr><td>4–70km</td><td>下層地殻</td><td>高鋼性リソスフェア</td><td>玄武岩</td></tr>
<tr><td colspan="4">▶モホロビチッチ不連続面（陸での平均深度35km程度、海での平均深度は海底から５km～７km程度）</td></tr>
<tr><td>70–130km</td><td>上部マントル</td><td>高鋼性リソスフェア</td><td>カンラン石</td></tr>
<tr><td>130–440km</td><td>上部マントル</td><td>流動性アセノスフェア</td><td>カンラン石</td></tr>
<tr><td>440–670km</td><td>上部マントル</td><td>流動性アセノスフェア</td><td>スピネル相</td></tr>
<tr><td>670–2300km</td><td>下部マントル</td><td>高鋼性メソスフェア</td><td>ヘロプスカイト相</td></tr>
<tr><td>2300–2890km</td><td>下部マントル</td><td>高鋼性メソスフェア</td><td>ポストヘロプスカイト相</td></tr>
<tr><td colspan="4">▶グーテンベルグ不連続面</td></tr>
<tr><td>2890–5150km</td><td>外核</td><td>液体</td><td>鉄合金</td></tr>
<tr><td colspan="4">▶レーマン不連続面</td></tr>
<tr><td>5150–6360km</td><td>内核</td><td>高鋼性</td><td>鉄合金</td></tr>
</table>

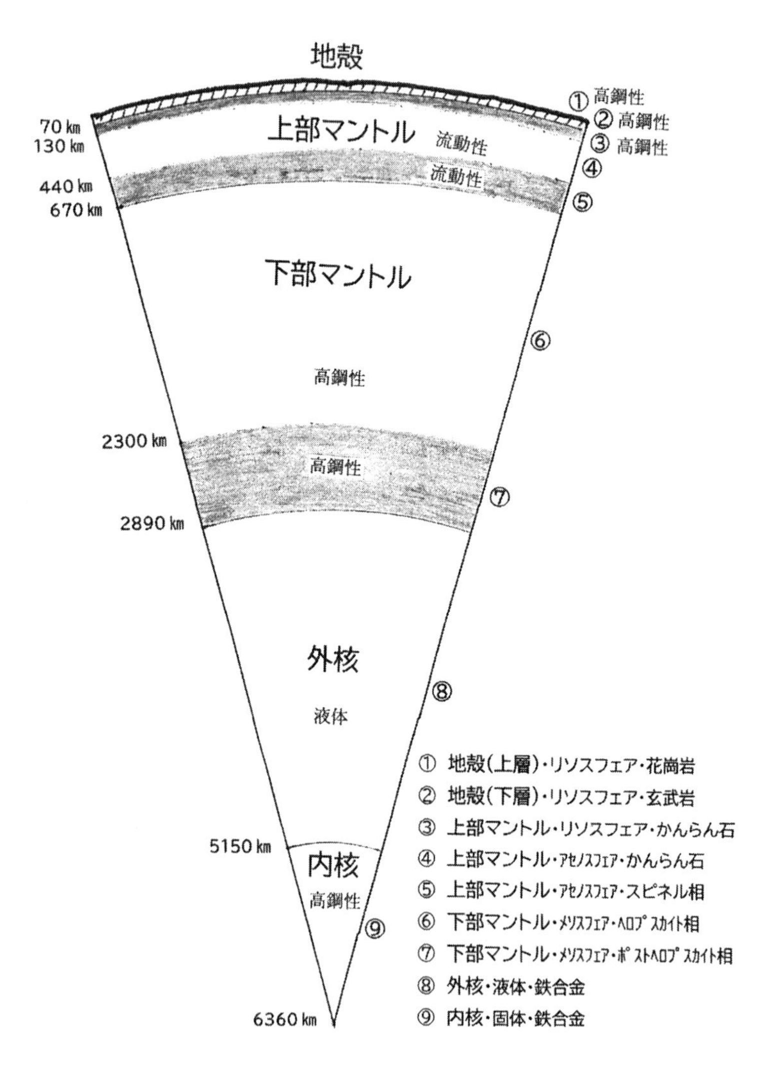

図Ｉ－３－３－１　地球内部構造

（1）二層の地殻

まずは地殻である。

□地球に特徴的な二層の地殻の存在

高熱流体が冷却される途上で形成される地殻は理論的には一層であるが、地球の地殻は岩石質主体の「大陸性地殻（前表で上層地殻）」と、玄武岩質でできている「海洋性地殻（同・下層地殻）」というふうに、二層に分かれている。火星や金星での星表面は、玄武岩質が全てであるらしい。すると、岩石質の大陸性地殻が存在しているということに関しては、地球の方が特殊な部類に入るということになる。地球の地殻が上下二層に分離された訳は、両地殻の材質が明確に異なったことと、大陸性地殻を成した材質が地球全体を覆うほどの十分な量に欠けたため、と考えることができる。

□大陸性地殻と海洋性地殻の形成プロセス

高熱流体が球体を成しつつ冷却されていく際、その表層部において、まるで熱いミルクが冷める時に薄い膜ができるようにして一枚の地殻が形成される。それはマントルの成分の一部でもある玄武岩質で形成される。これが海洋性地殻（下層地殻）である。地球では海の下で視認されたので“海洋性”と呼称されたが、本来この地殻の存在と海とは無関係である。この膜よりさらに外側に、まるで鍋料理の時の加熱とともに生じる灰汁のような物質が、凝固して張り付いたような状態で存在している。それが大陸性地殻であり、地球の固体組成物では最も軽いケイ素主体の岩石質でできている。地球は他の星と比較して、ケイ素成分がかなり多かったのかもしれない。“大陸性”地殻という名称も海洋と対を成して生まれた言葉なので、命名としては不適当であった。大陸性地殻は「硬質地殻」あるいは

「上層地殻」、海洋性地殻は「粘質地殻」あるいは「下層地殻」というふうに、物質の状態あるいは存在の上下関係で区別した方が理解され易かったであろう。

□大陸性地殻と海洋性地殻との差異

地球における大陸性地殻（陸地）と海洋性地殻との間では、次のような差異があると言える。

①重さ

大陸性地殻の比重は海洋性地殻よりも軽く、大陸性地殻は海洋性地殻の上に乗っているような状態になっている。通常誰でも地球は地表から中心部まで繋がった一つの陸塊と考えてしまうが、実は目にする陸地（大陸性地殻）はこの海洋性地殻の上に乗っている状態にあり、そこで明確に切れている。

②硬さ

最初は星全体が高熱の液体であり、星の周りの宇宙空間は摂氏マイナス270度という低温状態であることから、球体である星は冷やされて外側が一番硬くなり、内部に向かうほどより高熱の液体状態になる。大陸性地殻は海洋性地殻よりも硬い存在となり、その逆で、“海洋性地殻は大陸性地殻よりも軟らかい”。しかし、それは二者の比較での様子であり、海洋性地殻も地球全体の構造からみれば相当に硬い存在であることは間違いなく、また海洋性地殻は粘土質のような粘性を備えてもいる。

③密度

星の構造では内部に向かうほど圧力が高くなるので、物質密度もそれに準じて高さを増していく。判明している平均密度は、大陸性地殻では$2.7 \times 10^3 kg/m^3$、海洋性地殻では$3.0 \times 10^3 kg/m^3$である。ちなみに、さらにその下のマントル上部はカンラン石で構成されており、平均密度は$3.3 \times 10^3 kg/m^3$となっている。

□海洋性地殻の上に存在する大陸性地殻

大陸性地殻は現地球表面の三分の一を覆うという部分的な存在であり、しかも実は海洋性地殻の上に乗っている状態にある。第二次世界大戦以前には、大陸性地殻は花崗岩質の「上部地殻」と玄武岩質の「下部地殻」というふうに、地殻は二層に分かれているとされた。大陸性地殻は海洋性地殻の上に浮かんでいるように推測され、両者は全く別物であるとされていた。しかし、第二次世界大戦以後の研究では、大陸性地殻内にこのような極端な物質境界が存在することは認められていない。従来の考え方はむしろ否定され、大陸性地殻は海洋性地殻なしで深い部分まで一体となっていると考えられている。しかし、筆者の論理では従来学説の方が正しい。現在学説の矛盾点を以下に述べる。

①地殻と海の形成順序

現在の学説では、海の下の部分の地殻を海洋性地殻と定義している。しかし、地殻の形成は岩石の融点と水の沸点との関係で、海の形成より遥かに先なのである。後に形成された海をもって先に形成された地殻を性格づけることからして、根本的な誤りがある。

②海水と地殻とを結びつける矛盾

海の下部分だけをもって地殻を性格づけるのであれば、海水によって地殻が変質を受け、その結果をもって変質後の地殻が性格づけられなければならないが、温度や海水成分をなど如何なる要素をもってしても、地殻が海水によって変質を受ける可能性を見出し得ない。

③学説による「プレート」定義の誤り

学説では、深部までの繋がりをもって「プレート」と定義している。筆者の説では「プレート」とは海洋性地殻のことであり、地球膨張によって分断されたその断片を指す。プレートは変形もし、そして“動く”のである。学説のプレート定義であるならば、プレートは本来動き得ない。それを動くように理論づけたから論理に無理が生じた。前著『日本人とは誰か』で詳説したが、日本列島の形成過程を分析すると、陸地は明らかに海洋性地殻の上を2,000km以上も移動した。大陸性地殻と海洋性地殻が別物ではなく一体のものであれば、後述する島の分離や移動は理論的に成立しない。

④学説プレート理論と現状火山配置との矛盾

筆者の説では、大陸性地殻と海洋性地殻あるいは海洋性地殻相互の摩擦熱によって、噴出物の異なる二種類の火山が誕生し、それらの火山や火山に付随する温泉の配置が、火山形成理由に見事に対応して配置されている。学説のプレート理論では海嶺や海溝に無関係な部分の火山形成は成立し得ないが、現実には学説には該当しない多過ぎるほどの数の火山が地球上に厳然として存在する。

⑤実例が示す計器測定による判別の困難さ

大陸性地殻と海洋性地殻の区別を視認できる場所がある。ヒマラヤ山脈は海洋性地殻が大陸性地殻の上に乗り上げて形成された山脈である。その山脈で最高峰のエヴェレスト山には、頂上部分に300mの厚さで花崗岩層が存在している。その花崗岩部分が僅かに残された大陸性地殻部分であり、その下が海洋性地殻部分である。あの状態が陸地の下部に一般的に存在していると仮定すると、計器で大陸性地殻と海洋性地殻との区別をすることは非常に困難であることが分かる。「現在の科学水準での計器測定で判別できないので、大陸性地殻と海洋性地殻の区別を“否定”する。」ということが、そもそもの誤りなのである。

□大陸性地殻と海洋性地殻の境目は「コンラッド面」

筆者の「大陸性地殻下部分にも海洋性地殻は存在する」という主張について、実は科学的な裏づけがある。それは地震波によって観測され、陸地では地殻の中に地震波測定での不連続面が存在する。発見者の名前にちなんで「コンラッド面」と呼称された。つまり、大陸の地殻はコンラッド面によって、上層部と下層部に分かれているのである。現在の学説がなぜこのコンラッド面を無視するようになったのか、筆者には理解できない。

なお参考までに、下図に示されているように、陸地で高い部分はコンラッド面やモホロビチッチ不連続面も深くなっている。まるでマントルに浮かぶようにして釣り合っているように見える。この“釣り合っている”状態を専門用語で「アイソスタシー」と言う。筆者の考えでは、アイソスタシーは上層地殻の重力とマントル内在の圧力との均衡であり、下層地殻の柔軟性がその均衡を仲介している。

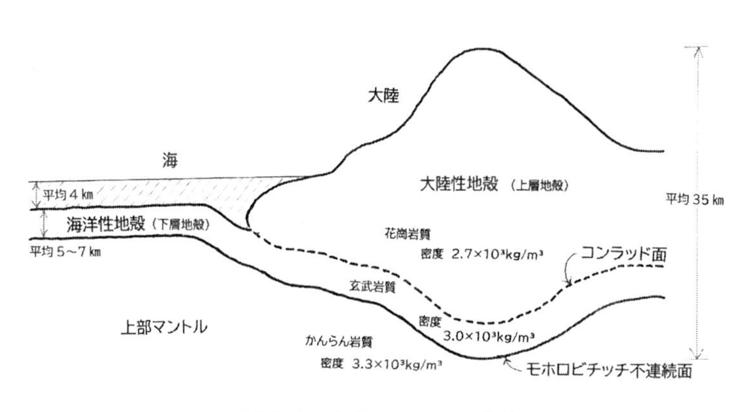

図Ⅰ-3-3-2　コンラッド面

（2）二層のマントル

次にマントルと核である。

□地震波の観測による不連続面の発見

20世紀に入ってから、地震波の観測によって地球の内部構造が少しずつ分かり始めた。その経過を以下に簡略に述べる。

①モホロビチッチ不連続面――マントル発見

最初の発見は二十世紀の初め頃であり、東ヨーロッパの地震を研究していたモホロビチッチが、地中のある深さにおいて地震波に異常が起きることに気づき、地球の構造において不連続面があることを発見した。それは発見者の名にちなんで「モホロビチッチ不連続面」と呼称され、その不連続面より上の部分が地殻、下をマントルと定義づけられた。その後、その不連続面は大陸では平均35km程度と深く、また海洋では海底から５km～７km程度と浅いことも判明した。これが学問上でマントルの存在が認識された最初である。

②グーテンベルグ不連続面――核の発見

次に1926年に、アメリカ人の地震学者であったベノー・グーテンベルグが、地震の際の地球内部において、地震波のうちのＰ波の速度が遅くなり、またＳ波が伝わらなくなる部分があることを発見した。地中の深さは約2,890km地点で不連続面が存在し、それより内側の中心部は液体であることが判明した。その不連続面も発見者の名にちなんで「グーテンベルグ不連続面」と命名された。このことによって、境界内側部分を「核」と定義づけられた。

③レーマン不連続面――内核の発見

地震波による不連続面の発見は、1936年にデンマークの地震学者インゲ・レーマンによって、もう一件成された。彼女は感度の良い地震計で地震波の反射を測定することにより、中心点から約

1,400kmの場所で不連続面を発見し、核の中がさらに二層になっていることが判明した。現在の数値では、その境界位置は中心から1,221kmである。この不連続面も発見者の名にちなんで「レーマン不連続面」と命名された。

□二種類存在する地球内部構造表現

ところで、地球の内部構造は、地殻、上部マントル、下部マントル、外核、内核の大きく五つに分けられているが、それは鉱物相などの化学的組成による分類であり、他に硬いや軟らかいなどの物質の力学的分類として、リソスフェア、アセノスフェア、メソスフェア、外核、内核というふうにも分けられている。リソスフェアとアセノスフェアそしてメソスフェアは、地球外周部の地殻から下部マントルの部分までについて、硬質軟質などの力学的な要素で分類された用語である。

①リソスフェア（岩石圏）

まず「リソスフェア」とは、地殻と上部マントルの一部にかけ、モホロビチッチ不連続面の上部と下部の両方を含む部位である。粘性、剛性が非常に高い、つまりとても硬い物質である。大陸地域では約120km、海洋地域では約100kmの厚さを持っており、学説ではこの部分とここから地表に向けての上の部分を含み、「プレート」と呼んでいる。日本語訳では「岩石圏」と呼ばれる。リソスフェアは主として地殻ではなくマントルから形成されていると言えるので、しばしば「リソスフェア・マントル」という用語が用いられる。筆者が以後「リソスフェア・マントル」という語を用いる時は、リソスフェアのマントル部分のみを指す。

②アセノスフェア（岩流圏）

次に「アセノスフェア」とは、深度100kmから300kmの間にある地震波の低速度域であり、物質が部分溶融し、流動性を有している。つまり軟らかい。低速度域のみがアセノスフェアとする場合が多いが、下限を660〜670kmの面と考える説もある。上部マントルの構成層であり、主要組成はカンラン岩（Mg_2SiO_4またはFe_2SiO_4）である。日本語訳では「岩流圏」と呼ばれる。

③メソスフェア

最後に「メソスフェア」とは、深度300kmから2,890kmまでの物質領域を指すが、アセノスフェアの下限を深度660〜670kmにとる場合は、それ以深をメソスフェアと呼ぶこともある。その場合は、下部マントル全域がメソスフェアということになる。アセノスフェアと化学組成は同じであり、高温・高圧で高い剛性を持つ層である。この用語に関して、日本語訳では適語がない。

□二層に分かれているマントルの物質状態が逆

以上、地球の断面を表現する時の用語を紹介したが、地球はマントルの様子が特徴的である。高熱流体が冷却される途上で形成されるマントルは、地殻同様に理論的には一層であるが、地球の特殊性は、マントルが上部と下部の二層に分かれていることである。しかも、地球の表面側の上部マントルが固体で、内部の下部マントルが液体であるならば星形成理論に違わないが、実際は逆で、上部マントルに液体に近いアセノスフェアという部分を有し、内部側の下部マントルが固体となっている。

（3）地殻から外核にまで達する裂け目の存在

星としての地球が物理的に持つ大きな特徴は、地殻から外核にまで達する複数の裂け目が存在していることである。次図をご覧頂きたい。東大地震研究所が行った地震波測定に基づく計測映像を、筆者が模写したものである。外核の周辺部から地上に向けて、高熱の流れが存在している。外核は流体であるから裂け目は発生し得ないので、何らかの力が働いて地球の固体部分が割れ裂けたのである。現在の学説では、この内から外に向けての「高熱の流れ」部分は、学説では筆者が提起する地球の「割れ目」として認識されていない。それは、非常にゆっくりとしたマントル部分の対流として捉えられている。信じ難いことではあるが、それは液体の流れではなく固体の対流による流れとして捉えられているのである。

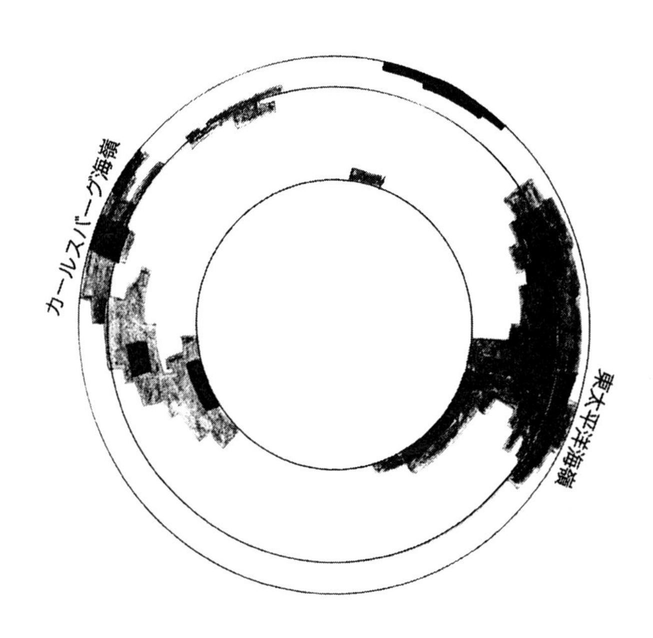

図Ⅰ-3-3-3　地球断面熱スキャン

第四章　推論「大洪水」顛末

第一節　新天体の誕生から地球に向けての移動

新天体の誕生と太陽に向けての進行

□惑星「ヤハウェ」の誕生

「ガリレオ衛星と地球型惑星は木星の大火山から生まれた」と述べたが、実はもう一つ生まれた惑星がある。それがNASAの暗号名「ヤハウェ」という惑星である。この星は学会でも認識されておらず、いつ生まれたのかという記録もない。「大洪水」発生以前は地球は厚い大気に覆われていたので、地上から星は見えなかったのである。紀元前2284年より前のいつの日かに、新天体ヤハウェは木星の大赤班火山から第二宇宙速度以上のスピードで射出され、宇宙空間に飛び出した。

□「ヤハウェ」が黄道面を地球方向に進行

大赤班は、木星の赤道より22度下部に位置している。すると、射角は木星と太陽を結ぶ線とは一致しないが、太陽と木星との間の強い潮汐力の影響を受け、新天体はその線上に位置するように進路が補正されたと推察する。太陽を中心とした円面の上に木星、土星、天王星、海王星の四惑星が位置したことは既に述べた。地球型惑星も皆、黄道面と呼称されるその円面に存在している。新天体もこの黄道面を太陽に向かって進んでいった。この新たな高熱流体が木星から誕生して太陽方向に向かい、地球の太陽周回線を横切ったとしたら、それは縄跳びの縄が回っている中を横切るようなもので、異常接近となってしまう可能性が非常に高くなってしまう。「ノアの大洪水」事件は、そのようにして言わば必然的に起きたと言える。

NASAの暗号名「フェイトン」の破壊

木星の引力圏を脱した高熱流体である新天体ヤハウェは、太陽系の円盤の上を太陽方向に向けて移動した。そこで最初に出会った惑星は、現在では視認できない、そして名前さえ知られていない星であった。NASAの暗号名は「フェイトン」である。

□「小惑星帯」は実は新天体が破壊した惑星の残骸

火星と木星との間に、現在でも膨大な数の星屑群が存在する。日本が送った小惑星探査機「はやぶさ」が探査目的とした小惑星も、その星屑群の一つである。飛鳥説ではこの新天体の通過によって、一つの惑星であったフェイトンが潮汐力によって破壊され、星屑群はその残骸であるとしている。筆者も飛鳥説を支持する。

□破壊者を新天体と特定する理由

フェイトンを破壊した星については、水星、金星、地球、月、火星そして新天体ヤハウェと候補が挙げられるが、フェイトンの近くを通過しての潮汐力が破壊の原因だったので、フェイトンの残骸を衛星として伴っていると思しき星が当該星と考えることができる。それに該当する星は、木星より内側の惑星では火星と新天体ヤハウェである。火星は既述のように、球体ではなく外見は岩の塊であるいびつな形の衛星を、二つ伴っている。新天体ヤハウェは後述するが、NASAの飛ばした軍事用探査機によって既に詳細に調査されていて、その映像もリークされている。新天体ヤハウェは三つの衛星を伴っているが、それらの衛星の形は火星の二つの衛星に酷似していて、球体ではなく巨大な石ころのような岩の塊となっている。新天体ヤハウェの位置は、次節で示す図Ⅰ－４－２－１（P98参照）に記されているように、太陽を挟んで地球の真反対側である。火星よりも太陽寄りの周回軌道を取っている星であるため、フェイトンを破壊した星は新天体ヤハウェであったことになる。

□「小惑星帯」の質量計算

余談であるが、この稿でフェイトンと呼称している天体の星屑群の体積をある科学者が積算し、「あれらの星屑群（“小惑星帯”と呼称されている）は一つの星であったにしては質量が足りない」と著述したのを読んだ記憶がある。現在のようにコンピューターが普及していた時代ではなかったので、よくぞそこまで計算したというのが当時の印象であったが、火星と新天体ヤハウェが伴っている合計五つの衛星をそれらに付け加えると、質量として立派に一つの惑星として成り立つ。爆発により、破片は四方に飛ぶ。フェイトンの残骸は太陽方向ばかりでなく、反対側の木星や土星、天王星、海王星方向にも飛んだ。木星のガリレオ衛星以外の小さな衛星群や、木星の重力場である公転軌道上に集められた「トロヤ群」という名称の二つの小惑星帯、そして天王星や海王星における球体でない小衛星群も、異形の小衛星は全てフェイトンの残骸と考えて良い。一つの惑星の爆発は、それこそ太陽系全体に影響を与えたのである。

□「小惑星帯」は形状と大きさから星ではなく残骸群

今から二十年以上も前に、「小惑星帯の中の一つの子星が地球に衝突しそうなので、それを原子爆弾爆発により衝突回避する」という内容のアメリカ映画が製作された。その映像でもって、小惑星帯の実態が世間一般に知られるところとなった。その画像からしてみても「小惑星帯」という呼称は不適切であり、どう見ても「小惑星

“残骸” 帯」である。「はやぶさ」が到達した小惑星「イトカワ」は、長さ僅か535mの物体で、形状も瓦礫と呼ぶに相応しいものであり、とても“星”と呼べるようなものではない。仮に破壊者の正体を特定できないにしても、小惑星帯は一つの星が破壊された残骸群である、あるいはその可能性が高いというふうに、認識すべき段階に来ている。地球の夜空を駆ける流れ星は、フェイトン残骸の一部が未だに少しずつ地球に到達していると考えることができる。

□現科学界で既成事実となっているフェイトンの存在

ここで一つのweb記事を紹介したい。宇宙開発分野専門のフリーランスライターで翻訳者でもある秋山文野氏の、「金星軌道の内側で初めて見つかった小惑星、極めて“レア” なマントル由来か」という、2020年7月5日付の論稿である。以下に著者の要約で内容を紹介する。

　これまで発見された80万個近い小惑星の中でも、地球の公転軌道よりも内側に軌道を持つ小惑星グループは、22個しか発見されていない。2020年1月4日、米カリフォルニア州パロマー山天文台によって、小惑星2020 AV2は初めて観測された。これまで発見された多くの小惑星が火星と木星の間の小惑星帯にあり、火星よりも地球に近い軌道を持つ小惑星は「地球近傍小惑星」と呼ばれ、およそ2万3000個程度だ。ルーマニア天文台の天文学者マーセル・ポペスク氏らのチームは、可視光と近赤外線での観測を実施し、2020 AV2をSa型の小惑星に分類した。そして、オリビン（カンラン石）が豊富な物質でできており、太陽系初期に惑星サイズの母天体の内部が熱で分化し、マントルにあたる部分からできた小惑星である可能性を指摘している。現在の惑星形成論によれば、太陽系初期の原始惑星は熱で内部が溶融し、金属鉄の多い中心部(コア)とその周囲のマントル、さらに外側の地殻に分化していった。こうした原始惑星が衝突などで壊れてできた小惑星は、元の天体のどの部分から生まれたかを反映している。コアからできた小惑星は金属質のM型小惑星、地殻からできた小惑星は、小惑星探査機「はやぶさ」の目的地である小惑星イトカワのような岩石質のS型小惑星になっていく。

この論稿で着目すべきは、小惑星は原始惑星が破壊されてできたものであることが、科学界の常識になっていると推測できることである。そのことをさらに詰めていくと、その“原始惑星”とは、小惑星の配置から考えれば、木星と火星との間のフェイトンでしか有り得ない。フェイトンの存在は、科学界では既に既成事実となっていた。

新天体の火星襲撃

□新天体はフェイトンの残骸の一部を帯同

新天体ヤハウェは、フェイトンを破壊した後に火星に向かった。新天体の大きさは、ちょうど地球や金星と同じくらいであり、火星と比較すればかなり大きい。新天体はフェイトンの残骸を多く引き連れていた。フェイトンが新天体との潮汐力によって爆発破壊された後、新天体の進行方向に飛ばされたフェイトンの残骸は新天体の引力圏に入り、そのまま新天体とともに移動したと推測できる。その状態で新天体は、次に火星の公転軌道に近づいて行った。

□生命豊かな星から死の星への変貌

火星に関する様々なデータから推測できることは、火星にはかつて常温で海や川が存在し、そのことから判断すると、火星は地球と似たような条件を備えていた惑星であった。大気中の酸素量次第では地上に生物がいたかもしれないし、少なくとも水中に微生物は存在し得た。火星の大きさは体積で地球の八分の一程度である。地球と同じくらいの大きさの新天体が、小さい惑星である火星に異常接近し、強烈な潮汐力が働いた。この時、火星の気体と液体は潮汐力により新天体に吸い寄せられた。そして、新天体に連れてこられたフェイトンの残骸で新天体より火星側に存在したものの一部は、あるものは火星に衝突し、また二つの大きな岩の塊は新天体から火星の引力圏に移動し、そのまま火星の衛星となってしまった。これら二つの衛星は、フェイトンの爆発残骸が直接火星に達した可能性もあるが、広い宇宙の中で点に過ぎない火星の存在を考慮すると、その可能性は低い。火星にはとんでもない長さのひっかき傷が存在している。それは新天体の通過時に、フェイトンの残骸が火星の表面をかすめてできたものであろう。新天体ヤハウェの通過により、火星は生命豊かな星から死の星に変わってしまった。

第二節　新天体の地球への異常接近 ― 月の災禍

新天体ヤハウェはフェイトンと火星という二つの惑星に災禍をもたらし、なおも黄道面を太陽に向かって進んだ。その前方に待ち受けた惑星は地球と月であった。

旧約聖書に書かれていないことで、「大洪水」発生直前に起きていた重大事件があった。それは月の破壊である。地球が損傷を受けたと同じ潮汐力が原因の破壊であるため、地球の災害時と時間的には同時なのであるが、月の方が質量面で地球より大分小さい分、地球より僅かに先に破壊現象が起きた。

新天体の侵入経路

かつての地球や月と同じように、木星の大火山から生まれた新天体ヤハウェは、太陽系の円盤のような黄道面を太陽に向かって進んだ。やがて地球の公転軌道に近づいて地球との間に強力な潮汐作用を引き起こし、短時間で過ぎ去った。新天体が地球の公転軌道に侵入していったその経路について、検証したい。

□太陽を挟み地球と点対称の位置に定着した新天体

「大洪水」を引き起こした新天体は、現在に至るまで公式には発見されていない。その新天体は、太陽に激突して消滅したのでなければ、地球と太陽との間の軌道上のどこかに存在しなければならないし、他の惑星への異常接近や衝突で破壊されて消滅したような形跡もない。この新天体の行方について、飛鳥昭雄氏の著述では明快な解答を得ていた。新天体は、「太陽を挟んで反対側の地球と常に点対称となる位置の公転軌道上に落ち着いた」ということである。

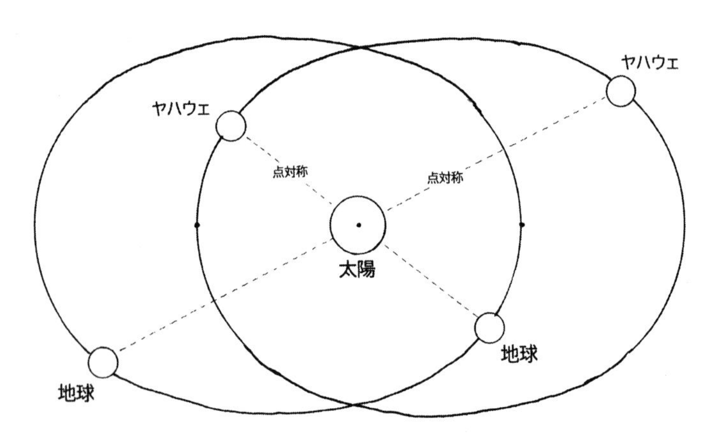

図Ⅰ-4-2-1　地球、ヤハウェの位置関係

□これまでの宇宙形成論を覆す新天体の定着位置

推論や仮説であるにしても、そのような発想ができる人は科学者として尋常ではない。飛鳥氏の着想であれば物凄いことである。もしそうでなければ、NASA従事の科学者からのリーク情報により氏がまず新天体の実在を知り、その後に理論構成をしたのかもしれない。新天体存在の現在位置についてのこの事実は、ビッグバンから始まるこれまでの宇宙形成論を根本から覆す要素を内包している。

□ケプラーの法則が示す新天体が発見されなかった理由

ここでケプラーの法則が思い出される。その第一法則は、「惑星の軌道は楕円で、その焦点の一つに太陽が位置する」というものである。前図に示したように、太陽を焦点として左右に２つ楕円を描くと、地球と新天体との点対称の関係が見事に描かれる。そして、「惑星の太陽からの平均距離の３乗と公転周期の２乗の比は一定である」という第三法則は、これら二つの星の公転周期は一致することを意味し、完全一致であれば永久に双方は太陽の反対側同士、つまりお互いが見えることはないという関係となる。

□新天体の地球への異常接近の様子

新天体が事件発生後に上記の軌道に定着したことを考慮すると、新天体はたとえば次図（P100）のような位置関係で地球に異常接近したということを推測できる。新天体はそれまでの二度の異常接近事件を経て進行の勢いを失いつつあったが、三度目の潮汐作用がブレーキとなって新天体は太陽方向への進行力を失い、現在の公転軌道上に定着したと推察される。筆者の計算では、公転軌道定着までに要した時間は約一年強であった。

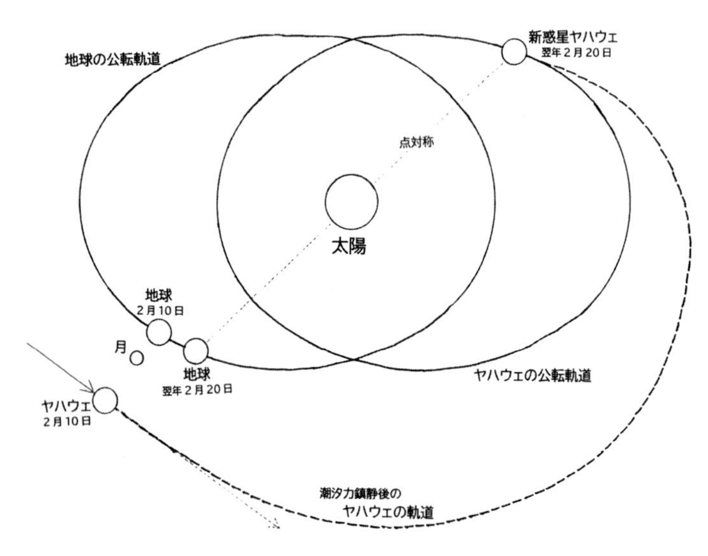

図Ⅰ-4-2-2 事件後の新天体ヤハウェの軌道

月と地球との体積比と質量比が示す月の空洞

さて、上図に示したように、新天体が地球に異常接近した際に、月が地球と新天体との間に割り込むという構図が現出した。三星が一列に並ぶという珍しい状況が発生し、しかも月は大きな星二つに挟まれた形となったため、ダブルで強力な潮汐力を受けてしまい、火星と同じように外周部の大気と水を失ったばかりではなく、完全破壊一歩手前までのダメージを受け、そのため内部物質の多くまでを失って空洞状態となった。その証拠となる数字がある。

□体積比と質量比の不釣合いが示す月の状態

ウィキペディアに掲載されている数字で計算すれば、月は地球との体積比では50分の１であるが、質量比では81分の１に過ぎないのである。この数字から推量できることは第一に、地球と月ではその構造と組成が相当異なるということである。しかし、その論には無理がある。月に核と核を包むマグマやマントルの存在を認めると、残りの部分は空洞にでもしない限り数字が合わないのである。数字から推量できることの第二は、月の中身の半分以上は本当に空洞になっているという考え方である。しかし、この場合、月の誕生当初から月内部の物質状態の半分以上の容量が空洞であったことなど、想定し得ない。高熱流体が地殻層に閉じ込められて圧縮されていく過程で、たとえば地殻層の内側に、若干の圧縮空気層が部分的に形成されるというようなことは考えられるが、空気層が星全体の半分くらいの体積を占めるようなことは有り得ない。もし高熱流体が多量の気体を含んでいたとしても、それらの気体の多くは重力の発生直後に流体の外部に押しやられてしまうからである。逆に核や核を包むマグマやマントルの存在を認めないとすると、高熱流体から始まる星の成り立ちの根本が地球と月では異なってしまい、「星は高熱流体から始まる」という筆者の推論の基底が危うくなってしまう。筆者にとっては、宇宙形成論の根本に触れるほどに問題は深刻になってしまう。

以上のことから得られる結論は、体積比と質量比の不釣合いから月の内部は空洞となっているが、それは後天的な事象の結果であり、最初から空洞であったわけではないということである。

□月内部から失われた物質は大量の「水」と「砂」

筆者の論に関わりなく、現在の月の内部が空洞状態であることは、月に隕石が当たった時の震動観測から科学者の間では周知の事実である。しかし、空洞状態の真ん中に、核と核を包むマグマやマントルは存在し得ない。現在の月の空洞部には、過去に明らかに何らかの物質が詰まっていたのである。それは、地球と同じような核とマントルに加え、それらの周辺を覆っていた大量の「水」と「砂」であった。

□「水が宇宙から来た」と「水が宇宙に消えた」事件

「大洪水」の水は宇宙から来たというのが本書の設定である。「水が地球外から来た」という地球の事件と、真反対の事件が月で起きていた。上記の「水が月から消えてしまった」事件である。現在の月には水がないように思われているが、既述のようにアポロ宇宙船８号の飛行士が叫んだ言葉により、人が踏めば滲み出るほどの水の量が現在でも月に存在することが、世界中に知られてしまった。本書執筆中の2020年10月においてもNASAはクレーターを事例として取り上げ、現在の月にも一定量の水が存在していることを改めて公表した。星の成り立ちから判断して、月の表面部分にもかつて、地球の海に相当する大量の水が存在したと推測できる。月の裏側には大量のクレーターが存在し、それらは皆クレーターの底から湧き上がってきた水が満たされて氷となり、どのクレーターも平らな円形をしている。これは少なくともクレーターが出来た時点では、月は氷天体に分類されるほどに水は豊富にあったということを意味する。現在の月は海もなく、内部は空洞である。月の地殻の外と中の大量の水は、「どこかに消えてしまった」のである。

外傷に対する自然治癒のしくみが備わる惑星

□風船爆発と惑星爆発の違い

三星一列での強烈な潮汐作用により月は破壊されかけ、地球も傷ついたのであるが、そもそも惑星が破壊されるという現象について、その構造と破壊のメカニズムについて考察してみたい。分かりやすい例として、風船爆発と惑星爆発の違いを取り上げてみたい。内部が同じ高圧状態の球体であっても、風船は針一本でゴム膜が破れて即座に破裂するが、惑星の場合は簡単には破裂しない。風船の内側は高圧空気だけであるが、惑星には高圧状態でマグマという液体が存在する。星内部の高圧状態を保つ機能を果たしている地殻が傷つくと、その高圧状態を解消する動きとして液体であるマグマが地表に向かって上昇する。それが地殻の傷口を内部から塞ぎ、しかも低温に接して固形化するため、あたかも外傷を内部から補修するようなことになる。

□惑星の外傷に対する自然治癒類似の喩え

　そのマグマによる外傷補修によく似たメカニズムを持つ例が、一つある。第二次大戦中にアメリカ軍の軍用機のガソリンタンクにゴムが貼られたが、このゴムの効用は傷を塞いだマグマによく似ている。ガソリンタンクが銃弾で打ち抜かれてタンクが炎上した時に、炎の熱でガソリンを覆うゴムが解けて液体化し、それが銃弾でできた穴を塞いで酸素供給を遮断する。そのことにより火災は鎮火され、そして液体化したゴムは冷えて固体化し、その結果タンクの外傷は自然補修される。二者の動きそのものは、相互に大変よく似ている。惑星には外傷に対する自然治癒のしくみが備わっているということを、まず認識しておく必要がある。

潮汐力による月損傷の進行顛末

□完全破壊一歩手前で救われた月

　三星間に働いた強大な潮汐力により、地球は割れ裂けたものの自然治癒のしくみが働いて破壊は免れたが、月はそうはいかなかった。地球と月と新天体との間には同じ力の潮汐力が働いたはずである。

地球と月とを比較すれば、月の質量が地球より遥かに小さい分影響力は甚大であった。月は自然治癒能力の限界を超え、地殻の一部が破壊されるまでのダメージを受けた。地球のような割れ裂け程度では止まらず、月の地球側に大きな穴が二ヶ所も開き、そこから水や砂などの月の内部物質がスプラッシュして地球に吸収された。あまりに大きな穴の影響は、マントル部分を経て核部分にも達してしまった。そのため液体であった月の核部分も、月内部の圧力差の関係で穴の地表出口に向かって動かされた。そして開いた穴を核部分の物質が埋め塞いだ時に新天体が去り始め、潮汐力が衰えてゆく中で月の核部分は外周部で冷え固まった。そのことにより、すんでのところで月全体が完全破壊を免れるに至った。

□「月の海」が綺麗な状態であることの意味

地球から見えるその核部分は現在では「月の海」と呼称され、日本では“ウサギの姿”に喩えられている月の黒い部分である。この部分にはクレーターの跡がほとんどない。それは、月の核が穴を塞いだ時に月に重力の偏りが生じ、月の海が隕石の襲来する新天体側ではなく、逆に隕石の全く存在しない地球側を向いたことに因る。そしてもう一点、潮汐力が働いている間は月の海はほぼ液体状態であり、たとえ隕石が月の海に落ちたとしても跡は残り得なかった。液体が固体化されたので、高熱流体が球体を成すのと同じ作用で、月の海は命名の通り海のように平らになった。この月の海が平らで綺麗な状態であることが、月の海がこの大事件の最終段階で形成された証拠の一つなのである。

□事件後の月の自転運動の変化

星の核部分の物質の比重は重金属を含んでいて非常に重いので、

この事件以降の月には大きな重心の偏りが生じ、月の海は地球と月との間に働く引き合う力の中心線上に位置するようになった。そのため、事件以前に月は独自の自転運動を持っていたにも拘らず、以後は常にこの黒い部分を地球に見せる回転運動をとることとなった。より正確に表現すれば、月は事件以降に自転はしていないで、地球との間の潮汐力によって“動かされている”のである。余談であるが、アポロ計画の真の目的は“月の黒い部分”の調査であったと、筆者は勝手に考えている。筆者の勘ぐりでは、そこに存在する重金属の取得が米国のアポロ計画の真の狙いであった。その証拠に、NASAはその場所の調査を最優先で行い、しかも調査結果について目ぼしい内容は一切公表していない。NASAは月の状態について、かなり早い時期から実態を知っていたのである。

第三節　「大洪水」発生

新天体が地球に最接近し、その際に働いた潮汐力によって月と地球に大災禍をもたらし、地球では「大洪水」をもたらした。本節ではその一部始終について、生じた変化をステージ別に捉え、かつ旧約聖書の『創世記』記述に照らし、順次段階を経て何がどのように起きたのかを論じていきたい。

「大洪水」発生前の地球の内部構造の様子

「大洪水」発生は以下に論じるように、体積膨張を伴いつつ起きた地球の大事変であった。その論説を始める前に、「大洪水」発生前のそれまでの地球の内部構造について確認しておきたい。そのポイントは二点あり、第一はマントルが現在の地球とは異なっていることである。次図（P106）の円錐部で示したように、現在の下部マントルが「大洪水」前のマントルであり、現在の上部マントルは「大洪水」前には存在しなかった。上部マントルの形成プロセスについては、以下の地球膨張プロセスの解明手順に従って論説する。第二は、地殻下部分の状態である。図Ⅰ－3－3－2（P87参照）の地球表層部の拡大図で示すように、地殻とマントルとの間部分には、相当量の水が底に溜まっている状態の空洞部分が、地球全体に存在した。厚さ数キロに及ぶ、まるで巨大な鍾乳洞の重なりのような状態が、地球全体に均等に存在した。地球が高熱流体から形成された過程において、その初期に地殻が形成されて内部が閉じ込められた際に、重力に起因する物質分化が進行し、時間の経過とともに地殻下に大量の気体や水蒸気が充満した。その後に冷却が進んだことにより水蒸気は水に変化したが、その体積は1600分の1に縮小され、その時水蒸気が存在した場所の周囲は既に凝固点を迎えて固形化していたので、水蒸気が閉じ込められていた部分は空洞と化し、底部に水が存在する形となり、まるで「鍾乳洞のような地形が地殻の下に網の目のように形成された」と考えられる。

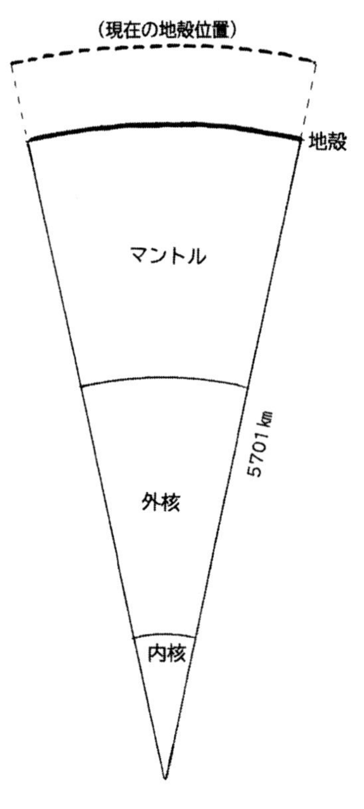

図Ⅰ－4－3－1 「大洪水」前の地球内部構造

変動①　地球にひび割れ発生

地球と新天体との間に働いた潮汐力が強大になった時点で地球にひび割れが生じ、地球のその傷はさらに深くなって外核に至るまで割れ裂けた。

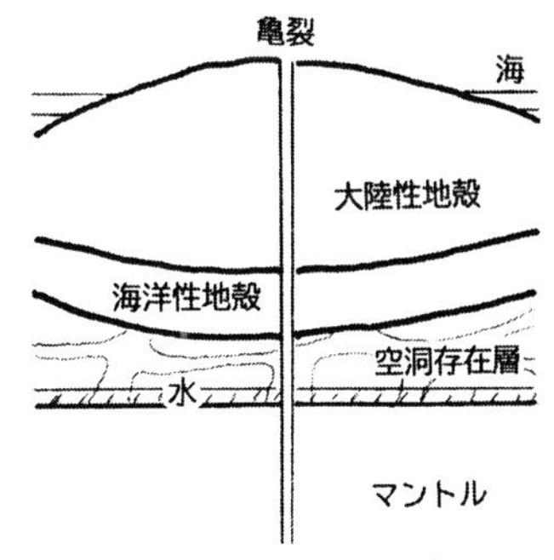

図Ⅰ-4-3-2　「大洪水」プロセス①

【創世記7.11】

それはノアの生涯の第六百年、第二の月の二月十七日、この日、大いなる深淵の源がことごとく裂け、

□最初に起きた異変――地球損傷

旧約聖書に書かれている「大洪水」についての最初の記述は、地球と月そして新天体ヤハウェとの間に働いた、巨大な潮汐力が地球に及ぼした影響である。「深淵」とは水のある深い所という意味であるが、地球の「海の底」を指している。実際には陸地の下も含まれていたが、そのような場合、アフリカ大陸と南米大陸の例のように、多くの場所は陸も一緒に割れた。その割れ目が、地球規模で繋がりを見せている「海嶺」である。P130とP133の図をご覧頂きたい。大西洋中央海嶺や東太平洋海嶺などのように、海嶺線が途中で途切れているように見える海嶺も存在するが、その他の海嶺は地球全体に繋がりを見せている。これは地球が部分的に損傷したのではなく、地球全体が傷つき、しかも傷は深かったということである。

変動②　ひび割れ部分から水が噴出

地表と地殻下部分との圧力差から、地球に生じたひび割れを伝っ

て地球内部に閉じ込められていた水が地表に噴出した。

変動①の旧約聖書の“大いなる深淵の源がことごとく裂けた”時にまず起きた現象は、旧約聖書に記述はないが、筆者の推論では水と地殻下の少量の高圧空気が地表に噴出したことになる。「大洪水」前の地球構造で述べたように、地殻下には水と圧縮された空気が層状で存在し、地殻が割れて地上大気とその層が繋がれば、圧力差の関係で水と少量の空気が地表にスプラッシュされることになる。

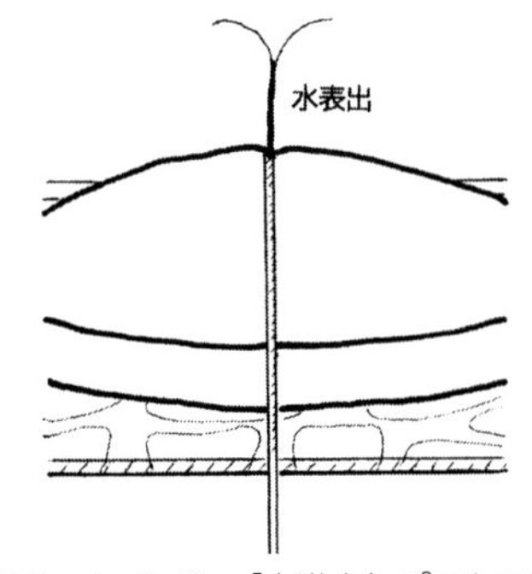

図Ⅰ-4-3-3　「大洪水」プロセス②

変動③　上昇マグマが地殻下に到達

外核に存在する溶液である高圧・高温マグマが地球に生じた割れ目を伝って上昇し、地殻下に到達した。

□地殻下の水がまずマグマを冷却

高熱マグマは外核から裂け目を伝って上昇し、まず地殻内側に溜まっている水に接触した。そこで水は水蒸気となって気体化し、高圧マグマはその気体を吸収して低圧に向かい、同時に圧縮された状態から変化して体積が膨張した。膨張マグマは上昇してさらに地殻の割れ目にも入り込んだが、そこに存在した水により一層の冷却化が促されて

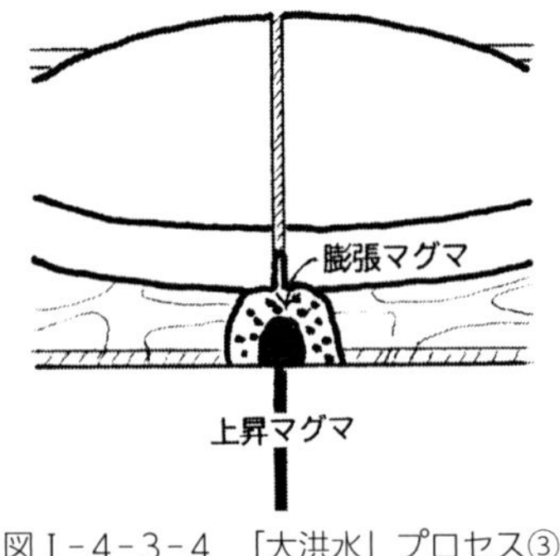

図Ⅰ-4-3-4　「大洪水」プロセス③

固体化し、結果として上昇するマグマに栓をする働きをすることになった。

□地球膨張のKEYは「水の有無」

ところで、ここで一つ考えてみなければならないことがある。後掲の「大洪水」プロセス⑦（P115参照）で示すように地球は膨張したわけであるが、地球はどのようにして膨らむことができたのか、あるいは膨らんだ部分の物質はどのようになっているのか、ということである。地球内部の高圧状態が解除に向かうには、地上の空気が入り込めば圧力低下と膨張の両方を達成できるが、風船がパンクしてしまうのと同じ原理で、それでは動きが急過ぎて地球は破裂してしまう。その点を考慮すると、地上空気が地球内部に入った可能性は非常に少ない。それでは地球の割れ目裂け目部分で、その時どういうことが起きたかを模索すると、焦点は水の有無ということになる。

□最初は地殻内側の水、次に地殻外側の水がマグマを冷却

海底で起きた割れ裂けであるならば、マグマは地上空気を吸い込む前に海水に接したことになるので、既述のような一連の変化を経てすぐの地球破裂のような事態には至らないが、問題はアフリカ大陸と南米大陸との間の裂け目など、陸地部分での裂け目発生のケースである。この場合はマグマの出口に海水はないので、地球は非常に危険な状態にあった。地殻の下に溜まっていた水が上昇して、裂け目の場所にマグマよりも先に水が存在していたため、その水が最初にマグマ冷却の役割を果たし、地球は一時的に破壊を免れた。しかし、マグマの上昇が継続したため、その状態をどの程度の時間維持できたかについては疑問である。地球の割れ裂けから降雨開始ま

での正確な時間は旧約聖書からは読み取れないが、数日程度であったことは予測できる。地球内部の水が水蒸気化により消費し尽くされれば、地球外周部の大気が地球内部に吸い込まれた可能性もあるが、そのような事態になる前に、降雨による大量の水が陸地部分の割れ裂け傷口を覆い、地球は破壊を免れた。「大洪水」の水が地球を救った、と言えるのである。

変動④　水蒸気含有マグマが地殻下隙間に侵入

地殻下に達し水蒸気を吸収した膨張マグマは、地殻下の隙間を伝って横方向への侵入を続けた。

外核からのマグマの上昇、マグマが水に触れての水蒸気発生と水蒸気を吸収してのマグマ膨張という作用は、継続された。マグマが裂け目を上昇する際にマグマの高熱がマントルを溶かし、マントルから外核に向かう裂け目部分の通り道もマグマの高熱によって溶かされ、徐々に拡大した。このような事情で膨張マントルは増殖し続け、増殖分の行先は縦方向の栓がされている地殻の割れ目よりも、横方向の地殻下の鍾乳洞のような隙間に向かった。マグマの膨張は凄まじい勢いであったので、これら一連の動きは急速であった。

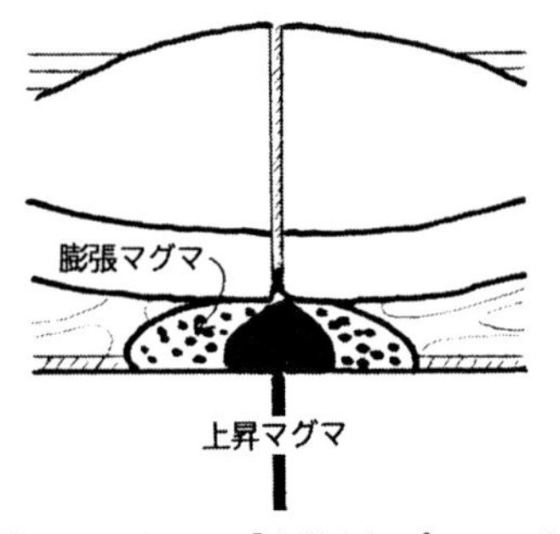

図Ⅰ-4-3-5　「大洪水」プロセス④

変動⑤　降雨開始

膨張マグマが地殻下の隙間に侵入していた頃、地上では空前絶後の大規模な降雨が始まり、地表は水で覆われた。

地殻が裂けてから推測で７日未満である数日後に降雨が始まり、地表は濁流に侵され、全ての山が沈むほどの水に覆われた。

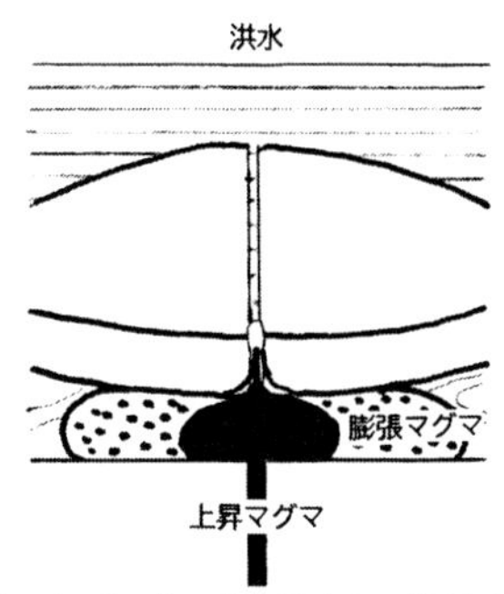

図Ⅰ-4-3-6　「大洪水」プロセス⑤

【創世記７.17】

天の窓が開かれた。雨が四十日四十夜、地上に降り続いた。

洪水は四十日間地上を覆った。水は次第に増して箱舟を押し上げ、箱舟は大地から離れて浮かんだ。水は勢力を増し、地の上に大いにみなぎったので、箱舟は水の面を漂った。水はますます勢いを加えて地上にみなぎり、およそ天の下にある高い山はすべて覆われた。水は勢いを増して更にその上更に十五アンマに達し、山々を覆った。

□「天の窓が開く」という表現の意味

旧約聖書に書かれている「大洪水」に関する二番目の記述は、地球全体が水に覆われる様子の描写である。「天の窓」という言葉は旧約聖書での比喩的な表現であり、現世界の空の奥深い部分に窓があるような喩えと、神界と現界との境にある両界をつなぐ窓のような喩えに用いられている。上記引用文の記述は物理的な描写なので、「大洪水」の時まで空を覆い尽くしていた雲のような大気層の一角に、突如窓のような空白・空洞ができたことを告げている。我々が知る雨は、上昇気流の発生によりできた積雲から滴るようにして降るが、「大洪水」の時はそうではなく、空を覆っている大気層を押しのけるようにして大きな穴が出現し、そこから大量の水が落ちて降り注いできた。その穴は、金星にシューメーカー・レヴィ彗星群が衝突した時に、雲のような大気が割れてできた穴とよく似ている。

□雨が降ってきた場所は地球全体からみれば地域限定

「“窓”から雨が降り注いだ」という表現は、雨は地球全体で同時に降ったのではなく、“窓”が存在する限られた場所で降ったということになる。潮汐力は、地球と月のそれぞれの中心点を結ぶ線で発生し、その線に沿って物質も移動する。それは、地球から月を見た時、月が地球の真上に見える場所に月からの水が降り注がれたことになり、地球全体で同時に起きたことではない。また地球は自転しているので、降り注がれる場所は限定され、その場所は1日24時間のうちに地球を一周することになる。定点で観測すれば、雨は1日連続して降り続けたのではなく、雨が降った時間は1日のうちでは限られ、40日という日数でみれば降雨と休止の時間が繰り返されたことになる。さらに、四十日四十夜も続いたのであるから、月が真上に存在する地球の場所は日々南北にずれていき、結果として、雨が直接降り注いだ地域は地球儀で見れば帯状を成すことになる。その帯から外れた地域は、洪水の水は上からではなく、地上を伝って横からやって来たことになる。

□地球に運ばれた月の物質の順序

月の物質が潮汐作用で月から地球に吸い寄せられたとすると、その順序は軽い物から重い物へというふうに、月の気体、液体、固体という順で運ばれたことになる。事件以前に月に大気が存在していたのであれば、その大気が第一番に地球に運ばれる。旧約聖書の記述で天窓が開かれた原因は、まず月からの空気が地球に来たためと考えることができる。酸素の沸点は−183℃で融点は−218.8℃、二酸化炭素の沸点は−56.6℃で融点は−78.5℃、窒素の沸点は−195.8

℃で融点は−210℃、水素の沸点は−252.6℃で融点は−259.2℃という具合に、−270℃の宇宙空間では気体は全て固体となって運ばれ、地球の成層圏に突入して再度気体に戻ったはずである。二番目に月から運ばれる物質は、月の地上の土埃などである。これは気体とともに運ばれた。三番目に運ばれる物質が、月の地上に存在したはずの水、そして引き続き四番目が、地殻層の一部破壊により月内部から地上にスプラッシュした大量の水と砂である。強力な潮汐作用によって水や砂は月の重力圏と引力圏を簡単に脱し、それらは潮汐力の源の一つである地球に向けて進んだ。新天体が地球や月から離れていくことによって異常な潮汐作用はすぐに収まりをみせるものの、慣性の法則と地球と月の間に残った微弱な潮汐力の影響を受けて月の物質は地球に向かい、そして到達した。

□降雨が「四十日四十晩」続いた理由

月の物質が到達までに要した時間は、既述のように旧約聖書には書かれていない。旧約聖書には、ノアの家族が箱舟に乗ってから七日後に雨が降り始めたとだけ書かれている。アポロ宇宙船の場合は約三日間で月に到達できたが、「大洪水」の場合はおそらく七日未満の“数日間”の間に最初の水塊が地球に達し、全部移動し終えるのに旧約聖書の記述では「四十日四十晩」かかった。月から地球への移動物質到達所要時間は、月でスプラッシュした時の初速の差によって異なる。重さの軽いものは移動が速く、また重いものは遅くなる。月の地表の水は移動が速かったであろうが、月内部の砂は移動に時間がかかり、おそらく「四十日四十晩」の最終段階で地球に到達したことが推察される。

□水は“降った”のではなく“打ち付けられた”

この時の水が“降った”状態は我々が通常想像する降雨などではなく、おそらくは水の塊が地上に“打ち付けられた”と考える方が妥当である。この水の初期の落下だけで、落下地域に存在した地上生物の多くは死滅し、また構造物も大方破壊されたと推測できる。ギザのピラミッドが例外的に破壊を免れた理由は材質の強度だけでなく、三角錐という形状にも拠ったのである。二体あったスフィンクスの頭部は打ち付けられた水塊によりダメージを受け、おそらく一体は首の上部分を失ってしまったため廃棄処分となり、もう一体は元の姿を留めないながらも頭の部分のなにがしかは残ったため、後に復元処理が成されたと筆者は推測している。そのため現存するスフィンクスは飛鳥氏が指摘したように、体全体に対して頭の部分が異常に小さいのである。

変動⑥　水蒸気含有マグマが地殻下隙間に充満して地殻押し上げ開始

地殻下の隙間はすぐに膨張マグマが充満し、膨張マグマの拡大圧力は地殻全体を押し上げ始めた。地球膨張の始まりであった。

地殻下の隙間の厚さは、既述のように数キロメートルあるいは数十キロメートル程度であったと筆者は推測している。その狭い部分に中央海嶺部分全域からの膨張マグマが流れ込んだ。水が水蒸気化されると体積は1600倍にも増える。イメージ的には、マグマが膨張して膨張マ

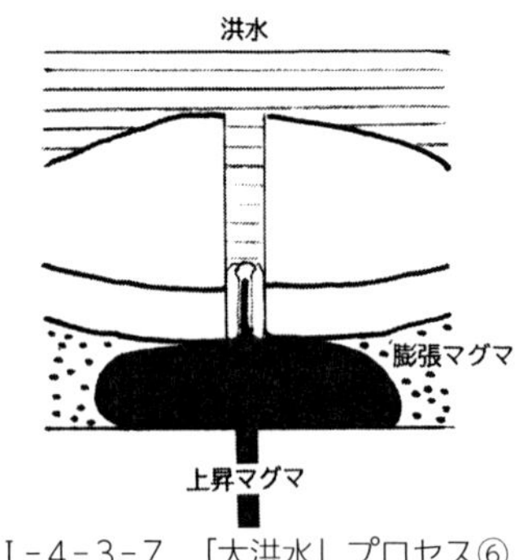

図I-4-3-7　「大洪水」プロセス⑥

グマとなる様子は、建築断熱材のウレタンに似ている。ウレタンは液体状態で空気に接触することにより泡気作用によって急激に膨張し、液体から変じて固体化する。化学作用は全く別であっても、視覚的にはよく似ている。地殻下の隙間に膨張マグマが充満しきるまでにさほどの時間は要しなかった。やがて地球の地殻全体が圧迫により押し上げられ、地球は膨張を始めた。

変動⑦　降雨終了及び「大洪水」の終息

降雨は四十日四十夜で終了したが大洪水の水は降雨終了後すぐには引かず、地球の膨張に伴い徐々に水位を下げ、開始から314日目にして「大洪水」は終息した。

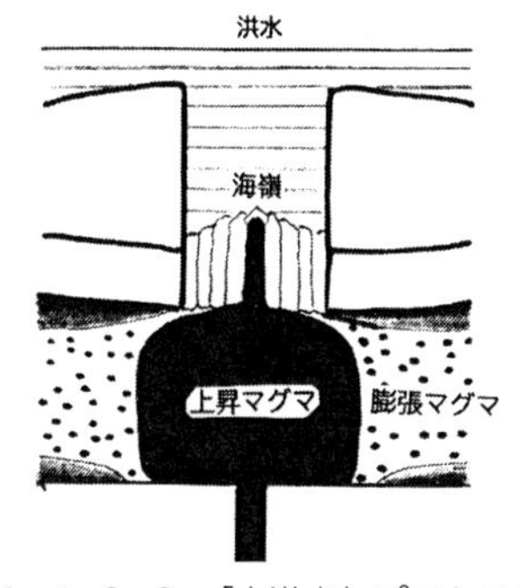

図Ⅰ-4-3-8　「大洪水」プロセス⑦

【創世記８.１】

（神は）**地の上に風を吹かせられたので、水が減り始めた。**

□降雨終了の目印になった風

この一文は、筆者には解釈不能である。四十日四十夜を要して月から地球へ水や砂は移動し終わったが、その最後に月の大気が伴われていて風となったのか。あるいは地球上の大気だけの問題で、四十日四十夜も水や砂という物体が大気中を通り抜けたので、水や砂の通り道に沿って地球の大気にも流れができ、通過が完了した時点でもその大気の流れが風となって地上（水上）を吹き抜けたのか、筆者には判断がつかない。いずれにしても、風が降雨終了の目印になったらしい。

【創世記８.２】

**　また、深淵の源と天の窓が閉じられたので、天からの雨は降りやみ**

「深淵の源」が閉じられたという表現は、プロセス③での上昇マグマが地殻に生じた裂け目出口部分で、高熱マグマが水に冷却されて固体化し自ら栓を成したこと、そしてプロセス⑦に示されたように、その栓が成長して海嶺となり最終的にマグマの上昇を止めたことを意味している。また、天の窓が閉じられたという表現は、降雨開始時に開かれた空の穴が消滅したことを意味し、それと同時に降雨が終了した。つまり、潮汐力が原因での月から地球に向けての物質移動が完了したことを示している。

【創世記８.３】

**　水は地上から引いて行った。百五十日の後には水が減って、第七の月の十七日に箱舟はアララト山の上に止まった。**

□150日後に箱舟がアララト山に漂着

この一文を理解するためには、かつての暦の知識が必要とされる。現在でこそ一年は365日、一ヶ月は28～31日であるが、それは筆者の論では紀元前701年以降のことであり、それ以前の一年は360日で一ヶ月は30日であった。150日の後の日付が７月17日であるということは、２月17日からちょうど五ヶ月後が７月17日になるので、一ヶ月が30日である古い暦での計算であり、「百五十日の後」とは「降雨が始まってから」ではなく、「大いなる淵の源がことごとく破れてから」150日の後という意味になる。

□「大洪水」前後で異なる暦

余談であるが、「一年は360日で一ヶ月は30日」というのは、新天体ヤハウェと月と地球の間に生じた潮汐力が終了した瞬間からのことで、「大洪水」以前の暦は定かではない。地球が破壊されかけたほどの潮汐力を受けたわけであるから、地球の公転も自転もブレーキをかけられて、「大洪水」以前よりも「大洪水」以後の回転速度はある程度落ちたはずである。たとえば「大洪水」以前の一年は300日、そして一ヶ月は25日というようなことであったかもしれない。「大洪水」以前の時代の発掘物の中に、そのことを探る資料が埋没している可能性がある。

□『創世記』の記述はモーセの時代での過去回顧

上記の「一年は360日で一ヶ月は30日」という表現で分かることは、『創世記』の「大洪水」に関する文面は、「大洪水」以降そして紀元前701年以前に成立したものである。おそらくそれはモーセ（B.C 1355～B.C 1235）の時代に、過去を回顧するようにして民に語りかける形で書かれたのであろう。

□「百五十日の後」表現に含まれるもう一つの意味

「百五十日の後には水が減って、（第七の月の十七日に）箱舟はアララトの山に止まった」という表現には、もう一点見逃せない内容が包含されている。逆に言えば、「箱舟がアララトの山に止まるまで百五十日も要した」、つまり「大洪水」にはそれほどの水量があった、ということにもなるのである。「天の下の高い山々は、その上さらに十五キュビト（水が）みなぎって、山々は全くおおわれた」という表現から、大洪水の水量は一番高い山を15キュビト（6.75m位）上回った程度と考えがちであるが、実際にはさらに相当量の水量があったようだ。

□７月17日には始まっていた「地殻押し上げ開始」

プロセス⑥に示した「地殻押し上げ開始」が、実際に「大洪水」事件発生プロセスのどの時点で始まったのかは定かでない。「四十日四十夜」の時点で始まっていたかどうかは明言できないが、７月17日の「百五十日の後」に当たる時点では明解にプロセス⑥の段階にあった。

【創世記８.５】

水はしだいに減って、十月になり、十月一日に山々の頂が現れた

そのさらに三ヶ月後の10月には、アララトの山以外の山々の頂も現れ始めた。

【創世記８.13】

ノアの六百一歳の一月一日になって、地の上の水は涸れた

そして、「大洪水」発生から314日目にして水は完全に引き、水位が「大洪水」発生以前に戻ったということである。

□アララト山での減水理由は二つ

水は蒸発をすれば、必ず雨として再び地上に戻って来てしまう。「水が減った理由」で考えられることはただ一つ、地球が膨張して地球の表面積が増えたのである。それ以外の理由は立たない。山の頂が現れてから地上の水が乾くまで、僅か三ヶ月しか経っていない。これは地球膨張の動きが当初は急であったことを示しているが、水が急激に減った理由はそれだけではなかった。漂着した山がアララト山であったという“特殊要因”も含まれていた。アララト山は現在では5,123mの高峰であるが、「大洪水」前は推測で1,000m前後の低い山であった。アララト山の下に潮汐力に起因する地殻の裂け目ができ、そこからマグマが地球内部から滲み出るような形で火山が形成され、アララト山域が大きく隆起したのである。『創世記』に書かれている地球膨張の状況は、新生火山の上部で起きた特殊な状況下における記述であったので、膨張の規模と速度については割り引いて考える必要がある。なお、ノアの箱舟はアララト山の頂上に漂着したはずであるのに、トルコで遺跡として発見された箱舟の位置はアララト山の中腹にある。それは、箱舟の当時の漂着位置は頂上であったものの、火山の中心部はさらに北東方面にずれていて、そちらの隆起の方が漂着地点よりも激しかったため、箱舟の漂着後にアララト山の頂上位置が変わってしまったことに因る。

変動⑧　地球膨張と海嶺領域拡大

膨張マグマが地殻を押し上げたことに因って起きた地球膨張の動きは、「一月一日になって、地の上の水は涸れた」ことによって終了したわけではなく、長期間継続した。海嶺部分の引き続く拡大により海洋性地殻が横方向への圧迫を受け、海洋性地殻の様々な形状変化に伴って陸地も大きな影響を受け、陸地の形状も変貌を遂げた。

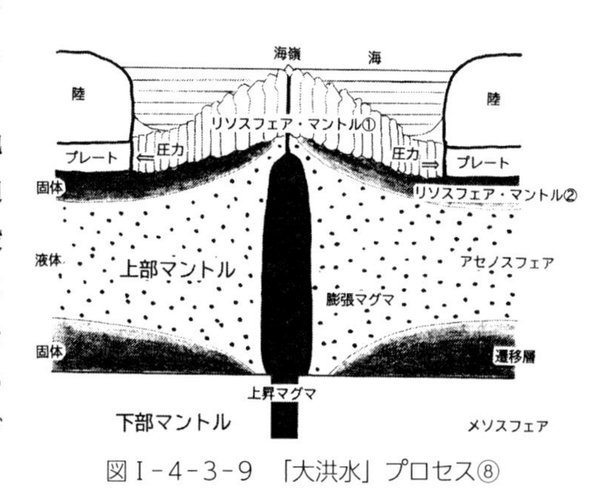

図Ⅰ-4-3-9　「大洪水」プロセス⑧

地球膨張の際の上昇マグマの圧力は、大別して二ヶ所に働いた。一つは地殻を押し上げる圧力であり、これについては既述のとおりである。もう一つは海嶺横の地殻、より正確に言えば海洋性地殻を横方向に押す圧力である。このメカニズムについては次章の海嶺の項で詳述するが、このことにより海洋性地殻はマグマの表出圧力によって押しのけられ、大西洋全域、太平洋の五分の二、インド洋の大半が新たな海洋として誕生し、また後述する大陸移動や島の形成・移動の原因となった。

地球膨張の終息

地球膨張の動きは最初こそは急激であったが時間をかけて徐々に沈静化し、約4300年という年数を経て終息した。

紀元前2284年に発生した「大洪水」を契機にして始まった地球の大変動は、発生から約300年弱経過した紀元前2000年の頃には、その変動総量の80%を達成したと推測できる。次の西暦元年までの2000年間に15%を達成し、最後の2000年間で残り５%を達成した。なんと、つい最近の西暦1994年頃に地球膨張運動は終息した。上昇マグマが冷却されて形成されたリソスフェア・マントルが、マグマの上昇

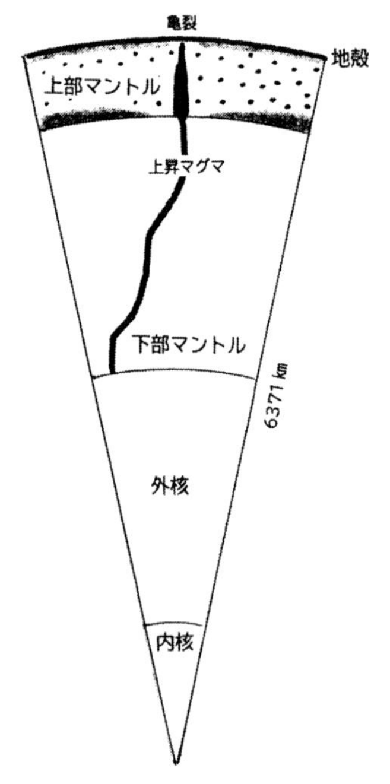

図Ⅰ-4-3-10　膨張完了時の地球断面

を完全に封じ込めたわけだが、外核からの高圧マグマの流出により外核の圧力自体が低下し、マグマの上昇力が減少したことも終息の一因であったと推測する。

第四節　「大洪水」発生についての可能性検証

〈資料〉地球膨張に関する数字

	「大洪水」前	「大洪水」後	増加量
地球半径	5,701km	6,371km	670km
地球円周	35,816km	40,025km	4,209km

「大洪水」前後での増加割合

円周11.75%　　表面積24.89%　　体積39.55%

□琥珀に閉じ込められた空気と地球表面積増加分との関係

地球膨張について論じるのであれば、「大洪水」前後で地球がどのくらい膨張したのかを明らかにせねばならない。その解明に当たって一つの根拠となったのが、化石で琥珀に閉じ込められた酸素濃度であった。化石は「大洪水」が発生したと同時に形成されたものであるから、琥珀に閉じ込められた空気は、「大洪水」当時の大気の化石ということになる。その酸素濃度割合が現在よりも約50%も高いことから、筆者は当初、地球が膨張した分の単位体積内の大気濃度が低下したと考えた。つまり、地球表面積が50%増加したことにより酸素濃度割合が50%低下したと考えた。しかし、詳細の検討に入ると、地球の表面積は24.89%しか増えていないことが分かった。数字が合わない残分25.11%は、水や砂と同様に月から空気も潮汐力で移動して来て、それが地球の大気と一体になり酸素濃度も低下したと考えると、何となく辻褄が合う。

検証1　水量計算での「大洪水」発生の可能性

月の水が地球に移動して「大洪水」が発生したことの可能性を、水の量で検証してみたい。上記のように、地球の「大洪水」前の地球半径は約5,701kmであった。月の半径は約1,737kmであるから、地球半径は月の3.28倍の長さであり、「大洪水」発生当時の地球の表面積は月の約10.76倍であったことが分かる。「大洪水」の水が全て月の海から来たと仮定すると、雑駁な計算においては、地球全体を1,000m覆う水の量は月に深さ10,760mの海が存在すれば可能となる。この場合の「海」とは月の外周部だけに限らず、月の地殻の内側の水の層をも含めている。もし月の表面に当時海が存在しなかったのであれば、地殻の内側に約11kmの厚さの水の層があれば量は足りることになる。実際には月は空洞状態になるまで内部物質を失い、その中には多くの水が含まれているので、月から来た水で地球に「大洪水」が発生したことについて、水量計算での可能性は十分であるどころか、非常に現実的な数値を示している。

検証2　“片方の星の物質が他方の星に移動する”可能性

□二星間での物質移動の可能性についての疑問

月の水が地球に移動したことについて、二つの星の間で潮汐力が働くと、「片方の星の物質が潮汐力により他方に移動する」というようなことが、本当に起こり得るのであろうかという疑問を、実は筆者自身も持っている。しかし、その時に月の裏側で起きた出来事を考えてみると、これは十分有り得るどころか、むしろ必然のように思えてくる。その出来事とは、その時に月の裏側に生じた無数のクレーターの存在である。

□月の裏側の無数のクレーターが示唆すること

地球から見える月の表情は、黒い影をどのように見喩えるかは別として、ある意味普通の星に見える。ところがその裏面全体は、全面が大小の大きさでかつ重なり合ったクレーターの跡で覆われている。ほぼ片面だけがこのような状態であるということは、この状態は月の自転を考慮すると、極めて短時間に生じたと考える他ない。もし月が一周回れば、月の全面に隕石が衝突することになるからである。クレーター群は、大量の隕石が極めて短時間の間に月に連続衝突してできたと考えるしかない。

□月を襲った隕石の正体はフェイトンの残骸

その時、新天体が実際に大量の星屑を伴っていた可能性を見出した。木星で生まれた新天体ヤハウェが、地球に向かう途上で惑星フェイトンを破壊したので、その残骸を相当量伴っていたと考えることができる。フェイトンが爆発した際に、新天体の方向にも破片の一部が飛んで新天体の引力圏に入ってしまい、新天体と動きをともにするようになったのである。現在の小惑星帯の広さから鑑み、新天体は飛ばされた残骸群の圏内に入っていたことが推測されるので、残骸は新天体の四周に存在したと考えて良い。そして新天体と地球そして月との強烈な潮汐作用が生じた際に、潮汐力線上に存在した残骸は地球と月方面に引き付けられ、それらの大半は地球に向かう途上で月に衝突したと考えることができる。

□隕石群の移動が示す月から地球への物質移動の可能性

月の裏側の無数のクレーター形成は、潮汐力によって新天体から月に向かって隕石群が動いた結果起きた事象である。それが事実であれば、同じ潮汐力によって月に存在した物質も地球に移動し得ることになる。ちなみに、新天体から月に向かった隕石群の残り僅かは、「大洪水」発生時に月に当たらずに地球にも飛来した可能性がある。とにもかくにも、月は体を張って地球を守った。

□隕石の地球渡来は「大洪水」以降のこと

現在の地球を毎夜「流れ星」として訪れる隕石は、ほとんど全てフェイトンの残骸と考えることができる。宇宙の中を岩石の小片が多数漂うことなど、そうそう有り得ることではない。そのことが正しければ、地球上に確認できる隕石衝突跡は、「大洪水」の最中もしくは後に生じたことになる。これまで地球の大変動に関して、"隕石衝突説"が次から次へと唱えられてきた。最も有名な例は6500万年前のユカタン半島に落ちたもので、その時に恐竜は死滅したとされた。しかしながら、筆者の推論では紀元前2284年以前の隕石衝突例は、ほぼ皆無と言って良い。もしそれ以前の地球への物質到来を隕石ではなく太陽系外から渡来した彗星であるとするならば、そのような彗星が存在する理論を示さねばならないが、それは大変困難なことである。太陽系は大海の中のモルディブやセイシャルズのようなもので、彗星が地球に衝突するということは、地球外から石を投げてこれらの島々に当てるようなものなのである。宇宙の広さというものを認識してほしい。太陽系でさえ広い宇宙の中では点にしかすぎず、しかも隣の天体とは隔絶の距離がある。可能性がゼロとは言わないが、限りなくゼロに近い。隕石や彗星の地球衝突説は、安易に唱えられるべきではない。

第五章　「大洪水」が地球構造に与えた物理的影響

これまでは「大洪水」が「なぜ、どのように起きたのか」について、旧約聖書の記述を参照しつつ論じてきたが、以後は「大洪水」が史実であったことを科学的に裏づける目的をもって、「大洪水」が地球に与えた具体的な物理的影響について論じてみたい。記述量が多くなってしまったので、地球内部の構造変化に関することは第五章、そして地球表面の物理的変化については第六章、その他の変化については第七章としてくくり、論述する。

二十世紀から二十一世紀にかけての科学において、地球が膨張していたことは周知の明白な事実である。ただ、その膨張量が僅か過ぎたせいか研究者の関心は薄く、膨張がなぜどのように起きているのかについての論説は、筆者は見かけたことがなかった。地球膨張の進行プロセスについては、前章第三節で詳説した。本章では、地球が膨張した部分がどうなっているのか、その構造と物質状態について言及したい。なお、専門用語の理解のために、第三章第三節で示した図Ⅰ-3-3-1（P82参照）の地球内部構造の図とその前の表（P81）を参照しつつ、読み進めて頂きたい。

第一節　上部マントルの誕生

上部マントルは「大洪水」後に形成された新層

高熱マグマが冷却により凝固化し固体となった部分が、現在の学名であるリソスフェア・マントルである。膨張マグマの物質名は学名のアセノスフェアであり、水蒸気を多く含んだ液状物質である。

このように、地球の奥深い部分から上昇してきた物質で形成されたリソスフェア・マントルとアセノスフェアは、現在の地質学で「上部マントル」と定義されている。つまり、上部マントルとは、「大洪水」後に誕生した“新層”なのである。

「大洪水」前に存在した地殻下のマントルは現在の学説で定義する「下部マントル」であり、力学的にメソスフェアという学名で定義づけられている“硬い”部分である。そこは「大洪水」発生時には既に相当硬く、その部分が大きく膨張することなどなかった。膨張はその硬い部分の外側で行われたのである。そのことを示す図表がある。学問上、今日では広く受け入れられている、地球内部密度分布を示すPREM（標準的な地球構造モデル Preliminary Reference Earth Model）である。以下に示すPREM図二種は、山賀進氏のwebサイトに掲載された図情報をベースに、筆者の解釈を含めて作図させて頂いた。

□PREM図の見方

Ｐ波及びＳ波という呼称は地震波の種類を示す用語で、Ｐ波とはPrimary Waveの略で第一波、またＳ波はSecondary Waveの略で第二波を意味している。地震を感じる時に、最初に感じる縦揺れの初動地震波がＰ波であり、少し経って感じる横揺れの地震波がＳ波であると理解して良い。Ｐ波は固体、液体、気体を通過するが、Ｓ波は固体だけしか通過しない。そのため、次図（図Ⅰ-５-１-１）の地震波速度PREM図で、深度2,890kmから深度5,150kmまでの外核領域ではＳ波はゼロとなっている。

Ｐ波とＳ波の伝播速度は伝播媒体（岩盤や地盤）の弾性率や剛性率などによって決まる。したがって、Ｐ波とＳ波の波形は、図Ⅰ-５-１-２の物質密度PREM図における鋼性率の波形と相似の関係にある。固体に関してだけ述べれば、一般的に物質の密度が高ければ高いほど硬度も高く、また逆に密度が低ければ低いほど物質は軟らかくなる。その関係性において、物質密度PREM図（図Ｉ-5-1-2）

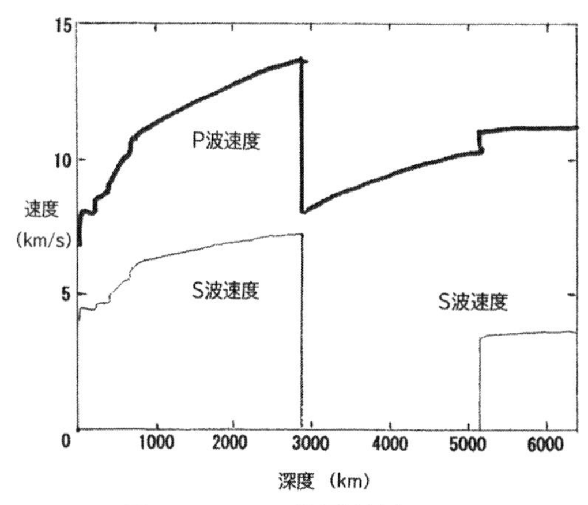

図Ｉ-5-1-1　地震波速度PREM

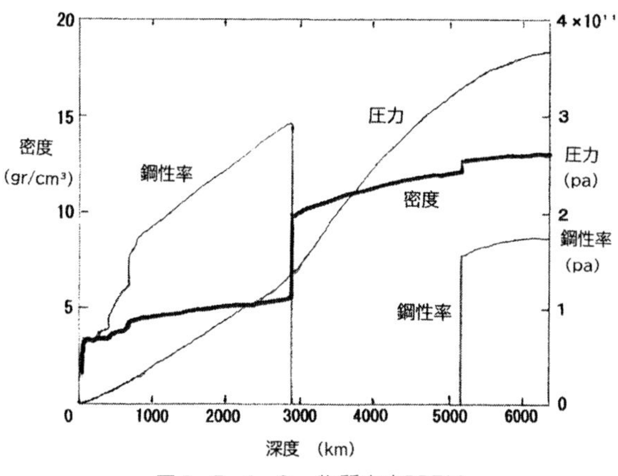

図Ｉ-5-1-2　物質密度PREM

において、鋼性率と密度の両者の波形も共通した形が現れる。

□星の形成論理に矛盾する上部マントル構造

学説で上部マントルとは、地殻下のモホロビチッチ不連続面より深度670kmあたりまで、そして下部マントルとは上部マントルの下部で深度2,890kmまでの地中を指す。地震波は伝播媒体が硬ければ硬いほど通過速度は速く、また軟らかければ軟らかいほど逆に遅くなる。PREM図で上部マントル部分は直線ではなくジグザグ波動を描いており、これはその部分が硬軟入り混じりの状況にあることを示している。波の高低差の様子から、硬体と軟体が入り組んでいるように見受けられる。星の形成論理に照らせば、高熱流体は外部から内部に向けて冷やされていくわけであるから、外部ほど硬く、また内部ほど軟らかい状態になるはずである。上部マントルが下部マントルより硬くなければならないが、現実はその論理とは逆の部分が存在している。上部マントルの様子が星の形成論理に照らして異常かつ特殊な状態にあることが、上部マントルが地球で新たに形成された傍証となる。

上部マントルの物質組成と物質状態

□上部マントル全体で同じ物質組成

次に、上部マントルの物質状態である。一つ確実に言えることは、上部マントルは膨張マグマが充満してできた層であるので、上部マントル全体で物質組成は同じである。しかし、同じ物質であっても温度と圧力の関係や水分の多寡により、物質状態は大きく変化する。アセノスフェアは固体化したリソスフェア・マントルよりも内側に存在するので、温度や圧力もリソスフェア・マントル付近よりも高く、物質状態としては液体もしくは液体状態に近い固体であり、軟らかい。

□未冷却化部分がアセノスフェア

ところで、水蒸気を取り込み膨張したマグマは、時間の経過とともに冷却化が進行した。その冷却化は、地球外周部の側からと、また「大洪水」前のマントル側からもという具合に、膨張マグマの両側で起きた。外側に関して言えば、地球外周部から地殻や新生のリソスフェア・マントルを通じて、冷たさは膨張マグマであるアセノスフェアに確実に伝わっていき、アセノスフェアは冷気接触部分で液体状態から徐々に固体化していき、リソスフェア・マントルに変化していく。一方、内側に関しても、現在の下部マントルであるメソスフェア側からも、上部マントルのアセノスフェア側に低温は伝わっていき、こちらの側からも固体化は進んでいく。アセノスフェアが機械計測で、地上から約670kmまでではなく約400kmまでの深さまでしか液体状態を確認できないことは、そのように下部マントルに近い部分も低温接触による固体化が進行していた事実を物語っている。深度約400kmから約670kmまでの物質は学説での“遷移”による物質ではなく、膨張したマグマが固体化したカンラン石であろう。このように上部マントルのアセノスフェアは、まるでサンドイッチの具のように硬いもので両側から挟まれた状態にある。

第二節　海嶺の形成

地球膨張に伴い新たに形成された新たな物質構造は、上部マントルだけではなかった。地球膨張と表裏一体で、「海嶺」が形成されていた。

海嶺とは何か

マントル深部と外核部分から地球の深い裂け目を伝って上昇してきた高圧マグマが、水による冷却で固形化されたことにより、地表への出口部分で形成された起伏部分が海嶺である。割れ裂け線に沿った起伏部分は、山脈のような形状の凸部が形成されるため、「海嶺」と名付けられた。海嶺については、別の原因により形成された海中の山脈状の形態も同じく「海嶺」と呼ばれているが、当論稿ではその存在を無視し、以後は一般的には「中央海嶺」とも称されているものを「海嶺」と呼称する。下図に示す太い実線部分が現在判明している主要なものである。

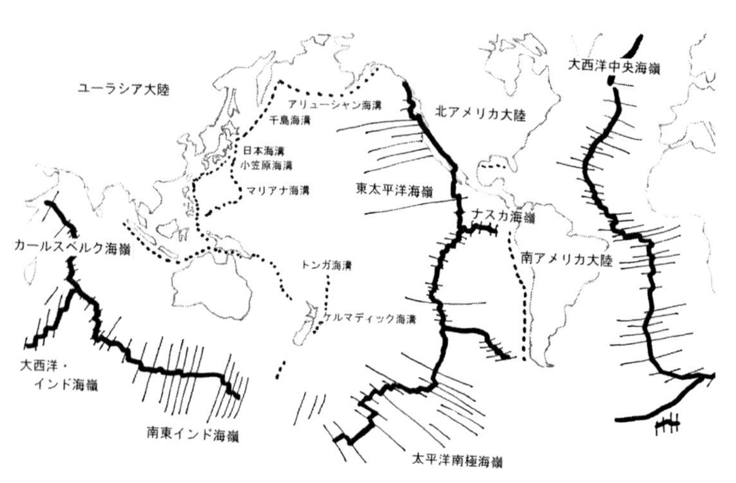

図Ⅰ-5-2-1　大海嶺（実線）と主要海溝（点線）の位置図

海嶺分布に起因する新地殻増加の南北での大きな偏り

□南極側に大きく偏った海嶺分布

地球は一つの丸いボールである。そこに強烈な外部の力が働き、破裂しかねないほどの損傷を受け、その傷部分に発する地球深奥部からの高圧物質上昇の動きにより、地球全体が膨張した。この地球膨張という現象を考察した際に、膨張は地球全体で均等に行われ、地球に生じた割れ裂けという外傷も、地球全体で程よく平均的に分布していたと思われがちである。割れ裂けの主体を成す海嶺の分布も、地球上で大きな偏りなどないと考えることが普通であろうが、実際は相当に違っていた。南北に走るどの海嶺線も、北極に向けての途上で消滅してしまう。北極近辺に“隠れ”海嶺線が存在するのかとも思い探したが、自らでは発見できなかった。次図(P133)を見ると明快であるが、逆に北極とは対極の南極大陸は円状になって大規模な多数の海嶺に取り囲まれている。海嶺線はそこから三本が北に延びるような形で存在している。海嶺分布は南極側に大きく偏っている。

ちなみに、北極側に最近どうも一本は発見されたらしい。「ナンセン・ガッケル海嶺」という呼称の海嶺が、グリーンランド東部から北極を抜けてシベリアにまで抜けているそうである。シベリアの陸地部分では、レナ川沿いということになるのかもしれない。学説ではそこを境に西側がユーラシアプレート、東側が北アメリカプレートというように、２つの巨大なプレートが存在している。筆者はその海嶺の実在を疑うことはしないが、おそらく亀裂はかなり浅く、他の中央海嶺などとは別物の小規模な海嶺と考えた方が良いと思われ、その海嶺の存在が海嶺分布偏りの傾向を補正するものではないようだ。

□地殻層に関しては相当いびつに行われた地球膨張

主要な海嶺の配置から言えることは、少なくとも地殻層に関しては、現在の南極と大西洋中央海嶺そして東太平洋海嶺を中心に、地球膨張は相当いびつに行われたということである。たとえば、地球円周は約4,200km長くなったが、このうち全幅新規拡大部分となる大西洋は、赤道下部分で5,380kmもの幅がある。地球円周の増加分より長い距離である新生大西洋の海洋幅については、一見論理矛盾しているように見えるが実はそうではない。円周の増加分＝新生地殻の増加分ではないのである。膨張前の旧下層地殻（海洋性地殻）の断片は海嶺部分からの圧迫により相互に重なり合い、あるいは片方が他方の深部に押し込まれることにより、地球表面積としての旧下層地殻総量は「大洪水」前と比較して大幅に減少させられた。その分逆に新生地殻面積は増え、新円周＝旧円周－旧下層地殻の減少分＋新地殻の増加分となったのである。そのことにより、地球膨張前後で円周に対する旧地殻が占める比率も低下したため、数値で表すと上述のような奇妙な状態が現出した。

□つぼみの開花に似た地球膨張と開花とともに形成された新地殻

さらに、地球膨張は球体として均等に行われたが、膨張に起因する地殻の動きは地球全体で均等ではなく、割れ裂けの位置と深さの関係で非常に偏って行われた。地殻に関してだけ表現すれば、北極側を花の基部に、そして南極側をつぼみに喩えることができる。まるでつぼみが開花するようにして、地球は膨張したのである。開いた花弁と花弁との間は、新たに誕生した新地殻が占めた。次図（図Ⅰ-5-2-2）をご覧頂きたい。図の陸地部分と海の白い部分が膨張前から存在する地殻が存在する区域であり、二種類の線が施された部分は新地殻が形成された区域である。割れ裂けに囲まれた南極大陸の周辺、あるいは花びらとなるアフリカ大陸や南アメリカ大陸との間（大西洋）、インド洋西部、太平洋東部には、海面下に膨大な面積の新地殻が誕生した。

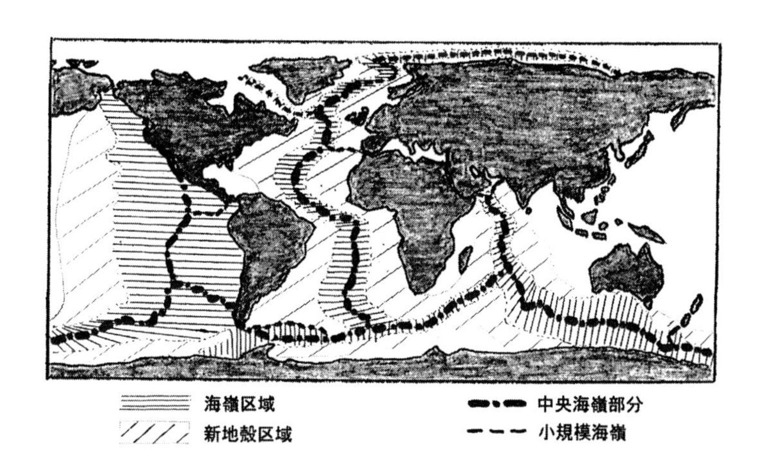

図Ⅰ-5-2-2 新地殻の分布

□新生の海底地殻は冷却マグマ

図Ⅰ-4-3-9 「大洪水」プロセス⑧（P119）を、もう一度参照して頂きたい。新地殻の分布について別の角度から表現すると、現在の地球の南半球と大西洋、インド洋西部、太平洋東部には、陸地が存在する限られた場所にしか「大洪水」前の海洋性地殻（筆者の言うプレート）は存在せず、それらの海洋部分の底の地殻のほとんどは、外核や下部マントル深部から上昇してきたマグマが冷えて固まってできた、“新地殻”であるリソスフェア・マントルということになる。南半球に海が多い理由は、ここにある。それを裏づける数値がある。地球の現在の半径を6,371km、「大洪水」前のそれを5,701kmとし、旧約聖書の記述を勘案して陸地面積は変化なしと想定して計算すると、現在の海洋面積の28％が新しく増えた海底面積となる。残り72％は「大洪水」前の海洋性地殻が海底に存在するはずであるが、前図「新地殻の分布」を一瞥しても、海洋部に旧地殻がそれほど存在するようには見えない。後述するが、旧地殻は重なり合いと海溝部分での沈み込みで相当量失われているので、雑駁な推計で現地球の海の約半分が旧地殻、そして残り半分が新地殻であるリソスフェア・マントルむき出しの海底ということになる。その新地殻には、外核から上昇してきた鉄やマンガンが多量に存在する。これらの重い物質は、通常の星形成プロセスではこの位置に存在することは稀である。この事実が地球に大事変が起きたことを裏づけてもいる。そして、乱暴な捉え方ではあるが、その新地殻の四分の三は海嶺線が集中している南半球に存在している。繰り返すが、南半球には海が多い訳である。ちなみに、地球上の海陸面積比を求めてみると、現在は海71対陸29で、「大洪水」前は海64対陸36であった。この数値をどう見るかは人それぞれであろうが、「大洪水」前も結構海は広かったというのが筆者の印象である。

地殻内側部分では均等に行われた地球膨張

地殻の動きが地球の南北でそれほどまでの偏りがあり、そのような事情で球体としての地球の膨張が本当に均等に行われたかどうかが、問われるところである。マグマ噴き出し口の分布に大きな偏りのある地球膨張など有り得るのかどうかを考察し、一つの結論を得た。地殻下に入り込んだ膨張マグマが水蒸気を大量に含んだ液体であったことと、さらに水蒸気が冷却してできた鍾乳洞のような地形が、「大洪水」発生前の地球の地殻下全般に存在したため、圧力の逃れ先を求める膨張マグマが地殻の内側に万遍なく入り込んだことで、この問題は解決された。マグマの上昇位置の分布に拘らず、地球内部全般が膨張マグマで満たされたことにより地殻を持ち上げる力が生じ、そのことにより膨張力は地球全体で均等に働いた。結果として、地球の地殻部分では地球膨張に付随する動きにおいて偏在が生じたが、地殻の内側部分では膨張は均等に行われた。たとえば地球の重心の位置が変わってしまうなど、地球内部に異常をもたらす変動は生じず、上部マントルの厚さも、大陸性地殻部分の下部への出っ張りを考慮しなければ地球全体で均等になった。

海嶺形成プロセスに起因する新地殻増加のメカニズム

地殻が膨張を始めると、地球の円周が延びることにより地殻のどこかに隙間が生じることになる。その際に地殻に断点があれば、そこが隙間の生じる場所となる。亀裂によって割かれた地殻部分、つまり海嶺の両側の部分にその隙間が生じることとなった。図Ⅰ-4-3-9　「大洪水」プロセス⑧（P119）を再度参照して頂きたい。マグマの上昇は常に海嶺の中央部分に最大の圧力負荷をかける。既に固体化した裂け目の栓の脇が円周延長時の地殻の断点となり、マグマの上昇圧力はその部分に既に固体化した部分を押し付け、海嶺の中央部分は徐々に盛り上がって成長していった。地殻下の鍾乳洞群のような隙間が膨張マグマで埋まってしまい、圧力の逃げ場とならなくなってしまった時点で、行き場を失ったその分の圧力が海洋性地殻を横押しする方向に向かった。

なお、マグマの上昇と固体化は、間歇的に行われたようである。そのため中央海嶺の姿は、海嶺線に沿っていくつもの山脈が並行した形で存在し、中央部が最も高い。それは、海嶺の中央部がマントルの裂け目の真上部分に存在していることと関連する。海嶺中央部の真下にあるマントル裂け目出口からのマグマ噴出圧力が海嶺を膨らませ、海嶺の中心部分に新しいマグマが供給され続け、そして真上部分に最も多く圧力がかかったことを示している。今日その姿を露わに見せている場所が大西洋の中央部に存在するいくつかの島々で、その代表例がアイスランドである。

第三節　プレートの形成

地球が膨張する以前に、地球の割れ裂け外傷発生に伴い同時に形成されたのがプレートであり、そのプレートは陸地の分化や移動など、現在の地球の外観を作り上げるために大きな役割を果たした。

プレートとは何か

そもそも「プレート」とは誰が生み出したどういう定義であるのか、そのような簡単な問いへの返答が意外と困難である。プレートという言葉や概念は、時間をかけて何人もの学者や研究者によって築かれてきたようだ。

□「プレート」概念の基底は大陸移動説

その始まりは間違いなく、ウェゲナー（Alfred Wegener、ドイツ、1880年～1930年）によって築かれた。彼は1915年に『大陸と海洋の起源』という本を出版し、地質学や生物学などの十分な科学的な根拠を携えて「大陸移動説」を発表した。その内容は、「地球の表面は十数枚の硬いプレートに覆われていて、プレート同士の相互作用によってプレートが移動し、プレートの上に存在した大陸も一緒に動いた。」というものであるが、ウェゲナー自身は「プレート」という用語は使っていないようである。当時この論に賛同した学者は少なく、ウェゲナーが遭難死した後は論としては立ち消えたが、この論が後世の学会に与えた影響は甚大であり、「地球物理学の進展は彼の大陸移動説を理論的に裏づけるために展開された」と言っても過言ではない。

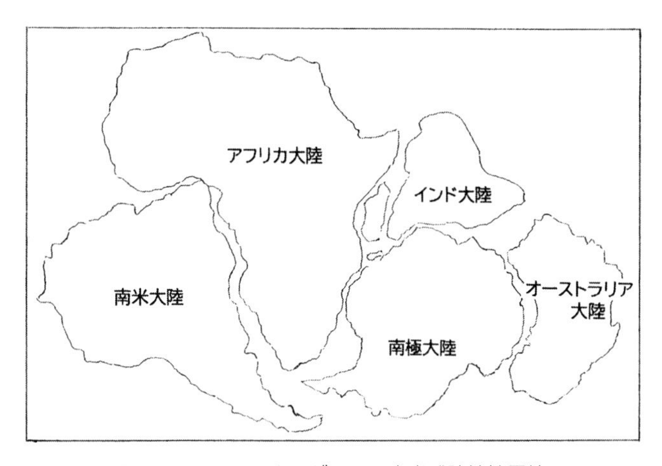

図Ｉ-5-3-1　ウェゲナーの南半球陸地境界線

□「海洋底拡大説」を経て「プレート」概念の誕生

第二次世界大戦後の科学技術発展は目覚ましく、地学関係においては地震計測技術の向上により、地球物理学は種々のデータを蓄積できるようになり、ウェゲナーの論が復活する。ヘス（Herry. H.Hess、アメリカ、1906年～1969年）やディーツなどにより、「中央海嶺でマントル対流が湧きあがり、そこで新しい海洋底が形成され、その新しくできた海洋底はマントル対流に乗って海嶺の両側に移動していき、マントル対流が沈み込むところで海洋底も消滅する。」という内容の1962年の論文で、「海洋底拡大説」が提唱された。それは、地殻下のマントル対流が、ベルトコンベアのベルトのように上に乗っている大陸も移動させたというイメージであり、「ベルトコンベア説」とも呼称された。さらに1967年頃に、複数の地球物理学者により「プレート」という概念が提出され、プレートという用語使用もその頃に定着した。

□プレートの定義

「大洪水」発生前の下層地殻（海洋性地殻）がプレートの元の姿である。第二章で詳述したように、ここで言う「プレート」は筆者定義の用語であり、学説のプレート定義とは異なる。「大洪水」前の海洋性地殻は「地殻」という名の示すとおり固体であり、地球の割れ裂けと同時に切断され、その後の地球膨張によっても切断が進み、その大小全ての断片が筆者定義のプレートである。したがって、プレートの厚さは通常５～７km程度である。地球が膨張して地球の表面積が増えても、新増の地殻はプレートではないため、プレート全体の面積は「大洪水」前より増えることはない。図Ⅰ-４-３-９「大洪水」プロセス⑧（P119参照）で示したように、プレート間の隙間となった海嶺部分は、上昇したマグマで冷やされて固形化した物質（リソスフェア・マントル）によって埋められ、新地殻となった。

プレートの分布

次に「プレート」の分布についての図を示すが、個々のプレートの存在に関しては学者毎に考えが異なるようで、統一した分布図を示すことは困難であった。学問上のプレート指定には、大分類と小分類というような関係の二種類が存在する。一応、小分類は大分類の分類分けに収まる形となってはいるが、大と小との関係は、独立したものの集合体が大であるのか、あるいは大と小との間で何らかの結びつきがあるのか、研究者の間でも考え方が様々で定説はない。

□プレート分布「大分類」

まずは大分類に属するプレート分布を以下に示す。ウィキペディアに掲載された図を参考にさせて頂いた。

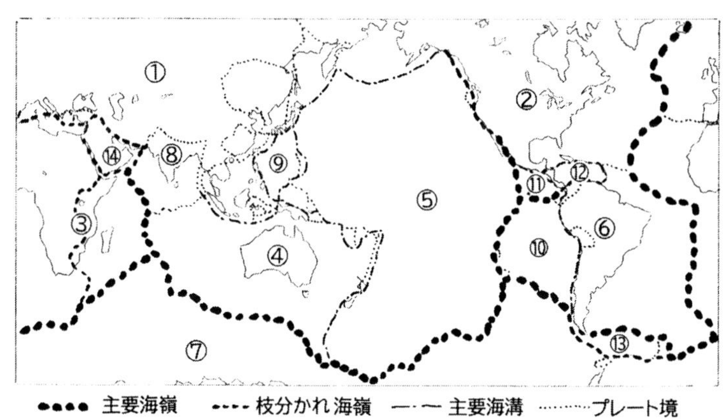

①ユーラシアプレート　②北アメリカプレート　③アフリカプレート
④オーストラリアプレート　⑤太平洋プレート　⑥南アメリカプレート
⑦南極プレート　⑧インドプレート　⑨フィリッピン海プレート
⑩ナスカプレート　⑪ココスプレート　⑫カリブ海プレート
⑬スコシアプレート　⑭アラビアプレート

図Ⅰ-5-3-2　プレート分布「大分類」

上図の①から⑧までが、ウェゲナーが示した陸地分けに一致するものであり、その他は現在に至るまでに判明した新たな区域分けと考えて良い。

□プレート分布「小分類」

次に小分類の分布であるが、これについては図を示さず、ウィキペディアに掲載された40件の個別名を以下に列挙する。

エーゲ海プレート、アルティプラーノプレート、アムールプレート、アナトリアプレート、バルモーラル暗礁プレート、バンダ海プレート、バーズヘッドプレート、ビルマプレート、カロリンプレート、コンウェイ暗礁プレート、イースタープレート、フツナプレート、ガラパゴスプレート、イランプレート、ヤンマイエンプレート、ファン・フェルナンデスプレート、ケルマデックプレート、マヌスプレート、マウケプレート、マリアナプレート、モルッカ海プレート、ニューヘブリデスプレート、ニウアフォプレート、北アンデスプレート、北ビスマルクプレート、北ガラパゴスプレート、オホーツクプレート、沖縄プレート、パナマプレート、リベラプレート、サンドウィッチプレート、シェトランドプレート、ソロモン海プレート、ソマリアプレート、南ビスマルクプレート、スンダプレート、ティモールプレート、トンガプレート、ウッドラークプレート、揚子江プレート

□マイクロプレートの存在

以上、大・小分類のプレートを紹介したが、新たなプレートの存在は多くの研究者から次から次へと提議されている。たとえば下図もその一つであり、筆者が日本列島形成について推論した際に提起した小プレートである。新しく定義されるプレートは既存のプレートが細分化されるケースがほとんどであり、その意味で「マイクロ」という字を伴って名称付けられることが多い。

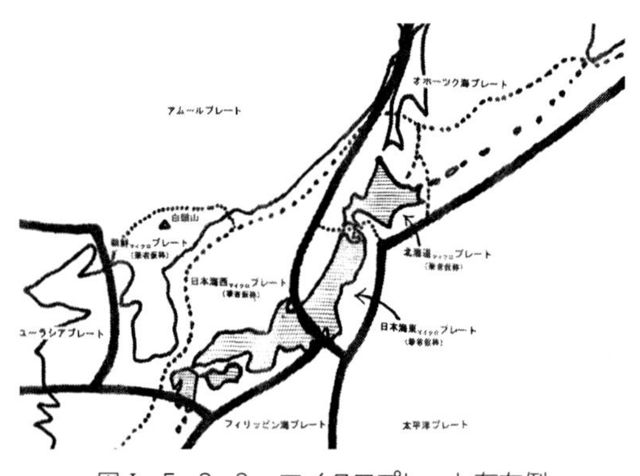

図Ⅰ-5-3-3　マイクロプレート存在例

プレートの研究は、未だ道半ばと

言って過言ではない。現在は主に海洋部分における新たなプレートの存在が提議されることが多いが、地中探査の検査機器の技術革新も急であり、今後は大陸の下部のプレートの実態解明が進むことにより、プレートの数は現在の倍以上も認知されることになるであろう。

海嶺部分から圧力を受けてのプレート変形

裂け目を伝って上昇するマグマの力は、地殻下においては地球を膨張させ、また地表出口の海嶺部分においては、既存の海洋性地殻（プレート）を横方向に押し退けるように圧迫した。圧迫されたプレートはさらに隣のプレートを押す状態となり、その時に大別して三種類の変化が生まれた。

（1）プレート相互の変形

一つは、海嶺部分からの圧力が水平面で調整されることに伴う、複数プレート相互の変形である。押し押される力によって、プレートの形が変わるということである。もしプレートが陸地の岩石のように硬くて形が固定化されていると、プレート同士の押し押されるという動きの中で、どういう変化を想定してもプレート間に大きな隙間ができてしまう。ところが、現実には世界中のどこのプレートもそのようにはなっていない。それはプレートに変形が生じて隙間が閉ざされたためであり、“プレートの形は可変”なのである。

□プレート変形の典型例――フィリッピン海プレート

太平洋プレートに押されたフィリッピン海プレートの変形が、プレート変形の典型的な例である。次図（図Ｉ-5-3-4）において、実線の位置から点線の位置までプレート境は移動した。フィリッピン海プレートは太平洋プレートに東側を押され、横を押されて縦に伸びる原理で、北側に張り出すような形で自らの形を変形した。その北側に位置していた日本海プレートは、同じく太平洋プレートに東側を押され、フィリッピン海プレートからも南側を押され、結局北西方向に押し上げられる形で変形させられた。その日本海プレートの上に乗っていたのが日本列島であり、日本列島は東南方向から北西方向に向かい、九州を軸にして反時計回りに回転する形で大きく移動させられた。このように、プレートはある程度その形を変えることができるほどに、軟らかさを備えている。陸地部分が岩石質であるのに対して、プレート部分は粘土質のような性質を持っていると推測できる。

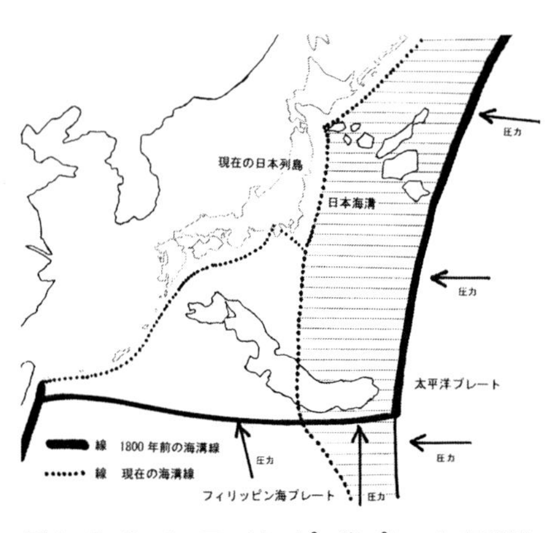

図Ⅰ-5-3-4 フィリッピン海プレート変形例

この動きに関し、学説のようにプレートを上部マントルのリソスフェア・マントルまでの地殻と定義すると、このようなプレートの変形どころか、移動することさえ困難となる。

(2) プレートの乗り上げ——ヒマラヤ山脈

プレートの変形種類の二つ目は水直的な圧力調整であり、例外的なケースではあるが、押す側のプレートが相手の上に乗ってしまうような場合である。その代表例がヒマラヤ山脈である。エヴェレスト山の頂上付近部分は埋蔵物から判断して海底の底であったことは明瞭であるし、アンナプルナ山の北側に大量に存在する巨大なアンモナイト化石群も、同様にそこが海の底であったことを示している。学説を拝見すると、その海底部分は押される側のプレートに属するように書かれている。もしそれが正しければ、押す側のプレートが沈降せずに押される側のプレートを持ち上げたことになる。こういう事例は他になく、また持ち上げた高さが世界一の高さを持つ山が形成されるほどに高かったことになるので、筆者の思考では論理的にも成り立たない。ヒマラヤ山脈の例はやはり、押す側が押される側の上に乗ったと解すべきであろう。

(3) プレートの潜り込み——海溝

変形種類の三つめも水直的な圧力調整であるが、二つ目のケースとは逆に押す側のプレートが相手プレートの下に潜り込む場合であり、これが発生件数としてはメジャーケースである。押す側のプレートが押される側のプレートの下に潜り込むと、潜り込み付近は海が急激に深くなり、まるで海に深い溝ができたようになるので、その部分は「海溝」と呼称された。「プレートの潜り込み」が事実であれば、地球は膨張して地表面積が増加したにも拘らず、旧海洋性地殻であるプレート面積は逆に減少したことになる。ウィキペディアの「プレート」の項での記述によると、造山運動によって山塊の中に埋没しているプレートを三例、そして過去に存在したが現在は存在しないプレートを十例ほど列挙している。つまり学説では、プレートの減少もしくは消滅自体は公に認められているらしい。

第四節　海溝の形成

海溝形成プロセス

プレート圧力の水直的な調整で生じた海溝の形成について、以下に段階を追って論じていきたい。

（1）海洋性地殻に亀裂発生

海溝が生まれる端緒は、海洋性地殻に亀裂が生じることから始まる。亀裂が生じる原因は海嶺部分から海洋性地殻を横押しする圧力であり、大陸や島などの陸地が存在する場所では押す海洋性地殻が進行を妨げられ、海洋性地殻に皺を生じ、それがやがて亀裂となる。複数の海嶺から別方向の圧力を受けて亀裂が生じることもある。頁が少し先になるが、第六章第一節の図Ⅰ－６－１－２（P160）で示す「プレート相互の動き」を参照して頂きたい。インドネシアやニューギニア、フィリッピン地域など海溝が集中している太平洋西部域では、海嶺部分からの圧力が複雑に交差している。その圧力交差が海洋性地殻に亀裂を生じさせ、海溝形成に至ったと考えられるケースもある。亀裂が生じた瞬間に一枚の海洋性地殻は二枚の断片に変化し、それぞれの断片は「プレート」と称される。

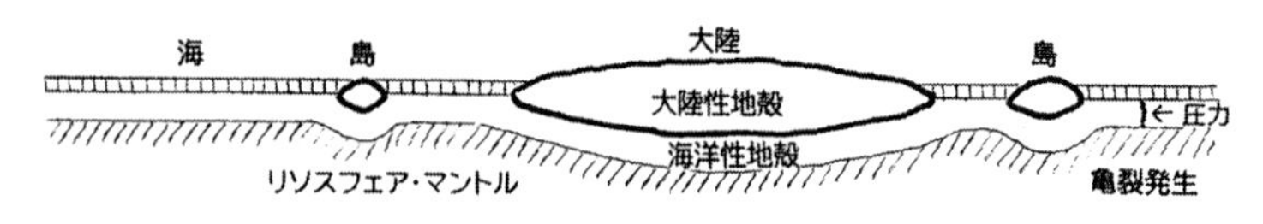

図Ⅰ－５－４－１　海溝形成プロセス①

（2）海溝の誕生

亀裂が生じた後、多くの場合は押す側のプレートが押される側の下に潜り込む。おそらくは硬くて重い陸地の淵の存在が、押す側のプレートを下方向に潜り込ませるのであろうと推測されるが、筆者はそのメカニズムについての確証を得てはいない。

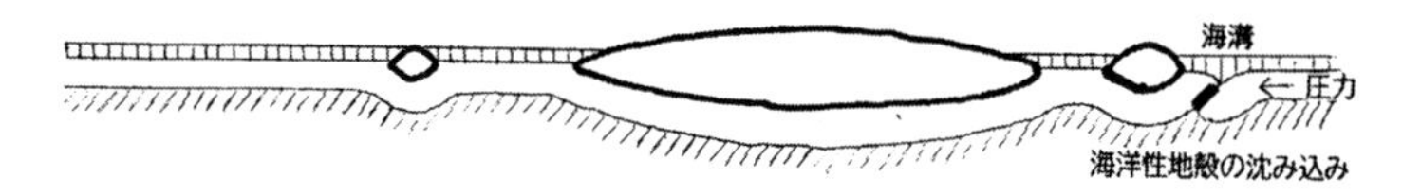

図Ｉ-５-４-２　海溝形成プロセス②

（３）海洋性地殻の潜り込みと島の移動

押す側のプレートは、押される側のプレートの下への潜り込みを継続する。下図で押される側のプレートＡの端部分が徐々に削られていき、押す側のプレートＢは陸地部分に直接触れて圧力をかけるようになる。陸地部分が大陸であれば陸地は動きようがないが、島のような小陸地であれば押されて移動することになる。

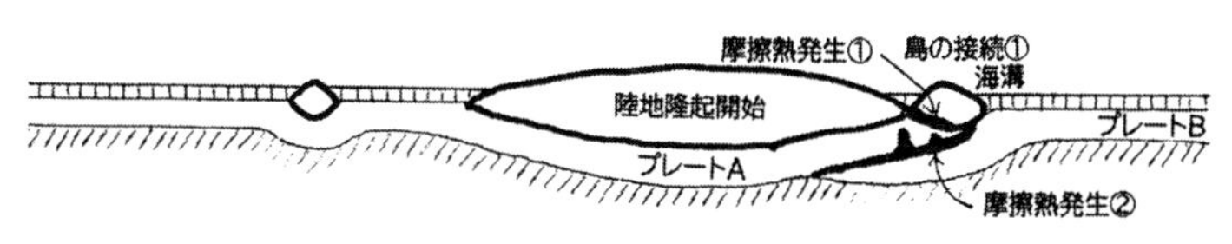

図Ｉ-５-４-３　海溝形成プロセス③

（４）上部マントル開口と陸地圧迫・隆起

小規模な海溝であると上記（３）の段階で止まる。図示はしないが、アメリカ西海岸のアメリカ海溝はそのようになっている。その段階を過ぎると、プレートの下にある陸地部分でのリソスフェア・マントルが、海洋性地殻の圧迫に負けて部分的に破壊され、穴のような開口部ができてしまう。

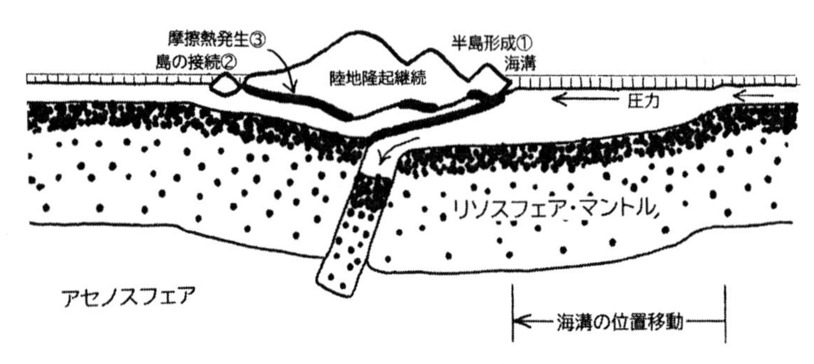

図Ⅰ-5-4-4　海溝形成プロセス④

□地震波CTによる開口部実在の検証

次図（図Ⅰ-5-4-5）は、日本地震学会web版広報誌『なゐふる』No.63（2007年9月）に掲載されたらしい地震波映像を模写させて頂いたものである。出典が同一か類似かは判断できないが、http://csmap.jamstec.go.jp/の「csmap」では、世界中の地震波CTを閲覧できるようになっている。

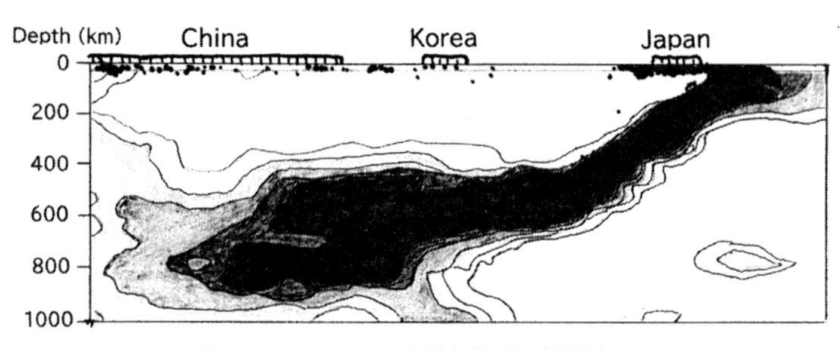

図Ⅰ-5-4-5　日本列島付近の地震波CT

さてこの図は、日本海溝から日本列島、朝鮮半島、黄海、中国に至る部分の地下構造を地震波でスキャンしたものであるが、海溝形成の実態とプロセスを探るために大きな材料となっている。図の黒い部分は“冷たい”部分とされ、模写には書かれていないが白い部分の中に赤色を使って“熱い”部分も描かれていた。図の解説では、この地震波の伝わる速度差の原因を、物質温度の違いに求めている。冷たい物質が地球内部に入り込み、それが時間をかけて結果的に外核あたりにまで達し、その反動で外核部分の熱い物質が地表に向けて上昇するという具合に、地球内部の大きな物質循環を引き起こすきっかけになっていると論理づけている。この検査図が、後述するプリュームテクトニクス理論の傍証あるいは導入部として位置づけられている。

しかしながら、地震波が伝わる速度差は温度差だけで生じるものではない。固体や液体という物質状態や鋼性率及び密度などによっても大きく影響される。アセノスフェアの部分は水蒸気で膨張したマグマであるので、おそらくは摂氏2000度以上という具合に非常に熱い。通常温度の固体がその中に流れ込めば、瞬く間に低温は失われて固体から液体に溶融されてしまう。その観点で図を理解すれば、絶対温度ではなく相対温度において、また物質状態の変化を伴いつつ、海溝部から上部マントル内部に向かって物質の流れができていることは、確かに視認できる。そのことは極めて重要である。

□海洋性地殻の先端がリソスフェア・マントルの壁を破る

ところで筆者は、リソスフェア・マントルの壁が破られるというようなことは通常考えにくく、実在しても例外的に起きていると考えていた。ところが、既述のcsmapを利用して細かく調べてみると、太平洋を取り巻く巨大海溝は全て同様となっている。海嶺からの圧力を得ている海洋性地殻の先端が、リソスフェア・マントルの壁を破っていることは確実である。一般的に50kmから100kmの厚さに及ぶリソスフェア・マントルは硬いとされているので、僅か５～７

kmの厚さの海洋性地殻がリソスフェア・マントルの壁を貫くようなことはないと考えていたが、科学が示す映像ではそうではない。海洋性地殻は大陸性地殻よりは軟らかいのであるが、同じように、リソスフェア・マントルは海洋性地殻よりは軟らかいようである。

（5）海洋性地殻の上部マントル侵入と陸地隆起継続

一旦リソスフェア・マントルの壁が破られると、リソスフェア・マントルより硬い海洋性地殻のアセノスフェア領域への侵入が開始され、圧力を受ける側（下図で左側）のリソスフェア・マントルは徐々に削られ、開口部は拡大していく。そして、アセノスフェア領域に侵入したリソスフェア・マントルの断片、あるいは海洋性地殻の塊は、アセノスフェアの高熱に触れて溶けてしまうが、アセノスフェアも冷却化されることにより、その領域を縮小させられる。

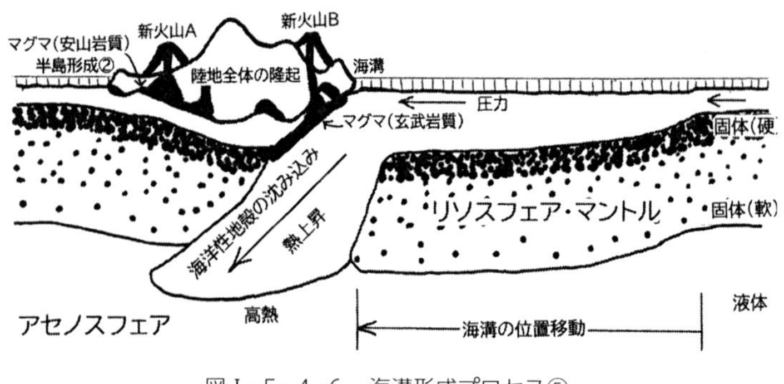

図Ⅰ-5-4-6　海溝形成プロセス⑤

海溝形成に起因するプレート面積減少に関する検証

上記（1）から（5）までのプロセスを経て海溝が形成されると、プレート面積は相当量減少することになるが、そのことに関し数値をもって検証したい。

□約10,000kmの長さに及ぶ海洋性地殻の消失

プレート面積が減少した裏づけとして、赤道付近での海嶺幅を計算してみよう。南アメリカ大陸とアフリカ大陸の間、北アメリカ大陸とハワイ諸島の間、そしてアフリカ大陸のソマリア付近からインド大陸までの間は、海嶺の領域である。その部分は現在では大西洋、太平洋東部、インド洋といった大洋であるが、かつてそこに海は存在しなかった。それらの長さを足し上げると、14,000km程にもなってしまう。地球の円周は、「大洪水」前で約35,860kmそして「大洪水」後で約40,060kmであり、地球膨張の項でも述べたが約4,200kmしか増加していない。すると約10,000kmの長さの「大洪水」前から存在した海洋性地殻は、どこかに消えてしまったことになる。

□大西洋を例にとる海洋性地殻面積減少の実例

右図を参照して頂きたい。大西洋を例として、実際の海洋幅Aと、膨張によって自然に生じる理論値である海洋幅Bとを比較してみた。まずは、海洋幅Aの異常な長さを図から読み取って頂きたい。Bは約520km程度の幅であるのに対して、Aは約5,380kmもの幅がある。大西

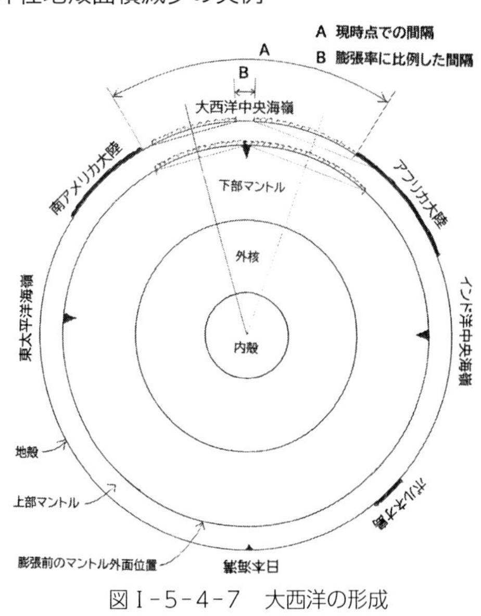

図Ⅰ-5-4-7 大西洋の形成

洋の幅だけで、地球全体の円周増加分以上の長さがある。また、一つ陸が割れた後に形成されたとされる大西洋であるが、その広さの異常さから、地球膨張の過程において、割れ目である海嶺部分から陸地が両脇に押しのけられる力が働いたことが、図から明白に読み取れる。

特筆すべき海溝形成

世界中の海溝を眺めてみると、特徴的な海溝が一ヶ所存在する。アリューシャン海溝から千島･カムチャッカ海溝、日本海溝、伊豆･小笠原海溝、マリアナ海溝、ソロモン諸島北部域の海溝、トンガ海溝を経て、ケルマデック海溝に繋がる一連の海溝線である。とりわけ日本海溝と小笠原海溝そしてマリアナ海溝は、世界最深かつ巨大な海溝である。この海溝線の形成については、プレート圧力調整以外の要因を考慮できる。それは、新天体ヤハウェと地球との間に働いた潮汐力により、海洋性地殻が割れた可能性である。前図をご覧頂きたい。図では真下に位置する日本海溝の位置を眺めると、東太平洋海嶺と大西洋中央海嶺、そしてインド洋のカールスベルク海嶺はほぼ90度の間隔で存在し、西太平洋部分だけ海嶺が存在しないことが見てとれる。その西太平洋にある日本海溝や小笠原海溝は、大西洋中央海嶺のちょうど180度反対側に位置している。

右図は膨張後の陸地が膨張前と比較して浮き上がってしまう状態を描いたものであるが、西太平洋

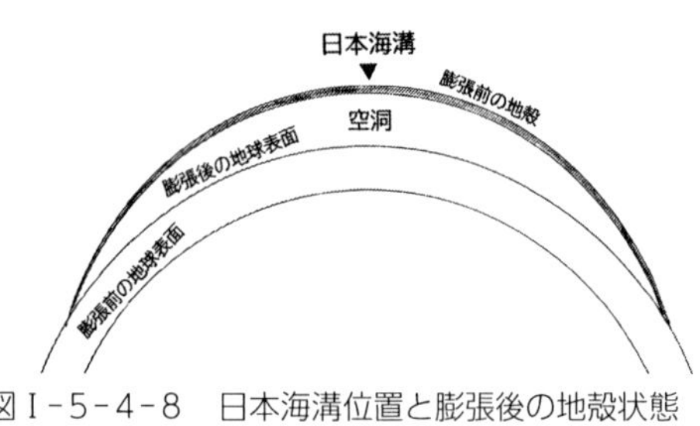

図Ⅰ-5-4-8　日本海溝位置と膨張後の地殻状態

部分に地球の割れ裂けが生じなかった場合、そこに存在する地殻は地球膨張につれて、その中央部が大きく浮き上がってしまうことになる。海洋性地殻はある程度の軟らかさを持った固体であるので、海洋性地殻にかかる重力に従って、地球膨張によって変化する円周に沿って形を合わせ変えることができたと推察する。しかし、それも程度の問題である。長さ数千キロメートルには対応できても、さすがに地球半周分の1万数千キロメートル以上の長さのブリッジ状態には対応できず、該当部分の海洋性地殻はその中央部分で割れてしまったと推察される。その割れから始まって海溝形成が始まり、結果として世界最大の海溝線が形成されたと推測できる。そのように考えると、世界中の海溝の中でこの一連の巨大な海溝線だけが、ほぼ陸地と関係なく海洋のただ中に存在していることに納得がいく。

□ナンセン・ガッケル海嶺との接続

ここでは掲載しないがアメリカ地質調査所の図面によれば、グリーンランド東部より北極海を経てシベリアに至るナンセン・ガッケル海嶺線は、さらにユーラシアプレートと北アメリカプレートとの境を経て樺太付近を通過し、その終点が日本海溝の始点となっている。それが正しければ、日本海溝の始点までは地殻は裂けていることになる。日本海溝の始点からさらに一連の海溝線終点のケルマデック海溝まで裂け目が続いたとしたら、地球全体で均等に裂け目が存在したことになり、地球膨張に伴う諸作用は無理なくより順調に行なわれたはずである。このように考えると、日本海溝から小笠原海溝を経てマリアナ海溝に至る海溝線においては、ナンセン・ガッケル海嶺線の延長として、マントルを割るような深い裂傷を持つ海嶺にはならなかったものの、地殻は割れたというようなことが起きたのかもしれない。日本海溝から北に連なる千島・カムチャッカ海溝やそれに続くアリューシャン海溝と、南東に連なるソロモン諸島北部域の海溝及びトンガ海溝を経てケルマデック海溝に至る海溝線は、日本海溝からマリアナ海溝に至る海溝線ができた影響で、その枝線として南北両方向に形成された可能性もある。

第五節　プレートT理論とプリュームT理論への反論

本章の地球構造面での論述の締めくくりとして、現在なお地球構造論の主要な位置を占めるプリュームテクトニクス理論、そしてプリュームテクトニクス理論の下支えとなったプレートテクトニクス理論への反論を試みたい。筆者が学生時代に授業でプレートテクトニクス理論を学び､これこそ真実であると思った記憶がある。また、その理論はその後さらにプリュームテクトニクス理論へと発展していった。しかし、今の筆者が言えることは、これらの理論は学問進歩への貢献は偉大であったものの、完璧な誤りであったということである。理論の出発点が間違っていたのである。

プレートテクトニクスからプリュームテクトニクスへの発展

□プレートテクトニクスとは

プレートテクトニクスは英語で plate tectonics であり、日本語での意味は「岩盤　構造地質」というようなことになるが、地質活動を動的に捉えるという意味合いだそうである。「プレートテクトニクス」理論の礎は既述のようにウェゲナーの大陸移動説に始まり、その理論は修正されつつも発展して「プレートテクトニクス」という理論に至った。その内容については既に言及している部分もあるので詳述は避けるが、大陸移動など地殻の水平運動を、地殻の上下層部分での動きによって説明する試みであった。

□「プルーム」の存在想定

1980年代から地震波CT（コンピュータ・トモグラフィ）という技術が普及し始め、地球断面を深く探ることが可能になってきた。その結果、検査結果の映像から、マントルと核の境界付近からきのこ状に湧き上がるスーパープルーム（ホットプルームとも言う）の存在、逆にマントル深部に落ち込むコールドプルームという「プルーム」の存在が想定された。プルームとは英語で plume であり、核爆弾水中爆発の際の「円錐状の水柱」をイメージすれば良い。

□プルーム循環プレートＴからプルームＴ理論への発展

海溝で沈みこんだプレートが、ある深さ（670km程度）に達すると、それ以上は潜り込めずに溜まり出し、その量がある限界を超えると、一気にマントル深部に沈み込みを始め（コールドプルーム）、その反作用で別な場所からスーパープルームが上昇を始めるというメカニズムが考えられた。プレートテクトニクスは水平運動を主体に構成された理論であったのに対し、その理論構成の無理を克服するために、より立体的な構造を成す垂直運動を軸とした新理論が生まれた。それがプルームテクトニクス理論である。

理論構築における致命的な誤り

地球表面の平面的な変化を、表面に近い部分での立体的な変化として捉えようとしたプレートテクトニクス理論と、さらに深く外核にまで至る立体性をもって謎の解明を試みたプルームテクトニクス理論は、変化解明の論理の流れとしては自然であるし、学問進歩に寄与した功績も偉大であったが、真実解明という点においては致命的な誤りを内包していた。

(1) 起点の誤り——「大陸が動いた理由づけ」を求めた両理論

二つの理論に共通する弱点は、発想の原点を「なぜ大陸が移動したのか」という疑問に対する解答を求めている点である。一番先に大陸が動いてしまい、そのことへの理由づけを求めたゆえに、一連の動きの起点を間違えてしまったのである。ウェゲナーの大陸移動説の影響が如何に強かったかが推察される。そのことはプレートテクトニクス理論において、明白である。プレートテクトニクスでは海嶺部分について、「二つのプレートが離れていく所で両側に張力が働き、海嶺に何段もの正断層が発達し、また長い溝(中軸谷)をつくる。その空間を埋めるように地下深部からマントル物質が湧き上がり、上昇してきたマントル物質は降圧により、マントルの組成であったカンラン石が部分溶融してマグマが発生する。」と説明している。「(一つであったプレートが二つに割れて)二つのプレートが離れる」ということが起点で、次に、そのことにより地表に生じた隙間が原因で、地球深部からマグマが上昇してくると言うのである。全ての流れが筆者の論と逆になっている。なぜ「二つのプレートが離れる」という動きが最初に起きるのかということについて、納得できる説明が全くない。大陸が動いたような大変動の起点は、地球が割れ裂けたことから始まるのである。それ以外の理由は、筆者には考え得ない。

(2) 地球内部で物質が対流するという誤り

プルームテクトニクスではさらにひどい間違いをしている。この理論の発想の元は、ビーカーを下から火で熱した時に生じる水の対流にヒントを得ている。マントルは固体ではあるが、水のようにとまでは言わないものの、「流体の性質も兼ね備えていて地球内部で対流しているかもしれない」という発想である。しかし、ビーカーの水は単一物質であり、地球の構造は元素記号表の全ての物質で構成されていると言っても過言でないほどに、多くの物質が組成となっていて、双方同一視などはできない。さらに、次のような点でこの理論は致命的な欠陥を持っている。

①物質の軽重の問題

高熱流体が星を形成していく過程で、地殻より内部部分は物質軽重の秩序が保たれたはずである。プレートを構成する物質は地球を構成する物質としては非常に軽く、それがより重い物質で構成される地球内部に向けて対流するということは、下部マントル以深においては全く有り得ないこととなる。銅や鉄の溶液の中にアルミニウムを投入しても、決して沈み得ないということと同じである。海溝部分で海洋性地殻やリソスフェア・マントルが上部マントル部分に沈み込むというのは、最初に押し込まれるリソスフェア・マントルは、そもそもはアセノスフェアと同一物質であるということと、その物質より若干軽い海洋性地殻が海嶺部分から強烈な圧力を受けていて、上部マントルの中に力で押し込まれているという事情があるためで、極めて例外的な出来事であることを認識しなければならない。

②温度差の問題

さらに考慮すべきは、地球の中心に向かえば向かうほど、高温、高圧、高密化していくことである。プルームテクトニクス理論では、コールドプルームが地表近い部分から外核まで“沈んで”いくというのである。摂氏数度や数十度の物質が数千度に及ぶ外核まで“沈む”という発想自体が、既に科学ではない。言わずと知れたことだが、低温状態は高温状態には勝てず、低温は言わば高温に飲み込まれてしまう。低温が高温状態の固体に伝わり、固体の温度が若干下がるということは有り得るが、その作用が外核にまで達するというようなことは考え得ない。そのこと以上に、低温物質が高温物質中に“沈んで”割り込むように移動することなど、到底考え得ない。

③圧力差の問題

　また、物質の動きは高圧から低圧に向かうのである。もし突然地球に深い裂け目が生まれたとしたら、低圧域にある水が高圧の核部分に向かうのではなく、その真逆で、核部分の高圧物質が低圧方向に上昇して地殻にまで達するのである。地球の奥底から地表に向かって内部物質が移動することはあるが、その逆は圧力差の問題で有り得ない。

④物質密度差の問題

　そのことは、物質密度の問題でも明白である。仮に海洋性地殻が溶けた状態で下部マントルの上に存在したとしても、そこから内部は物質密度が非常に高くなり、とても地表近くに存在した流体物が割り行って入れるような場所ではない。海溝部分で高熱により流体化した海洋性地殻が地球深度670km辺りまで到達できた理由も、既述のように上部マントルが新しくできた特殊な層であるという事情があったためであり、星形成プロセスの中で形成された下部マントルにも物質沈降の理論を適用することは誤りである。ただし、日本海溝付近だけは例外で、深さ900km付近まで物質沈降の影響が見られる。ここは既述のように、世界で最も亀裂の深い海溝が存在し、しかも海嶺部分から受ける圧力も強大な場所である。下部マントルが230km分も削られた特別な作用が働いたと推測されるが、筆者はそのメカニズムを推定し得ないでいる。

内核の圧力低下によって補われた外核の圧力低下

なお、一つだけ説明を要すべき事柄がある。それはマグマ上昇による地球内部、とりわけ外核の圧力低下に関することである。地球半径で11.75%、体積では、たとえ大量の水蒸気を取り込んだとは言え、39.55%も膨張したのである。その分の地球内部の圧力も低下したはずであるが、どのように調整されたかと考えると答えは一つしかない。外核よりさらに高圧の内核部分から圧力が補給された、逆に言えば内核の圧力がその分低下したのである。プルームテクトニクス理論のように、低圧のマントル部分から外核に物質が移動するようなことは決してないのである。

第六章　「大洪水」が地球表面に与えた物理的影響

地球の外観は、陸地や海の様子、あるいはその大きささや形そして配置まで、「大洪水」前後ですっかり変わってしまった。

第一節　大陸移動

ウェゲナーに立脚する大陸移動理論

大陸が移動したということの事実については、既述のウェゲナーの「大陸移動説」の提唱で十分理解される。とりわけ下図に示されているように、「大西洋の両側の海岸線の形がよく似ているだけではなく、大西洋の両側の大陸を付け合うと地質構造も連続し、また化石の分布も連続する。」とした根拠立ては、学生時代の筆者を十分に納得させた。

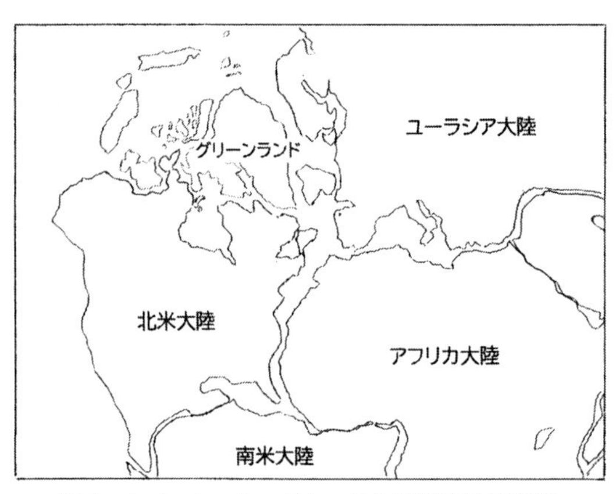

図Ⅰ-6-1-1　ウェゲナーの北半球陸地境界線

□大陸移動理論を発展させた「海洋底拡大説」

ウェゲナーの推論は偉業であったが、その地球物理学的な論理立てについては、彼以降の学者たちが迷走した。しかし、一つだけ真実に迫る推論が現れた。ヘスやディーツによる「海洋底拡大説」の提唱である。海嶺部分の海底拡大により、大陸はベルトコンベアの上の物体のようにして移動させられたという論理は、実態の真理に迫っている。もし彼らの論理の起点が地球の割れ裂けにあれば、陸地移動を立体的に見た論理構成もきっと正鵠を得ていたであろう。

□ベルトコンベア方式で成された大陸移動

大西洋の形成を図示した図Ⅰ-5-4-7（P149参照）を再度ご覧頂きたい。赤道付近の大西洋の形成図であるが、大西洋の異常な広さだけではなく陸地の移動についても注目して頂きたい。図には書かれていないが正確に表現すると、移動したのは大陸を乗せている海洋性地殻であって、大陸自身は少しも動いていないのである。ヘスやディーツの時代には、下層地殻は地殻内でベルトコンベアのように回転していると考えられたため、「ベルトコンベア」という語が理論表現に用いられた。

大陸の地体構造の基本は安定陸塊

ベルトコンベア方式での陸地移動では、基本的に陸地の状態は従前の状態が維持される。つまり、高熱流体から地殻が形成された時のなだらかな地形が維持された。そのため後述するが、大陸の地体構造は楯状地や卓状地などの安定陸塊が主体となっている。ところが地図を眺めれば、ユーラシア大陸ではヒマラヤ山脈や天山山脈、アルプス山脈、北アメリカ大陸ではロッキー山脈、南アメリカ大陸ではアンデス山脈、アフリカ大陸ではエチオピアからケニアを経てタンザニアに至る山岳地帯、オーストラリア大陸ではグレートディヴァイディング山脈など、それぞれの大陸において部分的に際立つ凸部が存在している。それらの凸部はヒマラヤ山脈の例外を除き、大陸移動の中期や後期に形成された。移動の初期の段階では地球表層の変化はシンプルであったが、中期になると海溝形成や地殻の割れなどが原因で地殻の動きが複雑化し、山脈などの高地が多数出現した。

なお、大陸移動に限らず、これから述べる小陸地移動や山の形成など、地球表面での様々な変化を考察するうえで基本となる要素がプレートの動きであり、以後の論述を理解するための一助として、アメリカ地質調査所作成の図面の筆者による模写を以下に示す。

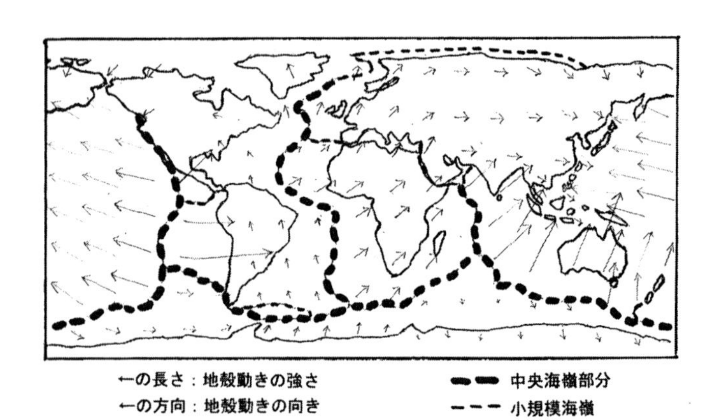

図Ⅰ-6-1-2　プレート相互の動き

大陸移動で見逃してはならないこと

①ユーラシア大陸さえも約2,000kmも動いた！

既述ではあるが、半径で約11％の地球膨張では、膨張だけで形成される大西洋の幅は僅かに520kmくらいに過ぎないが、実際には

5,380kmに至るまで拡大した。外核から上昇するマグマの高熱が通り道の低温固体を溶かすことにより、下部マントル以深の裂け幅も少し拡がるということはあるが、それと比較して地表地殻部分の裂け目はかくも拡大したのである。この図で類推すべきことは二点ある。一つは、大西洋形成の図は赤道付近の大西洋中央部を描いているが、北半球の大西洋北部にも当てはまるということである。つまり、あの大きなユーラシア大陸さえも、スペインやフランス部分で約2,000kmも東に動いたということを忘れてはならない。

②考え得ない地球の裂け目を横切っての大陸移動

さらに二つ目は、「大洪水」時に生じた裂け目（中央海嶺）の位置は地球膨張後も変わらず、その位置を横切っての大陸移動は考え得ないということである。具体的には、ウェゲナーの示した図Ｉ-５-３-１(P137参照）で、インド大陸は南極大陸と元は陸続きになっているが、その説で「大洪水」前の地球を想定した海嶺線で検証すると、インド大陸は南東インド洋海嶺のラインをどこかで横切らない限り現在位置に納まり得ない。ウェゲナーの論でインド大陸の位置に関する限りは、理論としては破綻している。ちなみに、筆者が想定したインド大陸の位置を右図

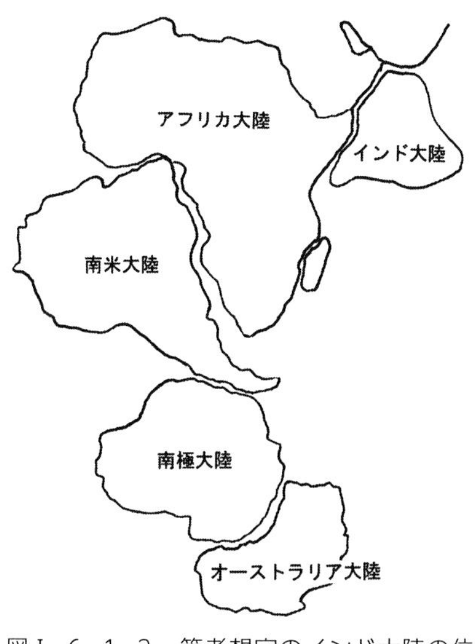

図Ｉ-６-１-３　筆者想定のインド大陸の位置ビフォー

に示す。オーストラリア大陸も図の位置近辺に存在しないと、現在位置への移動は困難となる。

第二節　小陸地（島）移動

高熱流体から星と成るプロセスを鑑みれば、「大洪水」前の地球に島が存在した可能性は極めて少ない。ところが、現在では数えきれないほどの島が世界中に存在し、しかもその存在について地域的に大きな偏りがある。島がどのようにして誕生し、また移動や合体をして現在に至ったのか、一度整理をしておきたい。

島の成因

大陸と島との区分けは筆者にはよく分からない。グリーンランドは筆者には島と感じるが、大陸と表現する人もいる。雑駁ではあるが、マダガスカル島あたりを最大として、それ以下の大きさの海に囲まれた陸地として、島を考えてみたい。ところで、孤島というのもあるが、島は集団を成し、ある種の傾向をもって分布していることが多い。それは､島の成立過程が分布に影響しているためであり、その島の誕生パターンについて以下に整理を試みた。

（1）陸地が割れた時に生ずる小片

ガラスを二つに割ると綺麗に二つには割れず、大小様々な小片ができることが多い。それと似たようなことで、地殻が割れる時にも小片が生じ、それが後に陸地移動に際して島となる。島の誕生ケースとしては最も多いパターンである。割れ方次第で、マダガスカル島のように単独の島として存在する場合や、カリブ海の島々のように多数の島々に分かれた場合もある。

(2) 複数方向のプレート圧力を受けての分解

次図をご覧頂きたい。図Ⅰ－6－1－2 (P160) を部分摘出したものであるが、矢印の方向は圧力の向きを、また長さは強さを表している。フィリッピンやインドネシアなど、世界中の島数の大半が集中している西太平洋には、方向の異なる強い力が錯綜しているのがよく分かる。これらの島々の相当数は、陸地が複数方向のプレート圧力を受けたことにより、陸地にずれが生じて分解し、陸地の細分化が進んだことにより誕生した。

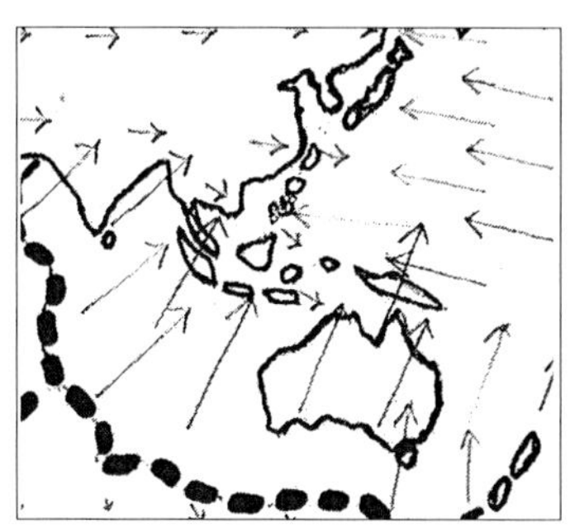

図Ⅰ－6－2－1 西太平洋におけるプレート圧力

(3) 移動する陸地からの剥離と分離独立

一つの陸地全体が一様に押されるわけではなく、ある部分は押されるが、他の部分は押されている部分に引っ張られるという関係にある時、引くそして引っ張られるという境界線の地形次第で、引っ張られている部分が切り離される。この典型的な例として、日本列島の瀬戸内海の島々に例を取り上げて拙著『日本人とは誰か』で紹介したが、ここではカナダの北極圏部分とグリーンランドを取り上げて説明したいと思う。

大西洋中央海嶺が誕生し、北アメリカ大陸はユーラシア大陸から引き離されて西方に移動した。この地殻スライドで引っ張られる関係となったのが、カナダのハドソン湾周辺やノースウェストテリトリー以北に存在した陸地部分であった。次節の図Ⅰ－6－3－6 (P179) で示した北アメリカ大陸の図も併せてご覧頂きたい。これらの場所

図Ⅰ-6-2-2　カナダ北部域とグリーンランド

は、「大洪水」発生以前には氷など存在しない平地であったが、「大洪水」以後は気候が変わり、「大洪水」発生時から地球小回転事件が発生した紀元前701年までは北極圏に位置した。北アメリカ大陸図で円形に斜線を施した部分である。地球膨張に付随した陸地移動の折は、これらの場所は既に大量の氷床に覆われていて、その尋常でない重さのために地殻は隆起を免れ、また地殻としてはかなり薄かった。その薄い地殻部分が引っ張られているうちにひびが多数入り、地殻は次々と割れて細分化され、切り離された陸地の断片が陸地本体の移動から取り残されていった。最初に切り離されたのがグリーンランドであり、その引き離しは北アメリカ大陸との間に多数のひび割れを伴った。引き離しは順次繰り返され、最終的には北極圏部分のかなり広範囲な領域において、細かい島々に分離されることになった。北アメリカ大陸は西方に移動したので、島々は東方に順次取り残された形で存在することが図から読み取れる。

（4）海嶺島

数は少ないが、海嶺部分が大きく成長し、水上部分にまで姿を現して島となったケースが存在する。アイスランドやアゾレス諸島、アセンション島、セントヘレナ島、そしてトリスタンダクーニャ諸島であり、皆大西洋の中央部分に存在する島々である。他にも存在するかもしれないが、筆者は感知していない。これらの島々は地質からして普通の島とは異なり、とりわけアイスランドは絶好の海嶺研究の場所となっている。

（5）火山島

島に火山があると言うのと、火山島と言うのは別物である。陸地の中に火山があるのと異なり、火山島は島の誕生原因が火山であり、火山の仕組み自体が異なっている。この項では火山島という存在を提示するに止め、詳細については第五節で述べたい。

（6）海洋性地殻隆起に起因する島

筆者はインド洋に浮かぶセイシャルズ諸島に二年間住んだことがある。セイシャルズ諸島はサンゴ礁から成る島々で、浜辺の砂はサンゴの死骸が砂状化したもので、海水を濁すことなく海がとても綺麗な所であった。サンゴ礁の島というのは、サンゴが育つことができる深さの水底まで地殻が盛り上がった場所にある。

この地殻とは海洋性地殻である。新地殻の分布を示した図Ｉ－５－２－２（P133）を参照して頂きたい。アフリカ大陸が大西洋中央海嶺によって東方に約2,400kmも押され、またカールスベルク海嶺によってもアフリカ大陸に向かう圧力が生じ、セイシャルズ諸島付近の海底は両側から圧迫を受けた海洋性地殻が、南北に細長い線を描いて隆起し、膨れ溜まった場所である。セイシャルズ諸島は図ではアフリカ大陸の東側で、斜線のない白い部分に位置している。盛り上がった地殻の一部は水上まで達し、マレ島のように玄武岩質でできた島が誕生した。浅瀬となった場所にはサンゴが群生し、やがてサンゴ礁の島が数多く誕生した。

（7）海洋性地殻沈降に起因する島

（6）の事例とは反対に海洋性地殻が沈降し、その上に存在した陸地の高地部分が海上に取り残されて島となった例もある。多い事例は、西太平洋の海溝線の西側に集中している。図Ⅰ-5-4-6の海溝形成プロセス⑤（P148）を参照して頂きたい。海溝形成が進行する際に、島となっている部分の下部の海洋性地殻が、押す側の上部マントル部分への沈降に巻き込まれれば、当然のこととして陸地部分も沈降し、陸地全体が沈降するか、あるいは山などの高地が海上に取り残されて島になる。この例の一つがニュージーランドであると言えるかもしれない。ニュージーランドの地質学者のニック・モーティマー氏率いる研究者チームの発表によると、ニュージーランドは、オーストラリア東部に存在する、かつて沈降した“大陸”の一部を成していることが分かってきた。高地部分が残ってニュージーランドが形成され

図Ⅰ-6-2-3　例1 ニュージーランド

たことになるが、このケースはそれほど単純ではない。ニュージーランド南北二島のうちノースアイランドは、筆者の観察によれば、沈降した高地部分に海溝形成途上でのマグマ発生が絡み、火山活動が起きたことにより誕生した島なのである。言わば、島の形成原因が二つも関係してできた島なのである。

ニュージーランドよりも単純な例が、現ギリシャのキクラデス諸島である。この諸島は地図で見ても、首都アテネが存在するバルカン半島の先端部が沈降し、山の部分が取り残されて形成された島配置を成している。かつて火山の大爆発が発生したサントリーニ島やミロス島は、それら諸島の先端部に位置し、地中海に紅海の延長線となる地殻の割れ裂けが存在すると仮定すると、その裂け目が原因の火山活動に巻き込まれたと推定できる。地中海やヨーロッパの造山運動については非常に複雑で、キクラデス諸島領域の地殻の沈降も推測の域を出ないが、キクラデス諸島の海中部分の地形を見ると、あの地域の地殻が沈降したことだけは確かなようである。

図Ⅰ-6-2-4　例2 ギリシャのキクラデス諸島

島の移動原理

海嶺島や火山島そしてサンゴ礁の島など、そこで新たに誕生した島々はあまり動くことはないが、陸地分割で形成された島々は、元々プレート作用で生まれたという背景から、分離後もプレート圧力が継続して存在し、様々な仕組みで移動することになる。

□島が移動できる理由

島の移動パターンを探る前に、島がなぜ移動できるのかを明らかにしておきたい。図Ⅰ－５－４－１（P144）から始まる海溝形成プロセスを再度ご覧頂きたい。移動の対象となる島は全て、下層地殻（海洋性地殻）の上に乗った上層地殻（大陸性地殻）である場合だけである。下層地殻は硬いけれども粘性を持っており、上層地殻は横を押されれば下層地殻の上を滑るようにして移動することができる。

□学説のプレート定義では成し得ない島の移動

海溝形成図のプロセス③でプレートＢが島を押しているように、島の横を押すのは筆者定義のプレート（下層地殻＝海洋性地殻）であるが、学説ではプレートをプロセス④に記したリソスフェア・マントルまで含めているため、学説理論では島の移動は考え得ない。下層地殻の厚さは平均５～７kmに過ぎないが、リソスフェア・マントルというのは、通常陸地の下部分で平均50km、そして海底部分でも平均100kmの厚さがあるのである。そのような厚みの固体がそこここで動くような理論立ては困難である。

島の移動類型

「島が動く」と言っても、その動く原理は一様ではない。例外的な動きを除けば、以下の二種類が典型となる。

①ベルトコンベア

1962年の論文で提唱された「海洋底拡大説」は、別称「ベルトコンベア説」と呼ばれた。プレートが動くことにより、その上に存在した陸地も動いた。陸地が動いたように見えても動いたのは実はプレートだけで、陸地自体は少しも動いていない。それゆえ、プレートの役割がベルトコンベアに見立てられた。大陸に限らず、島の初期の移動も同じようであったろう。このような移動においては、プレートの上に乗っている島の形は移動による影響を受けず、基本的になだらかであったはずである。

②プレートの直押し

海溝が形成された当初は、島の下部に陸地面積よりも広い下層地殻が存在する。ところが、押す側のプレートに直接当たる部分は押されるうちに削られていき、時間の経過とともに、押す側のプレートが直接陸地部分に当たって陸地を押すようになる。下層地殻はなおも削れていくが、陸地部分は硬いので削られることもない。それゆえ、陸地は粘性のある下層地殻の上をスライドして移動することになる。

□プレート直押しの場合に形成される島山

インドネシアやフィリッピンそしてニューギニアなどの島々の、姿形を確認して頂きたい。日本列島も同じことが言えるが、なだらかという地形には程遠く、山だらけである。プロセス④とプロセス⑤で示したように、陸地がプレートに直に押されて移動した場合は、陸地の形が歪んで中ほどが膨らんで山が形成される。とりわけ、陸地の中に硬い岩石の塊などが存在する場合は、その部分は変形を受けないので上に逃げ場を求めるようになる。それゆえ、硬い岩塊が多く存在する場所には、より大きな山が形成される。このような山は降雨によって土壌が流出した後に地上に岩塊の姿を現すことが多く、奇岩風景を描き出すことが多い。

□海溝の位置移動によって居並ぶ島々

プレート直押しの典型例が、海溝沿いに線上に存在する島々である。再度の参照となるが、プロセス④とプロセス⑤で示したように海溝は位置移動するので、その位置移動の領域にかつてバラバラに存在した島々も、海溝位置が移動するにつれて新たな島々が次々と海溝線の移動に巻き込まれていき、長い時間を経ると海溝線沿いにずらりと島々が居並ぶ状態が出現する。アリューシャン列島や千島列島が典型例である。

半島の形成

複雑なプレート間での動きにより多くの島々が誕生し、また移動もしたが、それらの島々の中には再び他の陸地と合体する動きも生じた。小島と小島が合体してより大きな島になるという場合もあるが、そのケースは意外と少なく、プレート圧力ベクトルが輻輳する太平洋西部域に散在する程度である。ところが、島が大きな陸地と合体するケースはかなり多く、世界中の“半島”と名がつく地名を有する場所は、大方はこのようなケースである。半島の場合、付け根の接続面を探してその形状を観察すれば、接続した際の追突強度を推測できる。さらに、海嶺や海溝からの圧力ベクトルを勘案すれば、大方の半島については接続に至るまでの島の動きを把握することができる。図Ⅰ-5-4-1（P144）から始まる海溝形成のプロセス図を再度ご覧頂きたい。プロセス④の段階での半島形成①は、島が動いて大きな陸地に接続したケースである。日本列島を例にとれば、次図で横線が施された部分の伊豆半島や三浦半島そして房総半島などが該当する。またプロセス⑤の段階での半島形成②は、逆に大きな陸地が動いて島に接続したケースである。日本列島では能登半島が該当する。

図Ⅰ-6-2-5　日本列島関東地方半島部

第三節　陸地の割れと低地形成

膨張後に生じた陸地ブリッジ状態と陸地割れ

地球は「大洪水」発生の際に生じた地球膨張により、半径及び円周は以前よりも11.75％長くなった。地殻の中でも海洋性地殻はある程度の軟らかさを持っているため、膨張による円周の変化に対して曲がって沈下することにより対応できたが、大陸性地殻は非常に硬いので対応できず、まるで小さい直径の皿をより大きい直径の皿に重ね合わせた時に生じるような二皿間の隙間が、地球外周部の下層地殻と上層地殻との間にできてしまった。陸地がブリッジのような状態になり浮き上がってしまったのである。筆者の調べでは1,000kmの陸の長さに対して９kmほど、地球膨張後の陸地の中央部が浮き上がってしまう。そこに地球中心部に向かって働く重力に地殻の耐性が持ちこたえられず、まず陸地の中央部付近が完璧に割れ、そして割れた部分の陸地は沈降した。割れて２つになった断片も、それぞれの中央部付近でさらに同様にして割れるという事態が起きた。

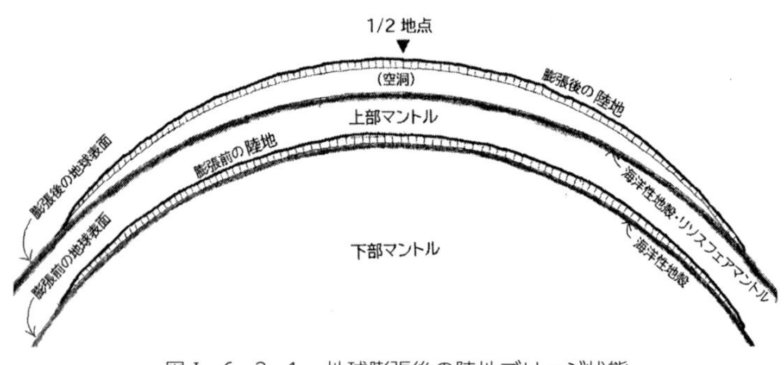

図Ⅰ-6-3-1　地球膨張後の陸地ブリッジ状態

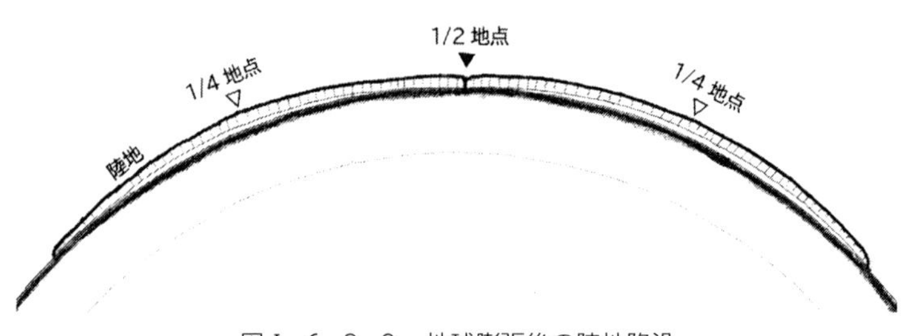

図Ⅰ-6-3-2　地球膨張後の陸地陥没

大陸別“陸地割れ”の検証

地殻が割れて沈降した場所は低地となったので、多くの場合「大洪水」後にそこは川となり、しかも大河となった。陸地の折れ方も一様ではなく、部分的に二本線で折れた場合は盆地を形成することもあった。世界中の大河や「盆地」と名の付く地形の多くは、地球膨張後の陸地陥没によって形成されたと言って過言ではない。この推論について、現在の地勢をもとに具体的に検証してみたい。

(1) ユーラシア大陸

ユーラシア大陸は、フランス西岸から中国東部部分で東西に約16,000km、中央付近で南北に約9,000kmもの長さを有する巨大大陸であり、しかも東部と南部は東太平洋海嶺、太平洋南極海嶺、南東インド海嶺、カールスベルグ海嶺からのプレート圧力を受けたためと、さらにインド大陸の激突もあいまって、大陸の南半分は急峻な山岳地帯を形成した。

①最初に割れたのは、黒海南端、カスピ海南端、バルハシ湖南部、モンゴル高原北端部、アムール川からオホーツク海に抜ける東西ラインであったと推察される。ユーラシア大陸の形からすれば南北ラインが先に割れて良さそうなものであるが、現在のトルコ付近に潮汐力による最初の亀裂が陸地に生じたため、その亀裂の延長として東西ラインが先に割れたと推察する。割れた部分の南側は諸海嶺の圧力の影響を受け、南側の陸地が北側に乗り上げる形となって山脈や山地を形成し、さらにその北側は低地となった。地中海、黒海、カスピ海、アラル海、バルハシ湖一帯は、「大洪水」後のしばらくの間は、全て一繋がりになった長細い「海」となっていた可能性が高い。これらの地域では、現在に至るまで塩害に悩まされている所がある、あるいは塩田が散在するというケースが有り得る。カスピ海やアラル海の地名も、単に広いから“海のようだ”ということだったのではなく、古代の人々にはかつては本当に海であったという記憶があったと推察する。

②次に割れたのが、最初に割れた北半分の中央部分で、作図で確認すると1,000km前後も持ち上がってしまう部分の南北線で、現在

のオビ川の川筋に当たる。この部分はさらに、ペチョラ川、エニセイ川、レナ川、コルイマ川の線で次々と割れていく。ロシアの地は「大洪水」後の造山運動の影響が世界で最も少なかった地であり、地殻は「大洪水」前の状態を維持していたため総じて薄く、そのため地殻が浮き上がった状態を維持することができず、南北方向への割れが数多く生じた。ロシアの土地は全体が平地であるのに数多くの川が存在し、それらが皆南北に平行して流れているというのは、「地殻の南北割れ」という必然があったためである。

“割れた北半分”と言っても、広い所では約3,000kmもの幅がある。南北に分割された後、それぞれの断片が南北中央付近でさらに東西に割れたと推察する。そのため、上記の川の全てについて、南北中央付近で東西方向に、本流が曲がる、あるいは太い支流が生まれる、という状況を呈している。なお、エニセイ川をはじめとするこれらの“割れ”は、別に陸地が完全に浮き上がるまで生じなかったわけではなく、せいぜい数キロメートル浮いたところで順次割れていったと想定できる。

③ユーラシア大陸の南半分については、要因が重なって複雑な造山運動を複数回経たため、経過分析が難しい。過去に確実に存在したと思しき「割れ線」は、インド西北部のガンダーラから西域西端のカシュガルに至る線、インドシナ半島からチベット高原東部を結ぶ線、揚子江線、黄河線であるが、インド大陸が激突した関係で低地が逆に高地になってしまった例もあり、判断が難しい。たとえば、揚子江線は当初はインド東部のアッサムに繋がっていたと考えることができるが、ヒマラヤ山脈形成の影響を受けてその低地線は切断され、切断部はインド大陸追突に直角を成す形で幾本もの山脈が形成され、その部分の川の流れは東西から南北方向に転換した。

図Ⅰ-6-3-3　陸地割れ－ユーラシア大陸

（2）アフリカ大陸

アフリカ大陸は南北8,600km、東西は元一体であったアラビア半島を含めて8,100km、赤道付近での幅が東西3,700kmという大きさの、文字通り大陸であった。大陸の西側は、元は南アメリカ大陸と北アメリカ大陸と一体であったものが、大西洋中央海嶺でクランク型に切断され、現在その切断部は幅5,000kmの大西洋となっている。

①南北8,600kmの長さの中央部は、80km弱も持ち上がることになる。そこに位置する現在のカメルーン共和国南部から真東方向にケニア共和国のモンバサ付近に至るまで割れたと考えることができる。このあたりは低地となり、現在ではコンゴ盆地が存在して

いる。コンゴ盆地は大陸の南北中央線の西側に位置しているが、「大洪水」直後は東側も西側と同じように盆地を形成したと筆者は考えている。アフリカ大陸の東端にはアフリカ大地溝帯が位置していた。下図（図Ⅰ-6-3-4）及び図Ⅰ-6-4-4（P187）も併せてご覧頂きたい。これは小規模な海嶺であり、マダガスカル島をアフリカから切断したのは、このアフリカ大地溝帯であった。大西洋中央海嶺の圧力を受けてアフリカ大陸は東方に移動させられ、アフリカ大陸は非常に小規模な海嶺の上に乗ってしまった。その海嶺の現在の位置が「アフリカ大地溝帯」である。コンゴ盆地の東側も低地であったにも拘らず、海嶺に起因する造山運動の影響を受け、多くの火山を含む山岳地帯に変貌した。

なお、東西方向への割れは、もう一ヶ所確認できる。モザンビーク海峡に流れ込むザンベジ川からヴィクトリア滝を経由してナミビアの大西洋岸に至る割れ線である。

②次に割れたのが、南北3,000kmにも及ぶナイル川と白ナイル川の線である。エジプト史において、「大洪水」前にもナイル川は存在した。そのことはつまり、「大洪水」前のナイル川のそのままの位置で「大洪水」後の地殻割れが生じ、ナイル川は「大洪水」前後で同じ位置に存在したことになる。そういうことは、大いに有り得ることである。「大洪水」前に

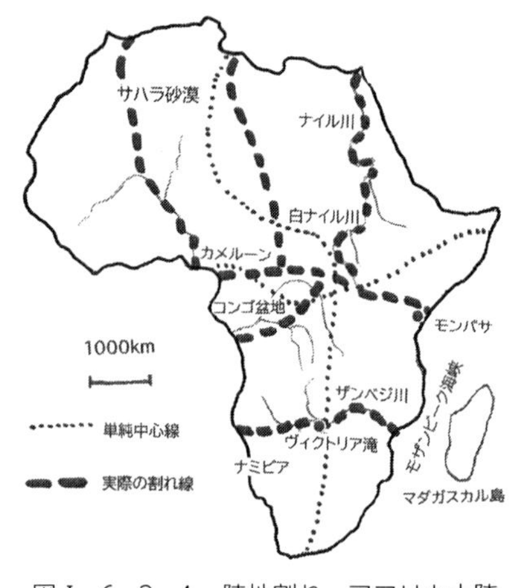

図Ⅰ-6-3-4　陸地割れ－アフリカ大陸

低地であったからこそ川が存在したわけであり、地上の低地は見えない地下の地殻も薄いので割れ易いのである。

③アフリカ大陸北半分の部分については、少なくとも東西に一本、南北に三本くらいの地殻折れ線が存在しなければならないが、サハラ砂漠の存在で確認できない。

（3）南アメリカ大陸

南アメリカ大陸は南北7,200km、東西は一番広い部分で5,000kmという大きさの大陸で、南北の中心部では計算上約65km浮き上がる地形となっている。

①最初に割れたのは南北方向の中心部ではなく、南北としては四分の一の位置にあったアマゾン川の東西線であった。おそらくアマゾン川はナイル川と同じ例であり、「大洪水」発生以前もアマゾン川沿いは低地を成し、川も存在していたのであろう。地殻としては薄く、他の部分が割れる前にまずここが割れてしまったと推察される。

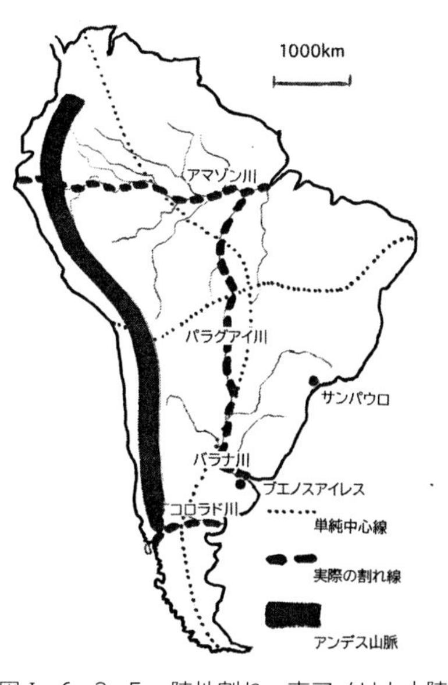

図Ⅰ-6-3-5　陸地割れ－南アメリカ大陸

②アマゾン川が割れたことにより、地殻浮き上がりの負荷の関係に影響を及ぼされ、次に割れたのは現在のブエノスアイレスからパラナ川、パラグア

イ川を経てアマゾン盆地西端部のリオブランコに至る線であった。この地殻割れにより、南アメリカ大陸は大きく三分割された。
③その後の地殻割れについては、南北線ではサンパウロから北方のアレンに繋がる線や、東西線ではコロラド川近辺で確認できるが、「大洪水」後の造山運動、とりわけ西海岸のアンデス山脈が東太平洋海嶺の圧力により形成されたことにより、地殻沈降の痕跡が消えてしまったので、推測はできるものの個々の具体的な確認は取れなくなってしまった。

（4）北アメリカ大陸

北アメリカ大陸は他の大陸と異なり、特殊な事情を抱えた大陸である。それは北端のハドソン湾のあたりは「大洪水」以後から紀元前701年までは北極圏に位置し、その東側は全域、南側は五大湖、西側は現ロッキー山脈に至るまで、氷床に覆われていた。その氷床の重みで、この広大な地域に存在した地殻割れの痕跡は一切消されてしまい、そのほぼ全域が低湿地帯として現存しているので、地殻割れの判断が不可能なのである。そのためこの大陸に関しては、現アメリカ合衆国の範囲で分析を試みたい。この部分は東西4,500km、南北2,300kmという大きさとなっている。
①最初の割れは、ミシシッピー川からミズーリ川上流に至る線で、地殻の浮き上がり負荷の高い部分を綺麗に縦断している。セントルイスからミネソタに至るミシシッピー川上流部分は、少し間を置いて後に割れたと思われる。枝分かれして二本同時に割れるということも通常は有り得るが、その場合は広い盆地を形成し、この場所に関しては二本の割れ目の間はアイオワの低山地となっているので、二つの割れ線は別の動きであったと判断できる。
②推測であるが、コロラド川からモンタナのヘレナに至るライン、

あるいはリオグランデ川からコロラドに至るラインでも、位置的には南北縦断の地殻割れが生じて良い場所であるが、地殻割れ後のロッキー山脈の形成により、判断が困難になっている。これら二本の川は、まず地殻割れで低地となり、後に隆起して山岳地帯が形成された後も、その部分が周囲との比較の関係で低地として残ったため、現在のような大河として残っているとも考えられる。

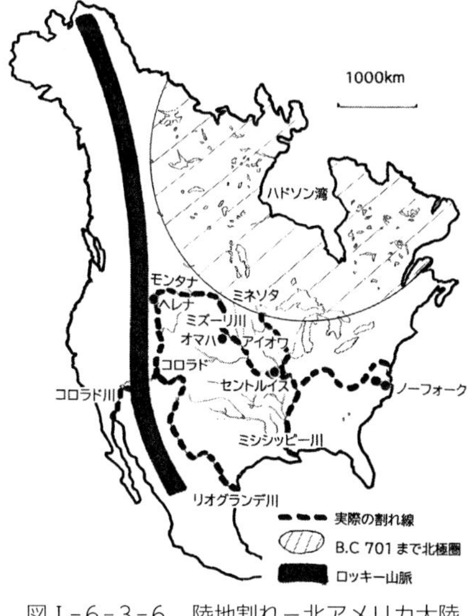

図Ⅰ-6-3-6　陸地割れ－北アメリカ大陸

③東西線としての割れは、大西洋岸のノーフォークからセントルイス、オマハ、コロラド川を結ぶ線である。コロラド川は南北と東西の両方で割れの対象となる地域となっている。この割れ線は、計算上の浮き上がり度合いが10km程度と浅いため、地上における視覚での痕跡確認は困難になっている。

（5）オーストラリア大陸

東西3,800km、南北2,800kmという、小さめな大陸である。

①東西に長細い地形なので、まず中程が割れた。南のスペンサー湾から北のカーペンタリア湾に抜ける南北線が、おそらく二本同時に割れたと推測できる。そのため谷はV字形ではなく、非常に幅

広いU字型を成し、現在の大鑽井盆地(Great Artesian Basin)とレークエーア盆地が形成された。
②東西線で確認できるのは、一本だけである。東海岸のブリスベン北方からレークエーア盆地を経由してエイティーマイル海岸に抜ける線であるが、元々沈降量が少ないこともあって痕跡は定かではない。

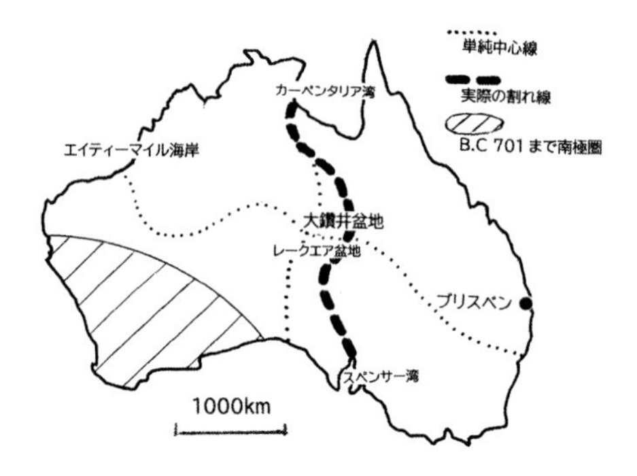

図Ⅰ-6-3-7 陸地割れ―オーストラリア大陸

第四節 山・山地・山脈の形成

海嶺部分から発したプレートへの圧力が、プレートの上に存在した陸地に与えた影響も大きかった。陸地がその圧力によって直接横押しされた場合は陸地の内部が隆起し、山・山地・山脈が形成された。

そもそも平坦であった「大洪水」前の一つ陸地

現在の世界地図を広げると、山のない地域が珍しいほどに世界中に山が多く存在しているが、「大洪水」前の陸地の状況は、数千メートルの高山どころか千メートルを超す山が存在したかどうか定かでないほどに、かなり高い確率で平坦であったと推定できる。

□元は流体であったことが最大理由

その理由は、高熱流体から星が形成されるプロセスにおいて見出すことができる。核に向かう重力の関係で、一番外側で凝固したのが陸地である。その軽い流体物質が、時間をかけて回転しながら凝固したのである。水が球体を成すのと同様に、流体は普通に考えれば平坦な球体に成らざるを得ない。地球に存在する物質で、凝固点の最も高い物質は1,600℃くらいから凝固が始まる。そのあたりの温度から、流体の中に徐々に固形物が混じるようになる。そのまだら具合も、時間が経過し温度が少しずつ下がっていく中で度合いを増し、固形物の影響で地表に起伏が生じてくるが、見方を変えればその程度の起伏であり、切り立った山などは形成し得ない。地殻部分が軽い流体である限りは、極端な凸凹は形成し得ないのである。

□地球膨張前の全ての山の標高は1,243m未満

筆者に一つの試算がある。現在の地球の下部マントルがほぼ「大洪水」前の地球の大きさであるとしたので、その半径を5,701kmと算出し、現在の地球と「大洪水」の満水時とを現在の氷床も計算に入れつつ比較し、当時の海の平均深度を5,038mと算出した。旧約聖書の記述から判断して、地上における景色において水が洪水前と同じ水準まで引いたとすると、見た目で洪水後の海水面の高さは従前と変わらなかったことになる。現在の海水面は海底から平均で3,795mの位置にあるわけだから、「大洪水」の満水時の水位は、現在の地球の感覚で現海面より1,243m高い位置にあったことになる。その高さで、当時の陸は全て海面下に没したことになる。それは、当時の地球に存在した最も高い山でも、標高1,243m未満であったことを意味する。

地球	現在	「大洪水」満水時
直径	12,756km	11,402km
表面積	510,066,000km²	408,373,603km²
海面積	362,822,000km²	408,373,603km²
海水総量	1,349,930,000km³	1,374,930,000km³
海の平均深度	3,795m	5,038m
陸面積	147,244,000km²	0km²
陸地総量	68,2475,940km³	68,2475,940km³
陸の平均標高	840m	0m
氷床総量	25,000,000km³	0km³

□現存事例が示す「大洪水」以前の山の高さ

「大洪水」以前の山の低さを裏づける、当時の陸地のサンプルとも言える地形が現在でも地球上に残っている。それは地学用語での「楯状地」であり、後の地層の項で詳述する「大洪水」前の地層である先カンブリア代の地質が、現在でも表層となっている地域である。つまり、「大洪水」発生による土砂を被っていない土地である。学説での楯状地というのは、大量の堆積物が風雨などによって取り除かれて、先カンブリア代の地層が表出した地ということになっているが、筆者の捉え方は真逆になっている。もう一つ「卓状地」というものがある。先カンブリア代の地層の上に若干の堆積がある所で、「大洪水」による土砂を被りはしたがその量は僅かであった土地である。この二種の“地体”は学問上は安定陸塊とされていて、準平原が発達するとされた。筆者の考えによれば、これらの場所は「大洪水」の影響をあまり受けずに現在まで存続している所で、その分布を次図で示したが、分かりやすい事例として以下の三ヶ所を例示する。

①現ロシア国領土は「大洪水」後の陸地の変化の影響が最も少なかった場所で、大方は楯状地と卓状地で占められている。

②オーストラリア大陸はプレートの上に乗って動いたものの、ベルトコンベアによって動かされたようなもので、陸地がプレート変化の影響を受けた場所は東部や東南部と西部の沿岸部に限られており、その他の部分は楯状地と卓状地で占められている。

③カナダの東北部は、地球小回転事件が起きた紀元前701年まではハドソン湾を中心に北極圏であった場所である。「大洪水」発生後の気候変化により、造山運動が進む前に重い氷が乗ったために隆起が妨げられ、「大洪水」発生前の楯状地の平坦な地形が“保存”された。かつてその地と一体を成していたグリーンランドも、大西洋中央海嶺によって圧迫された東海岸線部分を除けば同じ地体となっている。なお、カナダ東北部の地球小回転以前の北極圏付近は、地体の“保存”どころか重い氷床のために若干“沈降”し、ハドソン湾は最深部でも270mの深さという広大な遠浅の海が形成された。海洋性地殻の「アイソスタシー」に従えば、ハドソン

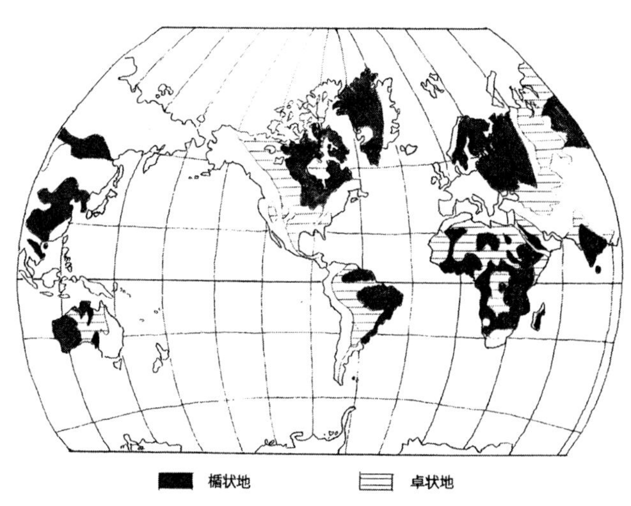

図Ⅰ-6-4-1 楯状地と卓状地の分布

湾の水深は微量なりとも年々浅くなっているはずである。

楯状地や卓状地はこれらの場所以外でも、アフリカのほぼ全域、南アメリカ大陸東部、スカンジナビア半島の東側、インドのデカン高原、南極大陸などがあるが、特殊要因の説明を要するためこの項での例示は避けた。これら三ヶ所の地形に共通する特徴は、広大な地域であるのに、せいぜい数百メートルの高さの山しか存在していない低地帯であることである。この地形が「大洪水」前の地球全体の様子であったと推察され、山の高さも高くて千メートル前後と推定する一つの根拠となっている。これらの地域で例外的に海岸近くに見出す山々は、「大洪水」前から存在したのではなく、局所的なプレート作用による明確な形成原因を探し出すことができる。

山と山地そして山脈の形成

陸地がプレート圧力によって歪められ変形して山や山地・山脈となる場合、いくつかの類型がある。

（1）圧迫隆起による山地形成

①プレート作用に巻き込まれての陸地の変形で典型的な例は、海溝に近い部分での山地形成である。図Ⅰ－5－4－1（P144）から始まる海溝形成プロセスを示した図を、再度ご覧頂きたい。プロセス②からプロセス③への変化が示すように、海溝部分では押される側のプレート（下層地殻＝海洋性地殻）が削られ、次第に陸地が推す側のプレートの圧力を直接受けるようになる。すると、プロセス③からプロセス④への変化が示すように、陸地は横からの圧力を受けて次第に上下への膨らみを見せるようになる。上に膨らみ隆起した部分が山となり、それは海溝に沿って形成されるので山脈となる場合が多い。地上からは見えないが実は見えない地

中部分においても、プロセス④が示すようにプレートを下に圧迫する形で“逆山”が形成される。

②大陸性地殻が、新地殻であるリソスフェア・マントルに直押しされて変形するケースもある。多くは地球の割れ裂けに伴って陸地が割けた場所に沿って発生した。その典型的な事例は、紅海の両側に存在する山脈である。この事例の割れ裂けは極めて小規模であるが、地学的な現象は明確に現れている。参考までに、紅海近辺の「大洪水」前後の地図を掲載する。紅海は海のない所にできた海であるから海底部は全て新地殻で形成され、地殻の種類としてはリソスフェア・マントルである。現在の様子を示した下図で太い実線は、山地や山脈を示している。新地殻に直押しされた紅海の両側は全て、陸地が押されて隆起した高い山々が存在していることが分かる。また、これら二つの図の比較から、アラビア半島は紅海側からだけでなくインド洋側からも圧迫を受け、二方向

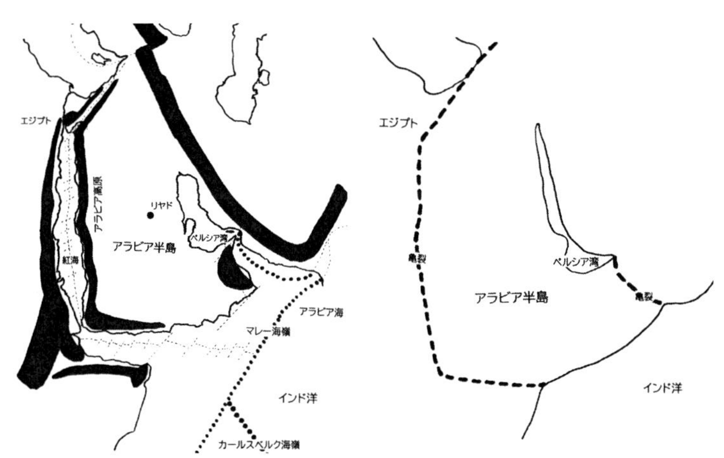

図Ⅰ-6-4-2　圧迫隆起による山地形成アラビア半島　現在

図Ⅰ-6-4-3　圧迫隆起による山地形成アラビア半島　以前

からの圧力を受けて縮んだ地形であることが分かる。

(2) 陸地衝突による山地形成

プレートとプレートが衝突し合い、それらプレートの上に存在した陸地も衝突し合って山地・山脈を築くことがある。代表的な例が、ユーラシア大陸にインド大陸がぶつかってできたヒマラヤ山脈である。ただこの例は既述のように特殊な事例で、押す側のプレートが押される側のプレートに乗り上げたもので、ヒマラヤ山脈自体はほとんどが下層地殻部分であり、衝突で形成された山地はヒマラヤ山脈高峰列の一列南側の、標高4,000～5,000mクラスの山脈である。もう一例典型的な事例を挙げるとすれば、日本列島の中央部で糸魚川中央構造線の両側に存在する北・中央・南アルプス連邦である。これらは衝突面に平行して両側に高峰の山脈が築かれた。

(3) 地殻の裂け目線上における山地形成

海洋に生じた地球の裂け目が海嶺であり、その存在は視認できるが、目には見えないものの、裂け目は陸地部分にも生じたはずである。大西洋中央海嶺など、陸地にできた大きな裂け目は後に海が形成され、海嶺として裂け目の存在が認識されたが、ひび割れ程度の小さな裂け目であった場合は陸地は裂けず、現在に至るまでその存在は定かではない。しかし、そのような場所は深い場所からのマグマ上昇が生じるようであり、裂け目線に沿って山地や火山が形成される。筆者がその例と確認できる場所として、赤道にまたがる地域のアフリカ大陸東部を取り上げる。紅海入り口のジブチからヴィクトリア湖に至り、そこから二手に分かれて、一つはキリマンジェロ山を経由してモンパサに至る線と、もう一方はカンパラからルワンダ、ブルンジ、タンガニーカ湖、マラウイ湖を経由してザンベジ川

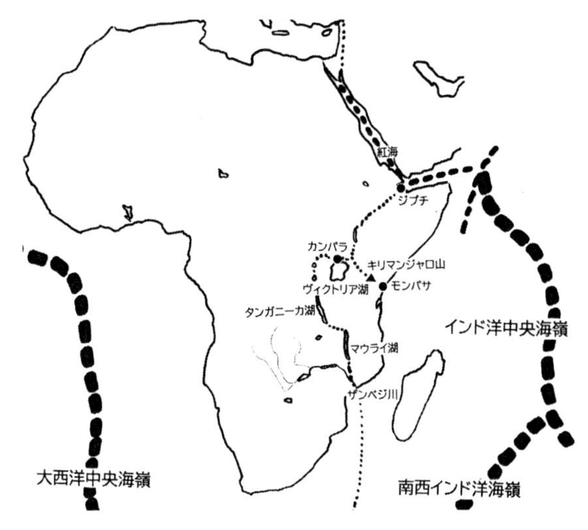

図Ⅰ-6-4-4　アフリカ大陸東部の地殻裂け目ライン

に至るルートである。なお、海嶺分布を一覧すれば、南半球は海が占める面積が圧倒的に広く、地球の割れ裂けの痕跡となる海嶺の数が多く、延長キロ数も長いが、北半球は南半球と比較して非常に少ない。北半球は逆に陸地が多く、視認はできないものの、その陸地の下にも割れ裂け線は生じているはずである。

第五節　火山の形成

火山形成理由

筆者は、「大洪水」発生以前は地球には火山は存在していなかったと考えている。地球膨張の過程で起きた諸現象が原因となり、火山は生まれたのである。地学の授業では「海溝場所での地殻摩擦が原因で火山は形成される。」と習った。確かに還太平洋を見渡せば、海溝のすぐ近くに相当数の火山が存在するが、火山形成の理由はそれだけではない。火山爆発規模第一位のイエローストーンや第二位の白頭山、あるいはノアの箱舟が漂着したアララト山やアフリカ中央東部の火山群の形成理由とはなり得ない。筆者が考えることができる火山形成理由は、以下の三種類である。

(1) 地球の割れ裂けと直接関連する火山

地球が割れ裂けて奥深い内部から上昇してきたマグマが、水に十分冷やされて固体化した部分の間隙を縫うようにして、地中に蓄えられている場所が存在する。それは「ホットスポット」と呼ばれている。ホットスポットの多くではマグマが地表にまで達して火山を形成し、上昇マグマ起因の火山としてメジャーなタイプである。

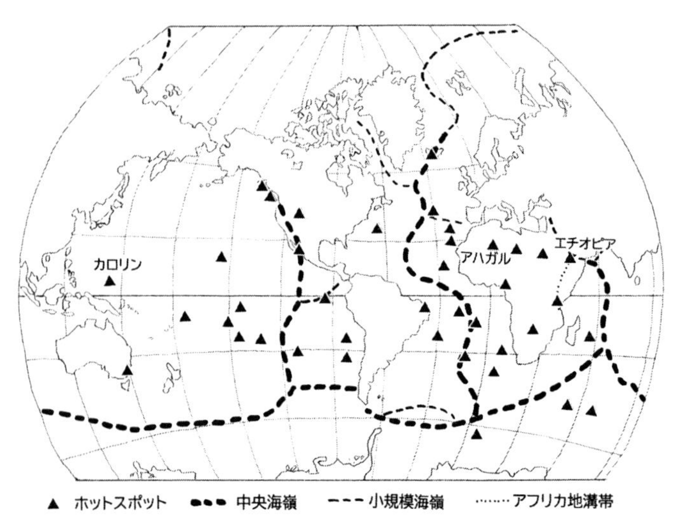

図Ⅰ-6-5-1 ホットスポットの分布

この図と新地殻の分布を示した図Ｉ－５－２－２（P133）を重ね合わせてみれば、ホットスポットの存在位置と海嶺が原因で形成された新地殻領域との相互関係が、明白となる。外核から上昇した高熱マグマが、上部マントル部分で真っ直ぐに上昇して海嶺中央部に現れるか、あるいは新地殻区域の端に現れるかは別として、ホットスポットの大半は新地殻領域の中に存在している。ところが、二ヶ所ばかり例外がある。一つ目は、アフリカ北部に存在するアハガルからエチオピアに至る線上に存在するホットスポット群、そして西太平洋にポツンと存在しているカロリン諸島に存在するホットスポットである。これらの存在は、これまでの研究では判明していない、未だ発見されていない地球の裂け目が存在することを暗示している。

□小規模亀裂起因の火山群

グレートバリアーリーフと呼ばれるアフリカ東部の火山群や、ホットスポットとはされていないので前図（図Ｉ－６－５－１）には示されていない、トルコ東部からイラン北部にかけて繋がる火山列がある。これらは、おそらくは下層地殻からさらに地球内部に向かう亀裂の規模が小さく、上に乗る陸地を割るほどの力は持てなかった割れであったと推測できる。それでもマグマは陸地を押し上げ、割れ目に沿って山地・山脈が形成された。そして、地球膨張の動きの中で地殻内部に生じた、ひび割れという“隙間”をマグマが伝いつつ地上近くまで達し、爆発などにより最終的に地上に現れて形成された山が、現在地図上に線上の繋がりをもって存在する上述の火山群である。このタイプの火山の爆発流出物は、地上近くでは玄武岩、地中深い部分では斑レイ岩を成している。アララト山の噴出物は確認できていないが、姿形が富士山にとてもよく似ているため、粘着性の低い玄武岩質の山であると推定できる。

（2）陸地移動に関連して誕生した火山

海溝形成プロセスを示した図Ⅰ－5－4－3海溝形成プロセス③（P145）以降を、もう一度ご覧頂きたい。地球の地中深い部分のマグマとは全く関係なく、実は陸地（上層地殻）の底部分で形成されるマグマも存在する。図の摩擦熱発生①や摩擦熱発生③がそれで、陸地が下層地殻の上を滑るように移動する際に陸地と下層地殻との間で摩擦熱が発生し、陸地を構成する岩石が溶けてマグマが形成される。そのマグマが地表に達して火山となる。図Ⅰ－5－4－6海溝形成プロセス⑤（P148）で示した「新火山A」である。この理論は筆者以外が論じている例を知らない。素人の大誤りの可能性もあるが、筆者は日本列島の火山分布の分析から確信を持って述べている。

□安山岩マグマ発生の具体的な様子

その様子を詳しく述べてみよう。地上で高地となっている陸地は、実は目に見えない下部もまるでバランスを取るように出っ張り、海洋性地殻を地球内部に向けて押しつけている。その状態で大陸性地殻が移動すると、押される側の海洋性地殻との接触部に強い摩擦が生じ、図Ⅰ－5－4－3海溝形成プロセス③（P145）以降で示すように、発生した高熱のために岩石が溶け、マグマ（溶岩）が発生する。発生したマグマは高熱であるため、強い上昇力を伴っている。マグマ発生自体は摩擦面全体で起きるが、その後マグマは勾配天井を伝うように上昇移動する。そのため全体傾向としては、陸地の最も高い部分よりも押される反対側の海岸に近い部分に、より多くの量のマグマが溜まることになる。地表に山や谷があるように大陸性地殻の下面にも凸凹があり、下面ではマグマはその凹部に溜まることになるが、海岸近くの場所では、薄めの上層地殻がマグマの上昇力に耐え切れずに隆起し、単独の丘や山を形成し、そしてその地下にマグマ溜まりが形成される。その部分は、やがて地震などをきっかけとして地表に噴出し、火山が形成される。

このタイプの火山の噴出物は陸地の岩石である安山岩が主体であり、海洋性地殻の成分である粘土性の岩石も若干含まれることがある。日本列島を例に取れば、列島を縦に切った列島中央部より日本海側に多くの火山が分布するが、それらのマグマは押しなべて安山岩が主成分である。この種の火山については拙著『日本人とは誰か』で詳述したので、興味がある方はそちらをご覧頂きたい。

（3）プレート重なり合いを起因とする火山

火山が生まれるもう一つのケースとして、プレート同士のぶつかり合いで片方が片方の上もしくは下に重なり合う場合に、プレートである海洋性地殻相互の摩擦によりマグマが生じ、それが地表に達して火山となるケースが存在する。図Ｉ－５－４－３海溝形成プロセス④（P145）で示した摩擦熱発生②が該当する。筆者は本書の記述まで、このケースは否定してきた。それは、海洋性地殻の軟らかさと粘性が判断理由であった。それでも海洋性地殻が重なり合って動くというのは大変な摩擦を生じ、その摩擦熱で海洋性地殻の一部が溶けてしまうようである。これには二つのケースがある。

□海溝が形成される場合

まずは押す側のプレートが押される側のプレートの下に潜り込む場合、つまり海溝が形成される場合である。この典型例が富士・伊豆火山帯である。筆者は富士山の火山形成は、日本列島の東半分が島であって西方に移動した際に上述の（２）のケース（陸地移動に関連して誕生した火山）で誕生したと考えていた。ところが富士山の火口流出物は玄武岩である。これは下層地殻（海洋性地殻）の成分である。富士山の火山形成の原因は基本的に（2）のケースとは分けて考える必要がある。そこでヒントとなったのが、地震発生地点変移の様子であった。富士山から伊豆諸島への線上の繋がりをもって「富士火山帯」という名称があるが、地震発生地点がこの火山帯を徐々に北上する動きがかつて存在したので、これは名称どおり火山として一連の繋がりを持っていると考えるべきである。そこで火山帯の形成原因を考察して得られる結果は一つだけである。ここには世界最大の海溝が存在し、太平洋プレートがフィリッピン海プレートの下に沈み込むことが確認されている場所である。プレート同士の摩擦熱で海洋性地殻が溶け、マグマとなって上昇して火山が形成されたのである。図Ⅰ−5−4−6海溝形成プロセス⑤（P148）で示した「新火山B」である。富士火山帯の特徴は、世界最大の海溝に隣接しているだけではない。そこは太平洋プレートの強烈な圧力を受け、富士火山帯が乗るフィリッピン海プレートが散々なまでに変形させられた場所である。プレートがかくも変形すれば、プレート自体に歪みや割れ裂けが発生し、形成されたマグマが上昇できる場所が生まれて当然と推察される。

富士火山帯と似たような場所が、ニュージーランドであると思われる。筆者はオークランドに一年間住んだ経験があるが、オークランド周辺は以前海中であった場所が噴火によって陸地になったのであり、あちこちに噴火口の跡が現在でも残っている。なだらかな地形から判断して、火口流出物は玄武岩質系であろう。ニュージーランドもノースアイランド付近は東太平洋海嶺からの強力な圧力を受けて、海溝が形成されている。

□乗り上げのケース

次に、押す側のプレートが押される側の上に乗り上げたケースである。このケースの典型例であるヒマラヤ山脈において、アンナプルナ山域に温泉が二ヶ所存在していることを実踏で確認した。こちらもやはり、上下二枚の海洋性地殻摩擦でマグマを生じ、その熱が源となってそれらの温泉が存在していると推察される。

第六節 砂漠の形成と油田の分布

石英質の砂が示す砂漠が形成された原因

□川の砂は岩石質で砂漠の砂は石英質

飛鳥昭雄氏は、地球に現存する砂漠の多くは「大洪水」発生時に形成されたと論説した。筆者も同感である。高熱流体が星を形成する過程で述べたように、月の地殻の下には水とともに砂が存在し、その砂が大量の水とともに地球にやって来た。その証拠が砂漠の砂粒である。たとえばサハラ砂漠の砂は、平均でその97%が石英という鉱物が素材となっている。通常の砂は川などで水流により地上の岩石が削られるので岩石質であり、その形状は様々である。石英という鉱物は風化しにくいことが一つの特徴であり、風化などではあれほど大量の石英の砂ができることなど有り得ない。サハラ砂漠一つとっても、その石英の砂が水もないところであれほど大量に存在することは、砂の自然形成という観点において科学的に解明することは不可能である。

□学説では説明しきれない石英質の砂の存在

科学者の石英質の砂の存在理由は、「石英は風化しにくいがゆえに石英だけ残った」ということである。しかし、砂漠の砂は深く、砂漠の表層部分と深層部分が対流などで入れ替わることはない。それならば、砂漠の深層部分は風化に晒されなかったため石英以外の岩石質や鉱物が多く残されていて良いはずであるが、実際にはいくら掘っても石英ばかりである。これまでの砂漠形成理論では、「砂漠は乾燥気候によって形成された」と言うのみであり、乾燥がどのように作用してあのような砂粒が大量に形成されたかについて、具体的かつ科学的な説明はなかった。

砂漠と油田分布との関連性

□全て同じ時に誕生した世界中の化石

油田の多くは砂漠地帯に存在しており、そのことも砂漠が「大洪水」時にできたことを示している。石油とは化石燃料であり、そして地球上のほとんどの化石は「大洪水」発生時にできたのである。この点については飛鳥氏が詳説しているので、以下に筆者の表現で内容紹介する。

> 化石というのは非常に特殊な状況でしか形成されない。化石の対象となる素材は、腐敗が進む前のフレッシュな生体でなければ化石とならない。そのためには、化石となる物質は一瞬の間で土中に閉じ込められ、無酸素及び高圧・高温状態で保存されねばならない。くらげの化石が典型的な例である。軟体動物が化石になるためには瞬時に閉じ込められ、そして大量の土砂に覆われて高温高圧の状態が生まれない限り、化石になるようなことはない。このようなことが地球レベルで起き得ることは「大洪水」以外に有り得ず、またそのようなことが地球で複数回起きることなど考え得ない。世界中の化石は全て同じ時に誕生した。

□条件が整えば僅か30分で形成される石油

石油の場合は、動物の肉がメタンガスと可燃性の溶液に分離してできた溶液の方であり、化学変化を経て形成された。その化学変化を促した原因は高熱である。土中の高熱は膨大な量の土砂の重みによって得られる。久保有政氏はweb論文で、「たんぱく質を無酸素状態にして450度の温度で閉じ込めると僅か30分で石油は形成され、この方法は実用化されている。」と述べている。かつての「石油は数千万年を要して形成された」というような論は、今では笑い話にもならない。

□油田形成プロセス

世界地図で油田の存在位置をプロットしていくと、油田の存在は明らかに砂漠の存在と密接な関係を持っていることが分かる。「大洪水」発生の様子とこの油田の分布とを重ね合わせて考えてみると、油田形成の一つの推論が成り立つ。「大洪水」発生によって世界中の生物は突然の死を迎え、死骸は濁流に流され、あちこちに死骸溜まりができていった。河川の河口付近などは巨大な死骸溜まりが形成され、そしてその上を上流から流れ来た大量の土砂が覆っていった。ここまでは「大洪水」発生時に世界中で見られた光景であった。この後に地域限定で、空から砂が降ってきたのである。死骸を覆った土砂のさらにその上に大量の砂が覆い被さり、高圧に拍車をかけた。ほとんどの油田はそのような場所に存在する。砂を被らなくとも膨大な量の土砂に覆われた場所も油田となり得たが、その種の油田の数はそれほど多くはない。油田形成を理論的に辿れば、砂漠の砂は「大洪水」発生時に、しかも濁流発生後から存在するのである。

□重石不足の場合はガス田形成

ちなみに、油田が形成されるほどの土砂量を得なかった場所は、メタンのガス田やシェールガス産地となった。シベリアには巨大なガス田が存在する。それは、シベリアは降砂ルートからは外れていて、地形的にも土砂が偏って溜まりにくかったため、油田形成に必要十分な“重石”を得ることができなかったことによる。動物死体は化学変化に至らず腐敗に至ったため、大量のメタンガスが発生して地中に閉じ込められたのである。

潮汐作用の中心線に位置する砂漠分布

□地球でベルト地帯を形成する砂漠分布

降砂した場所を地球儀で色塗りしていくと、約4,000kmの幅のベルト地帯ができあがる。これを大陸移動前の地図で行うと、より鮮明になる。潮汐作用発生時つまり砂が月から出発した時と、砂が地球に到達した時とでは、何日かの時間が経過している。その間に地球も自転で回転しているため、位置関係に言及することは難しいのであるが、砂漠分布がベルト地帯で存在していることは、降砂がベルト状で発生したことを意味し、砂漠形成に月からの砂が関わったことの理論づけの支援材料となる。アフリカ北部、イラン、中央アジア、南米北西部と繋がるベルト地帯に、世界中の砂漠のほとんどが位置している。このラインに位置しない大砂漠は北米の砂漠地帯であるが、ウェゲナーが提唱した「大洪水」発生前の地球の大陸地図で、北半球について紹介している図Ⅰ－６－１－１（P158）を再度ご覧頂きたい。図で示されているように、北米の砂漠地帯はかつてアフリカ大陸のサハラ砂漠の西方に位置し、砂漠存在ベルト地帯の中に存在していた。この推論で理由がつかない砂漠は、オーストラリアにある大きな砂漠である。あの砂漠はラインからは全く外れているため、その形成原因は他とは全く異なる可能性が高い。

□通史で明らかな「大洪水」と砂漠形成との関係

このように考えると、「大洪水」と砂漠形成はセットで成されたことになる。このことを通史で探っていくと、筆者なりに納得のいく展開となる。たとえばメソポタミアである。紀元前2284年に「大洪水」発生を定めると、その前後の都市や遺跡の配置と砂漠の存在との関係が、明快というほどに筋が通っていくのである。またエジプト史においても同様であり、こちらに関しては第II部で詳述したい。

ピラミッドの化粧板状況が示す降砂の様子

□高さ146.6mまでは降水が降砂に先行

ちなみに、かなり細かい話になってしまうが、地球に到達した水と砂は一緒であったのか、あるいは別々であったのか、考察する種が一つある。それはギザのピラミッドの先端部分に僅かに残る化粧板である。ギザのピラミッドやスフィンクスは、現況からすると信じられない話であるが、かつては砂に埋もれていたのである。その点から察せられることは、これらは確実に降砂の影響を受けたのである。現在のギザのピラミッドの外観は積まれた石が直接見え、階段状の外観を示しているが、完成当時においてピラミッド全体は綺麗な平面で艶やかな材質の化粧板で覆われていた。それらは「大洪水」後にエジプトに定住し繁殖を繰り返した新住民によって、彼らの住居を作る際の建築材として、あるいは新たなピラミッドを造るための材料として、掘り出して剥がされ持ち去られてしまった。現在ではそのような行為は想像しがたいが、当時のエジプトに住み着き始めた新住民にとっての先人の埋蔵物は、民族や文化の継続性とは無縁のものであり、日常生活での不足を補う“物”でしかなかった。それでもピラミッドの化粧板の存在は、僅かばかり残った部分の状態を観察することにより、降水と降砂の状況を推測できる。もし砂ばかりが化粧板を打ち付けたとしたら、化粧板の傷つき具合は相当なものになるであろうが、写真で見る限り化粧板の状態はかなり良い。このことから推定できることは、「ギザのピラミッドの完成時の高さ146.6mまでは降水により地球全体が水没した」ということである。そのことが意味することは、現在砂漠の下に存在する「大洪水」前の住居など人類の痕跡は、降水によって壊された可能性は残るが、降砂による直接ダメージは受けなかったということである。砂の重さで潰されていなければ、破壊されないでそのまま遺跡として残っている可能性がある。

第七節 「大洪水」時に地球が回転させられた可能性

この項、余談である。

紀元前701年以前の地球回転発生の可能性考察

□「大洪水」発生時を含めての地球回転の可能性

飛鳥氏によれば、エジプトのある墓に北半球の夜空と南半球の夜空の二つが描かれた絵が存在するそうである。飛鳥氏は、そのことはかつて、あるいは「大洪水」発生時に、地球は半回転させられたことを意味すると解した。筆者も、その可能性を否定しないが、可能性は半々であると思っている。拙著『日本人とは誰か』で詳述したが、地球は紀元前701年に金星接近によって小回転させられ、現在の公転と自転の状態となった。小回転させられた以前の地球の状態は、赤道と黄道が一致していた。つまり、太陽との関わりで正常位を得ていたのである。これは、小回転以前は地軸の傾きがなかったことになる。もし「大洪水」発生時に地球の回転が生じていたならば、それ以前にも地球は回転させられたことがあり、「大洪水」発生時の回転によって「元に戻った」ことになる。「大洪水」前に少なくとも一回は、地球は回転させられていたことになる。もし一回だけであるならば、「大洪水」時を含めてたった二回の回転で元の状態に綺麗に戻るようなことは、通常では考えることはできない。「大洪水」前に一回だけでなく複数回の回転が発生したとすると、それではどの天体が地球に影響を与えたのか、それほどの数の相手候補を探し得るのかが問題となる。

□「大洪水」前の可能性では水星だけが相手候補

「大洪水」発生時以前の地球回転の可能性を探れば、潮汐力を働かせた相手候補として水星の存在が浮かび上がる。水星の地表の様子を見れば、水星も現在の位置に定着するまでに、他の惑星と接触に近い事件を過去に引き起こしたことは明瞭である。その相手が地球であったとすれば、その時に地球の地軸が傾いた可能性を考慮できる。しかしながら、考え得る相手候補は水星だけである。同一惑星が二度にわたって地球に異常接近するようなことは理論上考え得ないので、水星がかつて地球に回転の影響を与えたことを仮に認めたとすると、「大洪水」以前の回転はたった一度だけあったことになる。「大洪水」発生時の回転によって、地球の回転軸は「元に戻った」ことになる。つまり、地球は二回の回転で全く同じ角度回転し、元の状態に綺麗に戻ったことになるので、そのようなことは通常考え得ないが、ケプラーの法則が暗示するように、宇宙には人間の現在の科学では解明されていない働きが作用しているので、その可能性を皆無とするようなことはできない。

氷河時代の痕跡が示す地球回転の可能性

筆者は「大洪水」時の地球回転の可能性を「半々」としたが、実は他の事象から判断すると、「大洪水」発生時にも地球が回転した可能性は低くはないのである。それは氷河時代の痕跡である。

□太陽の爆発エネルギー変化では成立しない「氷河期」

筆者は「氷河時代」など存在しなかったと考えている。地球外部からの何らかの影響を考慮せずに、地球全体の気候が極度に温暖になり、はたまた地球全土が氷に閉ざされるようなことは、科学的な思考では理論成立しないからである。現在の地球の温暖化は、1980年代のエルニーニョ現象から始まった。これは太陽周辺で日常的に起きているプラズマ爆発のエネルギーが、２倍に増加したための影響であるようだ。現在は既に爆発エネルギーは縮小に向かい、専門家の分析によれば今後は通常の半分にまで縮小するらしい。爆発エネルギーは、おそらくは40年間程度の周期として、このような変化を繰り返していたと推測できる。太陽の爆発エネルギーの周期的な変化が40年間程度ではなく、仮に100年間や200年間といった期間で発生すれば、「氷河期」は起こり得るが「灼熱期」も起こるはずで、それでは人類は生存し得ないことになってしまう。この度のエルニーニョ現象による気候変化の程度から判断する限りにおいて、太陽のプラズマ爆発のエネルギー変化では氷河期時代は成立し得ない。たとえ他の天体が関わるような変化があったとしても、それが周期的に地球の気候を変化させるようなことにはなり得ない。「氷河期」などというのは、天体及び地球物理学理論を無視した科学者の“妄想”であったに過ぎない。

□カギを握るアフリカでの「氷河期時代」の痕跡

「氷河期時代」という設定を思いついた根拠は、地球上に残る「氷河期」を思わせる痕跡が存在することである。それらの痕跡をかつての北極と南極の位置と見做せば、地球が何回も回転したことがあれば、北極と南極の位置は回転の回数分の痕跡を残したことになる。その痕跡を局所的とは考えずに地球全体が氷に覆われたと推定したことが、「氷河期時代」を設定してしまった誤りの元であった。しかしながら、その痕跡で無視できない場所が一つ存在する。それはアフリカである。気候的に暑いアフリカの中部以北に「氷河期」の痕跡が実在するとなれば、考えることができる可能性は一つだけである。かつてアフリカに、北極か南極かいずれかの極が存在していたのである。その思考の延長には、その極は「大洪水」時以前の状態であったと推測せざるを得なくなる。もしアフリカでの「氷河期時代」の痕跡が確かなものであれば、「大洪水」発生時に地球は回転していたのである。

第八節 土壌流失と堆積地層の形成

僅か4300年前に一年以内で形成された堆積地層

地球が強力な潮汐力によって割れ裂け、次に起きたことは天からの水の襲来と、その水が及ぼす陸地への影響であった。後述するが、エジプト史によれば「大洪水」以前にもナイル川の氾濫はあり、地球に水循環は存在したが、それはとても緩やかなものであった。そのため、地表には何万年かにわたって形成された厚い土壌が幾重にも存在した。それが「大洪水」によって一気に相当量海に向かって流され、陸地内のくぼ地や陸地近くの海中に堆積した。「大洪水」発生後の時間の経過によって、土砂や土砂の中に閉じ込められた物質も順次変化し、堆積が進行した。学説では５億4000万年前から堆積が始まったことになっているこの堆積層は、実は僅か4300年ほど前に、一年足らずの極めて短い時間において形成されたものであった。

学説による地層区分

現在の学問上の地層区分は次のようになっている。

【新生代】

第四紀（旧名　洪積層）250万年前から現在

アルプスの麓で、氷河が山を削り押し出した大きな石からなる地層。この地層は現在では氷河の証拠と分かっているが、かつてはノアの洪水の時に積もった地層と考えられていた。

新第三紀　2350万年前から250万年前

地球上の各地で隆起が頻発し、高原や山脈などができた。そのため高原や乾燥地域には草原が広がり草食の哺乳類が繁栄した。陸上や海底の地形、気候帯も現在に近づいたが、**気候は高緯度地域でも温暖**であった。

古第三紀　6500万年前から2350万年前

恐竜やアンモナイトが絶滅した後の哺乳類が繁栄した時代。森に住み葉を食べる哺乳類が繁栄した。**南極に氷河が形成**されたが、まだ現在のような気候帯はなく、どこでも**温暖な気候**であった。

【中生代】

白亜紀　1億3500万年前から6500万年前

石灰岩層でできた白亜の地層。植物では、後期白亜紀に被子植物や草が現れた。動物では鳥や哺乳類、今の海に住む硬い骨の魚もだんだんと多くなっていった時代。太平洋をとりまく陸地では、**激しい火山活動が始まった**。ヨーロッパでは、チョークのたまる海が陸地の奥まで広がり、世界的にも海が広がった時代である。

ジュラ紀　２億300万年前から１億3500万年前

スイスとフランスの国境にあるジュラ山脈に分布する地層で、アンモナイト化石を多産する海に堆積した地層。地球の両極地域も含めて**ほとんどどこでも温暖な気候**だった。地球上のどこでもソテツなどの裸子植物が繁茂し、恐竜が栄えた。また、この時代の後期には現在のような海洋と大陸の区別がはっきりとし始め、新しい時代に栄える鳥や哺乳類、硬い骨の魚、石灰質の殻を持つプランクトンなども出現した。

三畳紀　２億2500万年前から２億300万年前

下から赤い砂岩、白い石灰岩、茶色の砂岩という三つの地層の重なりでできている地層。ハ虫類が栄えた。最初の恐竜の化石は、三畳紀の三番目の地層である茶色の砂岩から発見された。

【古生代】

ペルム紀　２億9500万年前から２億2500万年前

石炭紀の地層の上の地層。ドイツでは赤い砂岩と灰色の石灰岩の二つの地層からなることから、二畳紀と呼ばれる。シダ植物は少なくなり、それに代わって裸子植物が繁栄した。この時代に哺乳類の祖先にあたる爬虫類ともよばれる獣弓類が栄えた。

石炭紀　３億5500万年前から２億9500万年前

石炭の地層。石炭のもとになったシダ植物や、昆虫、両生類が栄えた時代。シダ植物の大森林には、高さが20～30mにもなった大木があった。石炭の地層の下はサンゴ礁でできた石灰岩層。

デボン紀　４億1000万年前から３億5500万年前

シルル紀の地層と石炭紀の地層に挟まれる地層。魚の化石が多い。水中と陸上に住む肺魚の仲間や両生類も生まれた。

シルル紀　４億3500万年前から４億1000万年前

オルドビス紀の地層の上に重なる地層。ゴトランド島に分布する地層をもとにゴトランド紀ともよばれる。海にはサンゴ、三葉虫やウミユリ、オウムガイ、魚、陸上には最初の陸上植物プシロフィトンとよばれるシダ植物が現れた。

オルドビス紀　５億年前から４億3500万年前

カンブリア紀の地層の上に重なる地層。三葉虫などとともに筆石とよばれる海に浮いて生活していた動物の化石がたくさん発見される。この地層には、黒い泥が固まった物が多くある。

カンブリア紀　５億4000万年前から５億年前

古生代の最も初めの時代で、それまでの時代の地層には見られなかった様々な生物の証拠（化石）が存在する。**大陸のまわりの浅い海**に突然にいろいろな動物がたくさん現れた。植物では現在見られる海藻のほとんどと、動物では巻貝などや三葉虫などの昆虫の仲間、それと今では想像もつかない形をした絶滅したたくさんの種類の背骨のない動物がいた。

先カンブリア紀　５億4000万年前より前の時代

生物化石なし。他の地層どうしは水平面で接合しているのに対し、先カンブリア紀の地層はカンブリア紀地層に**唯一凹凸面で接合**している。

「地質年代」理論の崩壊

□進化論と表裏一体の地質年代理論

これらの地質年代が設定された背景には、「生態系は微生物から始まって人間に至るまで高度に進化して現在に至った」という進化論が存在し、設定内容はその理論的裏づけを成すこととなった。先カンブリア紀から第四紀にまで至ったこれらの地層は、それぞれがロシアを含むヨーロッパ各地の地層観察から、別々の学者たちによって定義づけられたものである。それが進化論に矛盾のない筋立てにより、統一性を持って理論構築されたというのが「地質年代」である。標記の全ての地層がくまなく揃っている場所など、世界中どこを探しても存在しない。地層には地域ごとに個性があるが、それでも一体的な理論構築が完成したという点において、進化論というのが当時いかにヨーロッパの知識階級に広く受け容れられていたかを、容易に想像することができる。

□進化論と共倒れした地質年代理論

その進化論は破綻した。それは人々に関心の高い恐竜の化石発見から始まった。化石になっていない恐竜が発見されたのである。その年代測定からは、それは数万年前の遺物であるという結果が出た。地質学では恐竜はジュラ紀を中心に栄え、白亜紀が終了した6500万年前に滅びたとされているのである。数万年前と6500万年前とでは、数字があまりに違いすぎて比較にならない。さらに恐竜の卵で、殻は化石であるが中の黄身はまだ柔らかいものが発見され、果ては恐竜とともに歩行する人間の足跡が複数個所で発見されてしまった。人間の歴史はせいぜい数百万年とされ、6500万年前の恐竜とともに歩行できるわけがないのである。さらに問題なのは、地層を縦に貫く木の化石が発見されてしまったことである。地層間の年代の違いは数千万年単位であり、1本の木が1億年や2億年も生きることなど有り得ない。この木の化石の発見により、地質学が基本と定めた「地質年代」は、理論的に崩壊した。

□「長時間を要する地質形成」という先入観も崩壊

地質年代形成に作用した精神的背景は、進化論だけではなかった。「地質形成にはとても長い時間がかかる」という先入観が、学者だけでなく社会全般に広く持たれていたことである。その考え方のもとは、地球全体の地学的な動きが安定していて、「陸地が動くのは年にミリかセンチ程度であるし、地層などの大地が形成されるには予想のつかないような長い時間がかかる。」と信じ込まれていたせいである。これは筆者が論じるように、科学が発展した時代が地球膨張の終末期に当たり、地球の地学的な動きが停止状態に近いような状態にあったためである。この考え方も、セントヘレンズ火山爆発の際に誕生した地層が、僅か数時間で形成されてしまったことにより、覆されてしまった。

□地質年代理論は新たな化石形成理論によって完全崩壊

これまでの地質年代理論は、一つの問題提起によって決定的な崩壊をみた。それは化石形成理論である。筆者はその論を飛鳥昭雄氏の著作によって知った。地質年代理論では化石は長い時間をかけて形成されるが、生物は腐敗するため、逆に極めて短時間に無酸素そして無微生物状態にならなければ、化石とはなり得ないという指摘であった。それは目から鱗の指摘であった。軟体動物のくらげの化石などは、従来の理論では存在し得ないのである。生物が生きている状態もしくは死後間もない時に土中に閉じ込められ、それも何らかの理由で突然途方もない量の土砂の下敷きになり、無酸素で高圧の状態になる以外に化石は形成されないのである。そのような出来事は、地球にそう何度も起こり得るようなことではない。地質年代理論では、先カンブリア紀を除くそれぞれの地層に化石が存在するが、そのような激変が地層年代毎には起き得ないのである。

「大洪水」発生時の土砂堆積の再現

これらの矛盾や問題を全て解決してしまう事象が、「大洪水」発生を現実の問題として捉えてみることであった。カンブリア紀から古第三紀までの地層は、億年という先入観を捨て去り、「大洪水」発生によって順次短い時間に形成されたと考えるのである。すると、地質年代理論についての様々な矛盾や疑問が解決される。そのことを織り込みつつ、「大洪水」が発生して土砂が流出し堆積していく様子を再現してみたい。

□「大洪水」発生前の陸地の状況

「大洪水」が発生する前の地面の状況は、全体的になだらかであった。それでも後述するように、当時は小規模ながらも雨水循環が存在し、川や池そして湖といった地形も存在していた。地球の歴史は短いとする説でも十万年や二十万年は経過しているわけであるから、陸地の表層部には少なくとも数万年もかけて形成された土壌の層が、かなりの厚さで存在したと推測できる。それらが突如発生した激しい水流に容易に剥がされて土砂となり、地上の動植物の死体や残骸を伴いつつ、低地や海に向かって運ばれていった。

□段階別の土砂堆積

［第一段階］

これらの土砂は、陸地に近い部分の海底にまず堆積した。そのため、当時の海底部分の植生がそのまま化石となって保存された。また海岸近くに生息した小動物や植物も同時に土砂の下敷きとなった。この堆積層が後にカンブリア紀と呼称された。カンブリア紀の下の地層は先カンブリア紀と呼称され、この地層が「大洪水」前から存在していた陸地である。そのため、地質年代で定義された地層で、先カンブリア紀とカンブリア紀との境だけは凹凸面で構成されている。他の地層は水が関与したので、全て境は水平となっている。

［第二段階］

その後の堆積は陸地の高さに従い、海岸に近い低地から内陸に向けての表土が、次々と順を経て堆積していった。後にシルル紀やデボン紀と呼称された地層は、まだ陸地の浅い部分の表土が運ばれたもので、黒土を含んで粒子は細かい。運ばれる動物死骸も小型から徐々に中型や大型も含まれるようになる。折れた木の枝など大量の植物も含まれる。この段階はある意味“陸地表面の清掃”が成されたようなもので、人間が作った構造物の残骸のような物を含め、魚も含めて多様な物体が地層の中に閉じ込められた。

［第三段階］

さらに次の段階では、流れにくいものがまとまって堆積されるようになる。まずは恐竜である。あまりに重いので、水流に流されはするものの進行速度は遅い。次に、長さ20〜30mにも及ぶシダ類の大木である。これも恐竜と同じように、流される速度は遅くなる。これらが堆積した層が、ジュラ紀と石炭紀と命名された。

［第四段階］

時間の経過につれ、陸地の高地の部分の表土も海岸に向かって流されて来るようになる。土砂の粒子は次第に粗くなり、岩石質の砂や石ころまでも含まれるようになる。また一口に土壌といっても、地域により、また土壌の層によっても成分や粒子の形態が少しずつ異なり、それが堆積の層となって差異が表れる。前述の現行の地質年代の説明に出てくる赤い砂岩、白い石灰岩、茶色の砂岩、灰色の石灰岩などという表現は、そのような土壌の地域差や階層差の表れである。

［第五段階］

これらの堆積の上に、場所によっては月から水とともにやってきた砂が覆いかぶさることとなる。そして最後に、粘土質の薄い層ができた。その層が、レオナード・ウーリー卿が「大洪水」の証拠として提議した地層であり、イラク周辺の人々からは「処女層」とも呼ばれていた、純粋の粘土層である。２月17日から翌年１月１日まで地表を覆っていた泥水の水中泥が、313日の間にゆっくりと沈殿してできた層である。これは地球全体が水に覆われたためにできた層であり、小規模な地域的な洪水では薄い層しか形成し得ない。この層は非常に軟らかい地層であったため、隆起した部分では真っ先に雨水で流し去られてしまい、地層としての形跡は残らなかった。学会がウーリー卿の提議に対して否定理由として挙げた「沈殿層としての粘土層は地球全体どこにでも残るはず」という考えは、成立しない。

［**最終段階**］

「大洪水」発生によって、このような地層堆積が成されたが、その後の地球膨張に基づく地殻変動により、地殻の隆起と沈降が発生した。これは短期間での急速な変動であり、新しい地層が石化する前のまだ軟らかい段階で地殻変動が起きたため、堆積層には“しゅう曲”という曲線形が現れた。また隆起した後に本格的な降雨が始まったため、隆起部分とりわけ高い山が形成されたような所は、激しい雨水侵食に晒された。私たちが現在見る山々とは異なり、隆起直後の山々は軟らかい土壌によって厚く被われており、それらは雨水によって容易に土砂となり、陸地移動で生じた隙間や陸地沈降で形成された谷間などを埋めていくことになり、「大洪水」後の激変をカムフラージュすることとなった。この一連の動きの最終段階で生まれた地層が、新第三紀や第四紀である。

紀元前2200年頃までに形成された堆積地層

□地層形成に要した時間は極めて短時間

　このようにして堆積が進んだ時間は、水が海上100〜200mに達する非常に短い時間だけである。その後には陸地は十分水に浸かってしまい、地表の水流は発生し得ない。旧約聖書には水が山頂に達したことは書かれているが､それに要した時間までは書かれていない。筆者の推測であるが、水が直接降り注いだ地域においては、海上100〜200mに達した時間は僅かに２〜３日程度であったと思われる。生物の死骸は死後一定の時間が経つと、体内に炭酸ガスが発生して浮かび上がってしまうし、腐敗する前に閉じ込められるためにはそのくらいが限度となる。最終的に水中塵芥が沈殿堆積してできた層が、レオナード・ウーリー卿が発見した純粋粘土層である。そこまで含めても、僅か一年以内に地層は形成されたことになる。

□地層境が水平である理由

　さらに見方を変えれば、純粋粘土層までは「大洪水」の水が引ける前までの僅かな時間に形成され、その後は水が引いた後に時間をかけて形成された。そこで着目すべきは地層の形である。コロラドなど地層が大観を成しているような場所で感ずることは、地層の境がものの見事に水平になっていることである。これは、その地層形成に大量の水が関与したことを意味している。地球規模での地層形成であれば地球規模での水が関与したことになり、そのような水の発生は「大洪水」事件以外には想定し得ない。なお、地層には「しゅう曲」という形態があるが、これは一旦水平に形成された地層が「大洪水」後に起きた急激な地殻変動の影響を受け、地層が完全に固まってしまう前に変形を強いられた結果として誕生した、一種の奇形である。

□ベルト地帯とそれ以外では異なる堆積物と堆積層の状態

「水が直接降り注いだ地域」という表現には、説明が必要である。天から水が直接降り注いだ場所は、地球儀で見ると砂漠が存在するベルト地帯に一致し、その他の場所は天から水は降って来なかったのであり、水はもっぱらベルト地帯から横に流れてきた。たとえばベルト地帯にあったアフリカ北部においては、打ち付けられた水によって破壊された物体が数多く漂流物に含まれたが、ベルト地帯から遠く離れたロシア地域では破壊は限定的であり、水流によってただ運ばれただけの物体が堆積土砂の中に埋もれていったと推測できる。堆積物の内容だけでなく、堆積層の状態もまた異なると考えて良いであろう。ロシア地域では整然と地層が形成されたかもしれないが、アフリカ北部においてはロシア地域と異なる際立った特徴が見られたと推測できる。しかし、ベルト地帯では大量の砂が被さってしまって、そのことを確認しづらいことが残念である。

□世界中で視認できる火山灰層

地層に関しては、もう一点だけ述べるべきことがある。「大洪水」発生によって地球は割れ裂け、その関連で地球上に初めて数多くの火山が誕生した。それらの火山がほぼ一斉と言って良いほど同時に爆発を始めたので、大気中に火山灰が満ち、地球全体に火山灰の地層を形成することとなった。それは水が引いた後にできたので、上述の粘土層よりも上に形成された。グリーンランドの氷柱調査では、それは紀元前2200年頃にできたということであるが、筆者の論では紀元前2284年の「大洪水」発生後の、紀元前2250年～2200年頃ということになる。この点に関しては、筆者の推論は科学調査と完全一致している。

第七章　「大洪水」が地球に与えたその他の影響

第一節　気候の変化

「大洪水」後に初めて太陽光線が地上照射

聖書には、「ノアの生涯の第六百年、第二の月の十七日、この日、大いなる深淵の源がことごとく裂け、天の窓が開かれた。」とある。既述のことではあるが、「天の窓が開かれる」とは、それまで地球を覆っていた厚い大気の層に大きな裂け目ができたことを意味する。地球も洪水前までは木星や土星のように、惑星外部からは地上が見えない厚い大気層に覆われていて、太陽光の地上照射が、赤外線など一部の光線種類を除き、それらの大気で遮られていたことを意味する。それは、聖書の中に書かれている、「**わたしが地の上に雲を湧き起こらせ**」と「**わたしは雲の中にわたしの虹を置く**」という、洪水後の神の言葉によっても裏づけられる。洪水前までは地上に直射日光が射さなかったので、地から湧き立つ雲も空にかかる虹も存在しなかったのである。月からスプラッシュされた大量の水に先駆けて、まず月の大気が潮汐作用により地球に到達した時、地球の厚い大気層に大きな裂け目ができた。四十日四十夜その裂け目を通して大気に引き続いた水が落下し、最後に風が吹いて降雨は終了した。この間に空気の対流が起きて大気の撹拌が始まり、裂けた天幕の隙間を通じて太陽光線が初めて地上に届くようになり、上昇気流が生じて雲が生まれたのである。

（1）気温の変化

□「大洪水」前の地球の気温状態

気流の上昇と下降に乏しい気候となると、残る気候変化の要素は太陽光線に限られてしまう。薄い雲の層が直射日光の地上照射を常時遮ったとなると、地球は全体が温室のような状態になったことが想定できる。ただ、その温室はどこもかしこも同じ状態というわけではない。山岳登山経験者であれば、一度は見たことがあるであろう。朝方に谷が薄雲の膜に覆われているところに朝日が差し込み始めれば､まるでざわつくように雲が騒ぎ始める。それと同じことが、「大洪水」前の高空でも起きていたことを推測できる。地球は日光が当たる高空部分で暖められ、そのことによる気象変化が必ず起きたはずである。赤道部分では昼夜の気温変化があり、逆に極部分では気温はある程度一定に保たれたであろう。それでも大気層の温室効果があり、極部分で氷結したとは思えない。

□「大洪水」前には氷床は無存在

筆者が長いこと興味を持ち続けて、結果を知りたかった調査がある。それはグリーンランドの氷柱掘削による大気環境の変化を探る調査である。調査結果はオープンになっておらず、新聞記事やネットで検索できる内容以上のことを知り得ないが、興味深い事実が一つ存在した。それは、28万年前以前に氷床は存在していなかったということである。筆者は地質学者の年代設定を全く信用していない。日本列島の山地形成を地質学者は300万年前とするが、私の推論では僅か2000年前である。同様にして、筆者は“28万年前”を約4300年前と理解した。それはグリーンランドの氷は「大洪水」後に結氷したからである。よしんば「大洪水」以前に氷床が存在していたと仮定しても、洪水で一年間も水に浸かっていれば氷は溶けてしまうのである。

□「大洪水」以後に形成された極部分の氷床

極部分の氷床は、「大洪水」以後に形成された。ただし、その位置は現在とは異なることに注意が必要である。紀元前701年に地球の地殻表面はおよそ45度回転し、自転軸は約22度回転した。グリーンランドは、回転前後でともに極環境下に位置したため、環境についての基本的な変化はなかったのである。北アメリカ大陸での陸地割れを示した図Ⅰ－６－３－６（P179）を再度参照して頂きたい。45度回転以前の北極は、カナダのハドソン湾中に存在した。カナダのセントローレンス川から五大湖の一つのスペリオル湖、さらにウィニペッグからアルバータに向かって、ハドソン湾を中心にして大きな円周を描くようにして境を持ち、現在地図でその北側部分は全て阿寒雨林帯となっている。そこは僅か2700年前までは氷床に覆われていた場所で、グリーンランドを含めて見事な半円形を成している。氷床の重さが造山運動を阻止し、そのためそれらの地では現在でも低標高地帯を成していて、夥しい数の池や湖があるのが特徴である。

□「大洪水」以前にも存在した地球上での気温差

「大洪水」前の極地方は氷結するほどは寒くはなかったかもしれないが、それでも赤道と比較すればかなり涼しかったには違いない。また、地球の公転軌道の関係から、地球が近日点と遠日点を通過する時では、やはり地球上での気温の変化はあったであろう。現在ほどの温度差はないにしても、「大洪水」以前にも「夏」と「冬」の区別はあったかもしれない。

(2) 本格的な降雨の始まりと土砂発生量との相関

次は降雨である。

□「大洪水」前の降雨は霧雨程度

本格的な降雨は既述のように、「大洪水」後に始まった。日光の地上照射が上昇気流を生んで雨雲を成し、「降雨」が始まった。それでは「大洪水」前に降雨はなかったのであろうか。そのことを考える材料がエジプト史に存在する。そこには「大洪水」前のナイル川の存在が示されており、またナイル川の「氾濫」についての記述もある。エジプト史は歴史探索の歴史も古いせいか、年代表記までも含めて筆者はとても信頼性が高いと認識している。そのエジプト史にそのように書かれているということは、「大洪水」前に少なくとも地球に「雨水循環」があったことを証明しているが、その循環の内容は現在とは様変わりしていたと考えられる。太陽熱は地球に達してはいたが、地上ではなく大気層の暖冷によって水循環が成されたのである。風も起きたであろうが通常は微風程度であり、強風は想定しにくい。このことで推測できることは、「大洪水」前は降雨と言っても霧雨のようなものであり、豪雨などはまず考えることができない。そのことはつまり、「ナイル川の氾濫」は事実存在したとしても、雨季などに少しずつ雨量が増えての“溢水”程度のものであり、本格的な氾濫は「大洪水」以後に始まったことになる。

□想像すべき国土インフラなしの時代の土砂発生量

この本核的な降雨に関して言及すべき事柄が一つある。それは降雨に基づく土砂の堆積である。2019年に日本列島で相次いで洪水が発生した。日本国は山国と言ってよく、降雨土砂災害の備えなくして住める土地は限られている。日本は世界で最も雨水防災対策が行き届いた国と言える。とりわけ山間部への投資は凄まじく、水の流れが少しでも遅くなるための大小様々なダムの建設、土砂崩れを防ぐための堤防づくり、表層土砂崩れを防ぐための植林、そしてそれらの工事を可能ならしめるための道路建設まで加えると、世界中の為政者が目を疑うほどの多額な国費が、毎年これらの建設のために投入されてきた。日本を良く知らない世界中の人々は、日本国は工業生産と輸出を優先課題として国費を投入してきたと考えるかもしれないが、実はその分野はほとんど民間任せにされていて、行政はひたすら国土インフラを整えてきた国であり、日本のGDPのかなりの部分はその経費で占められていた。そういう国であったから洪水が起きるようなことは稀であり、日本国民は洪水とはどのようなものであるかも忘れかけていた。そういう状態で2019年に起きた洪水で、発生した泥土の量の多さに日本国民は驚かされた。その量でさえ、土砂発生を世界中で最も完璧なほどに防いだ状態で生まれたものである。民衆はともかくとして科学者においては、つい数百年前のインフラ工事などなかった時代の土砂発生量は如何ほどであったのか、想像をめぐらす必要がある。

□試みるべき降雨による堆積土砂量の算定

その想像の元となる材料は、実は事欠かない。たとえば日本の時代劇で、田沼意次の時代を背景とするものがある。今から僅か300年くらい前の話であるが、現在の東京、当時の地名で「江戸」の東部はベネチアのような町であり、水路が複雑に入り組み、主要な交通手段は小船であった。現在ではその水路は雨水堆積で埋まってしまい、舗装された道路に変わってしまっているため、誰も当時の風景を想い出すことなどできない。歴史学者や地質学者に必要なのは、それだけの速さで堆積が進んだ場合、千年前、二千年前、五千年前、一万年前はどのようであったかという視点と考察である。現在では河川ごとの年間堆積量の数字を得ることができるため、実は簡単な算数で想像を裏づけることができる。その計算で成り立つ年数は数千年程度であり、どのように緩めに算定しても一万年を超えるようなことはない。筆者の「本格的な降雨は僅か4300年くらい前に始まった」という信じがたい推論は、堆積土砂量の算定という“科学的”な手法においては極めて正当な説なのである。この方法は、世界中の河川で試すことができる。たとえば年間土砂堆積量世界第一位の黄河や、第四位の揚子江などについては研究者の数も多いため、必要な数字をネットで簡単に手に入れることができる。ぜひとも一人でも多くの研究者が、想像力をめぐらす試みをしてほしい。そうすれば、どの角度から研究をしても、地球の歴史が「億年」であるような数字は出てこないのである。

歴史学にとって想定必須の降雨による地形変化

□速かった降雨開始直後の土砂堆積の進行

降雨は「大洪水」後に隆起した高地を削り、地形を著しく変えた。アメリカのグランドキャニオンは、谷底を流れるたった一本の川であるコロラド川によって形成されたと言われている。筆者の論では、あそこは今から2700年くらい前までは北極圏近くに位置し、分厚い氷河が存在した場所なので、最初は氷河が大地を大きく削り、その後にコロラド川が浸食を引き継いだと筆者は考えているが、それにしても一本の川が偉業を成し遂げたことに変わりはない。「大洪水」後の僅かな年数の間に地球膨張の八割は達成されたが、隆起直後は高山といえども尖った山などなかったはずである。全ての山が表層土を抱いていた。その表層土は雨水に流されやすい。つまりこのことは、本格的な降雨が開始されてから当分の間は、川下での土砂堆積の進行は急激であったと考察される。

□インダス川領域に見る土砂堆積進行例

土砂堆積の進行でとりわけ注目されるべきは、陸地移動に基づく陸地の接合部である。インド大陸がユーラシア大陸に接合したことは、科学者の間でおそらく異論はないであろう。ヒマラヤ山脈はいつもその考証として取り上げられる。しかし、インド大陸の西部インダス川流域と、東部ガンジス川河口の現バングラディシュ国の領域について、大陸接合の話は聞いたことがない。この部分も確かに接合部分であるのに、どのように接合されて現在に至ったのか、誰も提起しようとはしなかった。筆者は東部については着手しなかったが、西部については入念に調べた。パンジャブから下部のインダス川領域は、２つの大陸に挟まれた細長い海峡を成していたのである。それが大インド砂漠の砂の流出によりモヘンジョ・ダロ付近で隘路が形成されたため、それより上流部分は土砂の堆積が急速に進行し、海峡部分は埋め立てられ、紀元前二十世紀頃にはほとんど陸地になってしまったのである。それでは、海峡を埋め立てるほどの土砂が本当に存在したのかについて、疑問を感じる向きも必ずあろう。それがヒマラヤ山脈域から流出した表層土なのである。岩が剥き出た現在のヒマラヤ連邦の山々からは想像ができないほどの量の表層土が、かつて雨が降る度に流れ出ていたのである。

□堆積進行と人の住み着きとの密接な関係

歴史学者にとって、この想像は大切である。この堆積が進む様子は、人の住み着きに密接に関係するためである。インダス領域に限って言えば、最初はガンダーラという山岳区域に定住が始まり、次に今は消滅して存在しないサラスヴァティ川沿いに居住の拠点が移っていった。それからさらに年月が経ち、インダス川下部領域のモヘンジョ・ダロに綿製品の生産拠点を築くことになる。さらに時を移してアラビア海に近いカチャワール半島周辺にも、アクセサリーなどの製造拠点を造るようになる。拠点造営のこの流れは、インダス川流域の土砂堆積の進行と一致する。ハラッパーの遺跡を垣間見ると、ハラッパーの地が何度も大きな洪水を乗り越えてきたことが分かる。この洪水を避けるために支配者の生活拠点は少しずつデリー近辺の北インドにシフトされていき、鉄器時代となって鉄斧が使えるようになると、森林伐採が可能となったことにより、さらに東のガンジス川流域に住み着くようになった。最初の住み着きから千年を経過していた。このような歴史の筋立ては、堆積進行の様子を思い浮かべることなしでは成立しないのである。

第二節 寿命の変化

地球膨張の動きは、一見関係がないように思える人間の寿命をも変化させた。旧約聖書に書かれている人類家系図の寿命の長さの変化を、次図（図Ｉ-７-２-１）で視覚として捉えてほしい。

寿命の長さと継嗣を得る年齢幅が、「大洪水」の前後から劇的に短くなっている。「大洪水」を挟んで人の遺伝子が変わったわけでもないし、得られた食料が従前と比較して少なかったわけでもないであろう。食料の量は一時的な減少はあっても、恒久的な不足は考えることはできない。そもそもこのような寿命の変化を信じることはできないので、旧約聖書の記述は真実ではなく、あくまでも神話であり、一宗教書の中の作り物語に過ぎないと考える向きも多いであろう。それが世間一般の科学者がこれまでとり続けてきた態度であった。

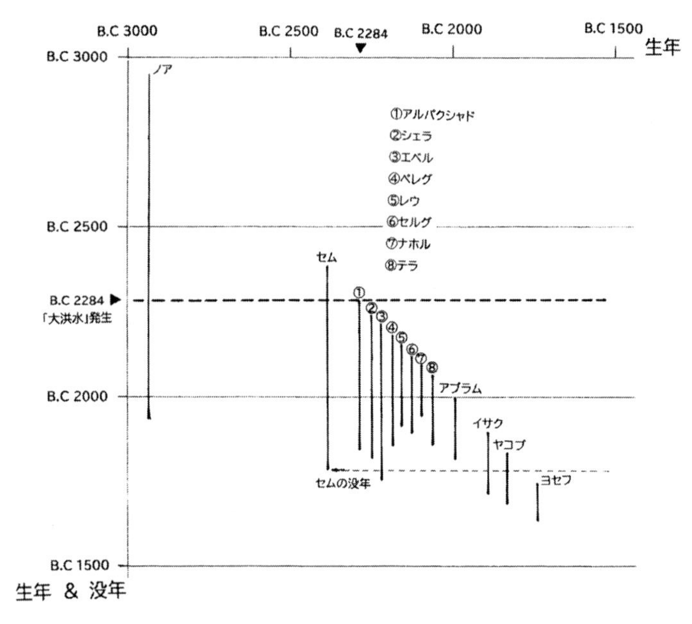

図Ⅰ-7-2-1 「大洪水」発生と聖書記載人物の寿命変化

紫外線効果が原因であった「大洪水」後の寿命短縮

□空気中酸素量の減少と寿命との関係

もし寿命の変化が真実であるならば、そこで考えることができる一つの要因は酸素濃度の低下である。太古の遺物として発見される琥珀に閉じ込められた酸素量は、現在の1.5倍ほど濃かったことが分かっている。大気中の酸素量の33%もの減少が人間の寿命にどのように影響を与えたのか、この点に関しては筆者には不明であるが、そのことに関して消極的な見解は持っている。筆者はネパールの高地を訪れたことが度々あった。高度3000メートルで大気中酸素量は半分近くとなるが、そこで暮らしている老齢者は普通の数で存在する。体格がやや小柄ということはあるかもしれないが、それは山奥高地での暮らしはどうしても僻地となってしまうので、酸素濃度よりも栄養不足の方が影響を与えている可能性が高い。このように、実体験では空気中酸素量の減少と人間の寿命との関係は見出せない。南米ペルーのクスコやボリビアのラパスなどは3,000m以上の高地に位置しているが、そこの住民の寿命が短いというような話は聞いたことがない。

□紫外線光量の増加と寿命短縮の一致

この寿命の変化の原因探りで、決定的とも言える説を飛鳥昭雄氏が示した。太陽光線の中の紫外線が生物の細胞を破壊し、老化を促し、生物を短命化させたというのである。彼は宗教的な理由により屋内に閉じ込められて成長した三人兄弟の実例を挙げ、紫外線を浴びることなく成長すると成長が非常に遅いことを証明した。前図（図Ⅰ-7-2-1）によれば、洪水の２年後に生まれたアルバクシャドから、65年後に生まれたエベルまでの三人の寿命は、いきなり洪水前の半分になっている。さらにその後100年程度の間に、寿命は洪水前の四分の一になっている。筆者が説くように、「大洪水」によって初めて地上に直射日光が達し、その紫外線光量も地球膨張達成曲線とともに増えていったと仮定すると、紫外線光量の増加と寿命の短縮がかなりの一致を見ていることは確かである。

□成長過程での紫外線を受ける時期と寿命との関係

興味深いのは、人の一生での紫外線を受けた時期と寿命との関係である。はるか前の第二章第二節で、アダムと後継者たちの誕生と寿命を示した図Ⅰ-2-2-1（P44）を参照して頂きたい。図で点線の部分は紫外線を受けなかった期間、そして実線部分は紫外線を受けた時期を示している。ノアは600歳の時から紫外線を受けているのに「大洪水」後450年間も生き長らえ、彼の寿命は950歳という具合で、紫外線を浴びたことが寿命短縮に影響していない。ノアの子セムは100歳の時から紫外線を受け始め、「大洪水」後500年間も生き長らえたが、死亡時は600歳という具合に従前の三分の二にまで寿命は短縮した。ノアの孫のアルバクシャドは0歳の時から紫外線を受け始め、寿命は438歳というように、従前の半分以下の長さに短縮した。この三人のデータから類推できることは、人は細胞分裂が盛んな時期に紫外線を浴びると寿命への影響を受け、受け始めの時期が早いほど寿命短縮への影響も大きいということである。

□創作たりえない三人の寿命数値

さらにもう一点、この三人の数値は紫外線作用という科学的な視点を持ち込めば非常に微妙な数字であり、とても創作であるとは思えない。もし創作であるとしたら、医学を知り尽くした人でなければ創出できない数値である。寿命の変化を示す数値を信用できないことよりも、旧約聖書が成立した年代にそのような人物が存在し得た可能性の方が、遥かに少ないということに着目すべきである。

寿命の短命化が促した月神信仰の高まり

□「大洪水」後の最初の宗教は太陽神信仰

「大洪水」後に太陽の光を浴び始めて、人々はどのように感じたであろう。最初はびっくりし、そして明るさと暖かさに喜びを感じたことは間違いない。光合成も盛んになり、シダ類主体の植生から果実を得られる広葉樹などの植生に大きく変化していき、自然からの恵みも格段に増えていった。太陽光の恵みに感謝感激し、「大洪水」後に太陽神信仰が盛んになったことは十分以上に理解できる。

□若者が先立つノアとセムの悲哀

しかし、洪水の二年後に生まれたアルバクシャドは、セムが亡くなる前にこの世を去っている。おそらくは病死などではなく、老化が原因の衰弱死であったことだろう。セムは600歳まで“長生き”した。旧約聖書にある後継系図で、「大洪水」後に生まれて彼が亡くなるまで生きていた人は、僅かにエベルとイサクのみである。ヘブライ人の草分けであるアブラハムでさえ、セムが亡くなる前に他界しているのである。セムにしてみれば、子や孫、曾孫という若い世代が見る見るうちに老けていき、そして自分より先に亡くなってしまうのである。ノアが亡くなる前に先立った後継はナホルだけであるが、アルバクシャド以後の後継の老け具合があまりに速く、「大洪水」後に生まれる者が皆、自分と同じような容貌に変わっていったのを見ることは辛かったであろう。このノアとセムの悲哀は如何ばかりであったか、想像に余りある。

□寿命の短命化が促した信仰分化

ノアやセムは預言者でもあり、神への信仰に揺るぎなど生じなかったであろうが、世間一般の多くの人々は太陽神信仰に揺らぎが生じ、柔和な光である月光を尊ぶ月神信仰や、作物など大地の恵みに感謝する大地母神信仰に流れていったと筆者は推測する。メソポタミアで太陽神エンリル信仰から月神や大地母神のアシュラ信仰が分化していった宗教史の背景に、太陽光照射による寿命の短命化の問題が潜んでいたのではないかと、筆者は秘かに考えている。

「大洪水」前の長寿社会がもたらした人々の“退廃”

□進歩が早かったと推測できる長寿社会

「大洪水」以前の人の寿命の長さが事実であった場合、その時代の社会の進歩という点においてどうだったであろう。筆者が古代史においてつい反発してしまうことに、「衣類もろくに纏わず石器を使い続けた時代が千年単位で続いた」という、歴史学者の多くが疑問を挟まない、古代の進歩に関する歴史観である。筆者の歴史研究期間は僅かに三十数年である。もし寿命が延びて研究期間が二倍に延びたら、筆者がほとんど手をつけられなかったメソポタミアや中央アジア、そしてギリシア文明以降のヨーロッパの歴史についても見解を持てるようになっていたかもしれない。それは一つの喩えであり、千年に近い寿命を持った社会というのは、現在では想像がつかないくらい進歩が早かったと思われる。

□圧倒的に多かった退廃の中に沈んだ人々

しかし、それは向上心を持てた人々についてのことであり、生きるにあたり何らかの目標や生きがいというものを持てなかった人々については、寿命千年というのはあまりに長かったであろう。酒色に溺れ、退廃の中に沈んでいった人々の方が、数としては圧倒的に多かったに違いない。ソドムとゴモラの人々の例のように、旧約聖書に書かれている「大洪水」の原因となった人々の退廃とは、そういうことであったのかもしれない。

「アダム（地球に）連れて来られる」（旧約聖書表現）

この項、余談である。

□地球の歴史「46億年」が生まれた背景

さて、寿命の項の最後にアダムの出現について述べてみたい。そもそも、地球の歴史は46億年という説が生まれた背景となったのが、人間というまさに高度な生き物が、微生物から始まって進化を遂げるのに必要な時間数を算出してのことであった。筆者が指摘するような雨水侵食による山の変形や堆積度合いの検証など、見向きもされなかった。筆者が学生の頃は確か39億年という数字であったように記憶しているが、39億年や46億年という数字が先に存在し、その長さに合う年代設定理論が考案されて、地球史の理論構成が成されていった。

□現在は進化論よりも環境適正生存論の方が主流

DNA学者によれば、46億年という短い時間では人間のDNAは完成し得ないと言う。人間に限らず、生物は進化によって現在の姿を得たという考え方が、生物学の原点を占めていた。この考え方を現在でも維持している学者の数は少なくないが、今は環境適正生存論の方が主流である。「時代環境に合わせて生物が進化を遂げた」のではなく、「時代環境に適合した生物のみが生き残ってきた」という考え方である。「大洪水」後の地球環境の激変は、生物体系をすっかり変えてしまった。

□プラズマ作用による楽園ごとの瞬間移動

話は戻るが、それにしても私たちはアダムの突然の出現をどのように捉えることができるのか。そのヒントは旧約聖書に書かれていた。アダムは地球に“連れて来られた”のである。では、誰が連れてきたのか？　それを「神」であるとしたら、本書は宗教書になってしまう。筆者は太陽と地球との間に、あるいは太陽を介して遠い別の星との間に何らかのプラズマ作用が働き、アダムは楽園ごと、植物も動物も菌さえも含めて、一包みで他星から地球に瞬間移動して来たと思っているが、これ以上のことを書けば書くほど読者の信用を失いそうであるので、この項の記述を終える。

終章

間近い「ノアの洪水」話が真実となる日

以上の論説は、単なる筆者の妄想に止まらず、歴史的事実であったことが証明される日が遠からずやって来ると、筆者は以下のような理由で考えている。

（1）「ノアの箱舟」実物遺跡の公開発掘

現在、アルメニアの国境に近いトルコのアララト山に複数の船の残骸があり、それぞれが「ノアの箱舟」とされていて、信用性に乏しい一面がある。そのうちの一つは、第二次大戦直後の1948年に起きた大地震による崩落によって、「ノアの箱舟」実物の遺跡と噂されてきた。極秘にされてきたと言うが、既述のように現在はトルコ政府によって遺跡公園になっている。その遺跡が公開で発掘されれば、いずれ世界中の人々の目に晒される時が来よう。最新科学による検証によって、世界中の人々がお伽噺話であると思っているノアの箱舟の話が事実であったことを、皆が知る時がきっと来ると、筆者は想像している。

（2）“壊れかかった月”の実態が知れ水の行方が問題となる

次に、月探査の進行である。現在ではJAXAも月探査に参加している。これまで軍事組織NASAが太陽系惑星に関する情報を独占してきたが、日本などアメリカの干渉が及びにくい国の月探査への参加により、“壊れかかった月”の実態が、世界中に知られる日が来る可能性が高まるであろう。月の実態が映像で知られれば、月内部の水がどこに消えたのかが問題になり、「ノアの洪水」話が現実の事として捉えられる日が来よう。

(3) 惑星ヤハウェの実在が確認される

もう一つ、世界の真の歴史が明らかになる日が来る可能性がある。それは惑星ヤハウェ実在の確認、あるいは出現である。近頃、月だけでなく、火星への興味も世界中で増してきた。様々な事実を隠蔽してきたNASAは、先手を打って火星の探査をリードしているが、既に参加したEUに限らず、いずれいくつもの国が参加することになるだろう。火星の公転の位置にもよるが、地球から火星に探査機が到着する前に、太陽の裏側の惑星ヤハウェが見えてしまうのである。さらに、別の問題もある。地球とヤハウェでは公転速度に若干の違いがあり、飛鳥昭雄氏が著書で発表したその数値で筆者が計算すると、惑星ヤハウェは既に地球から視認できる位置にあるのである。現在は太陽コロナが邪魔をして地球からは見えないようだが、それも時間の問題である。この惑星ヤハウェの実在が確認されたとき、宇宙くずが凝集して星ができるという、それまでの宇宙形成の考え方が根本から覆されて、太陽系や宇宙全体の形成理論が大点検を迫られると同時に、惑星ヤハウェが過去に地球に異常接近した可能性が浮上し、「ノアの洪水」についても、史実として真剣に取り上げられることとなろう。

地球の今後の変化予測

これまで「大洪水」が史実であることの根拠として、「大洪水」発生前後から現在に至るまでの地球の変化について詳細に論じてきたが、その締めくくりとして今後の地球がどのように変わっていくのかについて、余談として若干述べてみたい。

□冷却化が進む上部マントル

これからの地球の変化について明確に言えることは、冷却化の進行である。高熱流体であった惑星が、摂氏−270度の宇宙空間の中で冷却が進行することは、今後の地球も例外ではない。たとえ地球に「大洪水」が発生しなかったとしても、地球の核部分は冷却化によって縮小を続け、またマントル部分は逆に体積を増していく。その結果として外形も縮小されるかどうかについては、筆者にはよく判らない。

ところで、地球の場合は「大洪水」発生時の罹災によって損傷を受け、核部分のマグマが損傷個所を伝って上昇し、「上部マントル」が新たに誕生した。この部分は高熱による水蒸気化を伴ってマグマが膨張したことによって形成され、基本的に単一物質構成で高熱状態であった。「大洪水」発生後既に4300年を経過し、その間に冷却化された部分は固体となったが、まだ熱の高い部分は液体状態にある。この上部マントルの冷却化が将来さらに進むと、地球の構造はどのように変化するかの考察を試みた。

□地殻が保つ地球内外圧力バランス

上部マントルで冷却化された部分が固体のリソスフェアで、まだ高熱を保っている部分が液体のアセノスフェアと考えて良い。この場合の液体は水蒸気を含んでいるので、上部マントル構成物質が液状から固体に変化すれば、それは水分の体積だけを考えれば1600分の1に縮小することになる。上部マントルの固体化が進めば、それは上部マントル内に相当量の空洞が生まれることになる。上部マントル内に多量の空洞が生まれたとしても、地球が地殻に完全に覆われて密閉状態が保たれていれば、地球の外形に変化はないであろう。海嶺部分は地球の割れ目であり、密閉状態が崩れる危険個所であるが、そこはマグマが冷えて固体化することによって穴が塞がれた状態になっているので、海嶺部分が原因で地殻内外の圧力バランスが崩れることはないと推測する。

□海溝の存在が地球を縮小化に導く可能性

ところが、地球はこれまで巨大海溝部分で地殻が上部マントル内に侵入してきた。地球の地殻は、そこに大きな割れ目を持っている。これまで巨大海溝においては、海嶺から押される圧力が原因で海洋性地殻が上部マントル内に押し込まれてきた。海嶺からの圧力が消えた現在、残存圧力が消え次第に海溝部分での動きも止まるはずである。しかし今後は、上部マントルの冷却化が進むことにより上部マントル部分の体積が減少し、地殻を挟んだ地球外部からと内部からの圧力均衡が崩れる可能性がある。その時、巨大海溝部分の割れ目が圧力調整の場になり、海洋性地殻は“押し込まれる”ではなく、今度は“引き込まれる”ことによって、引き続き地球内部に侵入していくことを想定できる。すると、これまでとは異なり新しく生まれる地殻は存在しないので、地球は時間をかけて冷却化とともにゆっくりと縮小していくことになる。

□地球縮小化の余波

その影響は第一に、太平洋が小さくなることである。これは地球物理学的には大変大きな出来事であるが、人々の暮らしには大した影響はない。その影響の第二は、集中的に大海溝近辺に現れる。大海溝近辺においては地殻の引き込まれによる影響が顕著に現れ、これまでとは異なるメカニズムで発生する地震が増え、また海溝線に平行したラインで地割れや陥没が多数発生することになる。日本列島の日本海溝に近い海岸部などは、そのような災害が発生する典型的な位置に存在する。2011年３月11日に発生した東日本大地震も、そのような新しいメカニズムで発生した地震であった可能性が高い。間違っても行政機関や企業は、これらの場所に原子力関連施設を置き続けるようなことをしてはならない。

第Ⅱ部

【検証】
エジプト史における「大洪水」発生

「紀元前2284年頃に大洪水は起きた」ということを、第Ⅰ部で述べた。その検証をさらに具体的に、通史の中でそのようなことが成立するのかどうかということを、世界史で代表的な地方史であるエジプト史を例にとって行ってみたい。地学の領域を離れて歴史学分野の記述に変わり、また「大洪水」を少し離れて言及したい部分もあるので、この部分を独立させ第Ⅱ部とさせて頂いた。

第一章 エジプトの地理と歴史

「大洪水」が史実であったかどうかという論説には、単に歴史部分の検証に止まらず、地理や居住環境など広範にわたって述べなければならない。そのためエジプト史に深く立ち入る前に、導入部としてエジプト全般について若干触れておきたい。

第一節 現在のエジプト

エジプトの地勢と気候

□地球儀におけるエジプトの位置と気候

エジプトはアフリカ大陸北東部に位置し、北は地中海、東は紅海に接し、アフリカ大陸とユーラシア大陸との唯一の接合部分となっている。その中を世界最長の川として知られるナイル川が、南方のスーダン方面から北の地中海に向けて流れている。国土のほとんどは、サハラ砂漠の一角を占める砂漠地帯となっている。そのため、乾燥気候で居住に適さず、ナイル川沿い地域と限られた数のオアシス地域に人々が暮らし、国土面積の大半は無人の土地となっている。

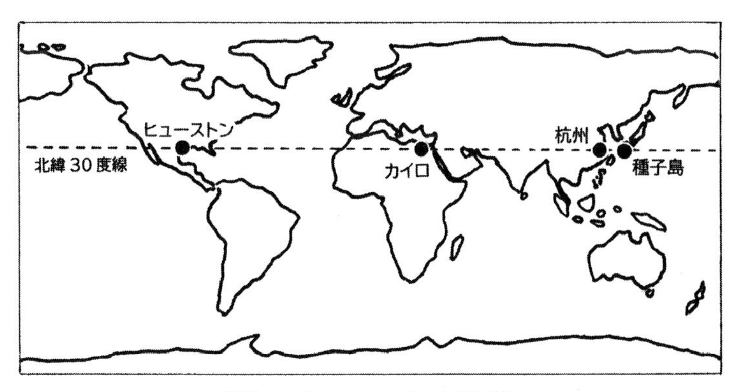

図Ⅱ-1-1-1　カイロの緯度線

エジプトの映像から受ける印象は熱帯地域であるが、現在の首都カイロの緯度は日本列島の鹿児島県と同じである。日本人にとっては意外なほど、エジプトは高い緯度に位置している。

エジプトの地理

エジプト南端にあるアスワン付近に、世界地図では「第一滝」と書かれた急流部分があり、従来からここがエジプトの南端とされている。ここより南側部分は「ヌビア」と呼ばれ、現在でも広大なヌビア砂漠が存在する。アスワンからナイル川を北に向かってカイロまでの地形は谷を成し、砂漠地帯と崖で区切られている。その谷の幅は平均で20kmという狭さで、

図Ⅱ-1-1-2　エジプト位置図

河口域とその崖の内側部分以外にほぼ人は住まず、エジプト国のナイル川への依存度の高さが窺い知れる。カイロ以北はナイル川の広大なデルタ地帯を成し、カイロを挟んでの南北は地形と自然環境の相違が顕著であり、生活文化も異なった。

第二節　エジプト通史概観

エジプトの歴史は古い。世界史で最も古い文明と目されるメソポタミアの歴史は、新石器時代という区分で紀元前5000年代と推定されるジャルモ遺跡が最古の遺跡であるが、エジプトの場合はさらに古く、紀元前50000年にまで遡る石器時代が通史で定義されている。そのことをもって双方の比較など軽率にできるものではないが、エジプトの歴史は人類史の中で黎明期に起源を持つほどに古いということは言える。

通史に採用されている地域区分と王朝区分

□上エジプトと下エジプトに分かれた地域区分

エジプトの地形はコブラに似ている。首もとの位置が現在ではカイロ、古代ではカイロに近い地であるメンフィスであり、それより北側部分は威嚇するコブラの首元のようにデルタ形を成し、南側部分は蛇の胴体のように細長く続いている。通史ではメンフィスやサッカラ辺りを境として、ナイル川の三角州で蛇の頭部と首元に当たる部分を「下エジプト」、そして南側のナイル川沿いの細長い部分で、蛇の胴体部分に模せる部分を「上エジプト」と古来より呼称した。双方が別々に「王国」を成し、上下が統一された場合に「王朝」と呼称するように定義された。そのため、第一王朝より前のエジプトを部分的に支配した王朝の存在も確認されているが、通史には「王

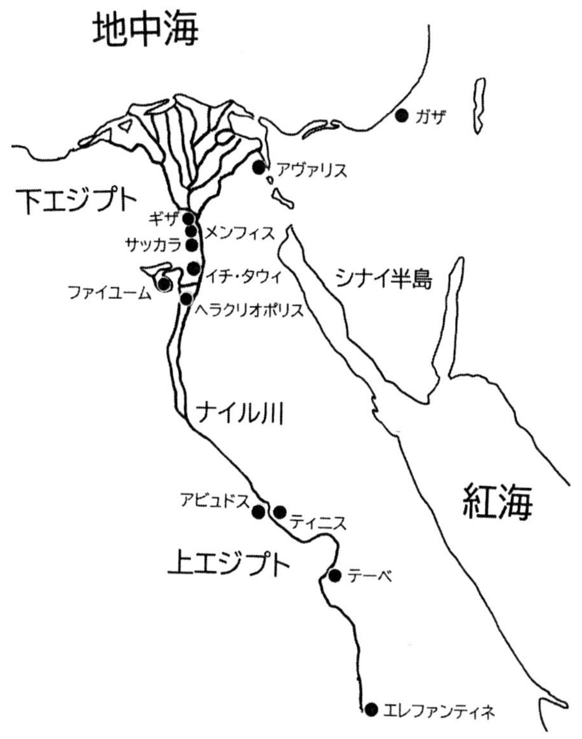

図Ⅱ-1-2-1　エジプト史における古代都市

朝」として載っていない。しかし、その原則はあくまで原則であり、たとえば第一中間期の第七王朝や第八王朝などは、王朝どころかファラオの実在さえも確認されておらず、実際には必ずしもそのようにはなっていない。

□マネトの王朝区分の採用

また王朝設定は基本的にはマネトの分類が学説に採用され、その

彼のファラオ記述は他の王名表と比較しても精度がかなり低い。とりわけ初期王朝時代や古王国時代に関しては、伝聞の域を出ないほどに記述精度は低い。マネトによって王朝設定が成された年代も紀元前後とかなり古く、彼の成した分類に関し、現在ではなぜそのように王朝分けされたのか、その理由が不明となっているケースも多く、研究者によっては王朝設定そのものが異なっている。

エジプト通史での時代分類

そのような事情もあり、エジプト通史に関しては説によっては時代分類と王朝所属が必ずしも一致しないが、最も一般的と思える分類を選択して下記に掲載する。年代設定はウィキペディアを参考とさせて頂いた。なお、第二十王朝以下は本論には必要としないので割愛した。

エジプト先史時代
エジプト先王朝時代
エジプト初期王朝時代
　第一王朝（B.C 3100～B.C 2890頃）
　第二王朝（B.C 2890～B.C 2686頃）
　　※別説　第一～二王朝（BC3000～2650頃）
エジプト古王国時代
　第三王朝（B.C 2686～B.C 2613頃）
　第四王朝（B.C 2613～B.C 2498頃）
　第五王朝（B.C 2498～B.C 2345頃）
　第六王朝（B.C 2345～B.C 2185頃）
　　※別説　第三～六王朝（B.C 2650～2180頃）
エジプト第一中間期時代
　第七王朝（年代推定不能）

第八王朝（年代推定不能）
第九王朝（B.C 2160～B.C 2130頃）
第十王朝（B.C 2134～B.C 1991頃）
エジプト中王国時代
第十一王朝（B.C 2134～B.C 1991頃）
第十二王朝（B.C 1991～B.C 1782頃）
B.C 1990頃　第十二王朝を興す。北部のイチ・タウイに遷都。
※別説　第十一～十二王朝（B.C 2040～1785頃）
エジプト第二中間期時代
第十三王朝（B.C 1782～B.C 1650頃）
第十四王朝（B.C 1725～B.C 1650頃）
第十五王朝（B.C 1663～B.C 1555頃）
第十六王朝（王朝時期不詳）
第十七王朝（B.C 1580～B.C 1550頃）
※別説　第十三～十七王朝（B.C 1785～1570頃）
エジプト新王国時代
第十八王朝（B.C 1570～B.C 1293頃）
第十九王朝以降省略

エジプト通史の特徴——精度の高い年代設定

□初期王朝時代以降はかなり正確

本書執筆に至るまで、エジプト史に正面から取り組むことなどなかった。日本人のルーツを探求することに精一杯で、精神的な面でもそこまで手が回らなかったのが実情である。この度、第一王朝から第十八王朝まで初めて概要を調べ上げ、判明したことがある。エジプト史の年代設定はかなり正確である、ということである。王朝区分の項でマネトの年代設定の精度は低く、とりわけ初期王朝時代や古王国時代に関しての精度の低さを問題としたが、それは全般正確なエジプトの年代設定の中でのマネトの年代設定への評価であることを、付則しておかねばならない。これまで年代設定では悩まされることが多かった。検査法の信頼度の低さや地層の年代設定の誤り、あるいは研究者の名誉欲などが相まって、異常に古い年代設定が成されることが多かった。メソポタミア文明やインド文明では、筆者の「大洪水」設定年以前は実態より約千年も古く年代設定が成されている。その点、エジプト史においては研究史自体が相当に古く、関与した研究者の数も多く、また研究相互の関連付けも成されていて歴史分析が重層的になり、年代設定もエジプト初期王朝時代以降はかなり正確であると判断できる。

□精度を高めた王名表の存在

その高い精度に貢献した資料が、以下の王名表の存在である。それら王名表の損傷具合はどれも著しく、それぞれの資料だけでは判読が困難であるが、王名表相互を比較・突合することにより推定が進んだ。

［**エジプト史王名表の一覧**］

①デン王の封印・王名表　第一王朝時代
　デン王を含む前後の歴代王名
②パレルモ石　第五王朝時代
　紀元前3150年以前の初代王朝晩期の王たちから第五王朝のネフェルイルカラー王までの王名
③南サッカラ王名表　第六王朝時代
　第六王朝テティからペピ二世までの王名
④カルナク王名表　第十八王朝時代

初代王からトトメス三世までの歴代の61人の王名
大半は破損のため判読不能
⑤アビドス王名表　第十九王朝時代
初代王からセティ一世とその息子（後のラメセス二世）の時代まで76人の王名
⑥ラメセス二世の王名表　第十九王朝時代
第一王朝から総勢42名の王名　アビドス王名表の複製品
⑦サッカラ王名表　第十九王朝時代
第一王朝のアネジブ王からラメセス二世までの王名
⑧トリノ・パピルス王名表　第十九王朝時代
神々が地上を治めていた時代からラメセス時代までの王名
⑨マネトの歴史書「アイギュプティカ（エジプト史の意）」記載の王名表
初代王からプトレマイオス一世（前367－前283）までの王名

第二章　「大洪水」前エジプト史

第一節　通史におけるエジプト初期王朝時代と古王国時代

　第Ⅰ部で詳説した「大洪水」は、エジプト通史に照らすと第六王朝時代の出来事であった。その意味で第五王朝以前は「大洪水」とは直接関係を持たないが、「大洪水」後のエジプト史を理解するうえで再三再四触れることもあるので、予備知識として心得て頂く程度の目的で本節を設定した。

エジプト初期王朝時代と古王国時代の通史概略

［エジプト初期王朝時代］

■第一王朝　B.C 3100～B.C 2890頃　王都イネブ・ヘジ（メンフィス）

・上エジプトのナルメル王が下エジプトも征服し、エジプトで初めて上下統一王位を得た。

・彼はリビアやパレスティナ方面まで遠征を行った。

・第三代ジェル王はシナイ半島を征服し、銅山が王家の独占となった。

■第二王朝　B.C 2890～B.C 2686頃　首都ティニス

記録資料に乏しく、通史的な歴史は復元されていない。

・ペルイブセン王の時にホルス神からセト神への切り替えがあったが、二代後のカセケム王の王名はホルス名に戻っている。

［エジプト古王国時代］

■第三王朝　B.C 2686～B.C 2613頃　首都メンフィス

・ピラミッドが大々的に建造されるようになった王朝。

・第二代ジュセル王が方形や階段型のピラミッドを領内各地に建造した。
・第三代王が「未完成ピラミッド」、第四代王が「重層ピラミッド」、第五代王が「崩れピラミッド」を、それぞれ造営した。

■第四王朝 B.C 2613〜B.C 2498頃 首都メンフィス

・ギザの三大ピラミッドを造営した王朝。
・初代スネフェル王は隣接南部のヌビアに侵攻し、またシナイ半島に外征した。彼は「屈折ピラミッド」、「赤いピラミッド」、「崩れピラミッド」という大規模ピラミッドを造営した。
・第二代クフ王もシナイに出兵し銅山を保護した。彼は二万人以上の労働者を動員して「クフ王のピラミッド」を造ったことで有名である。
・第三代ジェドエフラーはエジプト史上初めて自らを「太陽神ラーの子」とした。
・第四代カフラー王と第六代メンカウラー王もギザにピラミッドを造営した。

■第五王朝 B.C 2498〜B.C 2345頃 首都メンフィス

・太陽神ラーを信仰した王朝で、太陽神殿が七代にわたり熱心に建設された。
・最後の二人の王は太陽神殿を建てず、信仰の変化が見られる。
・最後の王ウナスが建てたピラミッドより、呪文を記したピラミッド・テキストが発見された。

■第六王朝 B.C 2345〜B.C 2185頃 首都メンフィス

・エジプト古王国時代最後の王朝。如何にして終わったのか不明？
・規模が小さく質も低いピラミッドが造り続けられた。

エジプト初期王朝時代・古王国時代の注目点

□古王国時代までのエジプト理解に不可欠な先入観の排除

エジプト初期王朝時代は、上エジプトの勢力が下エジプトを征服したことから始まった。これまでエジプト史に立ち入ることのなかった筆者には、意外なことである。肥沃な三角州を抱く下エジプトの方が、経済力からして上エジプトより優勢であったであろうし、世界の歴史はメソポタミアから始まったとすれば、文化の伝播や人の住み着きも、上エジプトよりも下エジプトの方が当然先であったろう。人口や富、そして文化水準や軍事力といった多くの点で、上エジプトが下エジプトを制覇したことに意外性を感じたのである。しかし、これには盲点があった。この“意外性”の正体として、現在の地形が下敷きとなって思考されていたのである。もし筆者の推論が正しければ、エジプト古王国時代まではエジプトは蛇のような地形にあらず、砂漠もなくステップが広がっていたことになる。また、紅海は存在せず、シナイ半島やアラビア半島はエジプトと陸続きとなっていて、メソポタミアからエジプトへの連絡路は、現在のようにスエズ運河が存在する区域を通って下エジプトに達したのではなく、上エジプトのティニスがウルやウルクと繋がっていたかもしれないのである。このように、古王国時代までのエジプトを理解するためには、地形や気候、そして民族の違いなどを含めて、あらゆる面で先入観を取り払って考えてみる必要がある。

□第四王朝における突然変異

第三王朝の第二代ジュセル王が方形や階段型の初期型ピラミッドの建造に着手し、第四王朝の初代スネフェル王までは、ピラミッド建設技術について順次発展の様子が見て取れる。しかし、第四王朝の第二代クフ王が建てたギザのピラミッドからは、それまでの技術発展の延長からは全く外れ、突然とんでもないほどの完成形が現れた。エジプトを専門に研究する歴史学者たちによれば、それはピラミッド建設技術に止まらず、絵や文字その他広範囲な文化に及ぶそうである。通常このようなケースでは民族の交代が成されたことになるが、エジプト史においてそのような変化は見出せない。言わば、第四王朝に起きた“突然変異”のような質の高い文化が、第一中間期から第三中間期までの中断はあるものの、クレオパトラまでに至るエジプト文化の基礎になっていると考えられる。このことは、筆者の「大洪水」のテーマに直接関係はしないが、エジプト史を考察する際の一つの視点ではある。

第二節　初期王朝時代・古王国時代の年代設定精度

第一章で「エジプト史の年代設定精度の高さ」について言及した。筆者が設定した「大洪水」発生年のB.C 2284は、エジプトでは古王国時代に該当する。それでは「初期王朝時代と古王国時代に限って年代設定にどの程度の精度があるのか」について述べたい。

□年代設定採用に主流たるトリノ王名表の信頼度

王朝区分の項で、マネトの区分の精度の低さについて言及した。その信頼度の低いエジプト古王国時代に関しては、王の存在そのものや王位についた年と年齢、そして在位期間などがかなり怪しい。王名表の数は多いがほとんど名前の羅列であり、即位年や在位年数どころか順番さえ定かでないものも存在する。トリノ王名表とパレルモ石に関しては、在位期間や実績なども多少は書かれている。とりわけ年月日の情報までが記載されている唯一の資料がトリノ王名表であるが、これはパピルスという紙に書かれており、移送中に甚だしく傷んでしまって断片しか読み取れない。年代設定で「トリノ王名表」という名が出てくると、つい信頼が高いと思いがちである。ところがトリノ王名表の保存状態は、実態は右図のようである。この状態で「王名表」など、とてもではないが復元などできず、トリノ王名表の存在価値は、他の資料と組み合わせて王名表を復元する際のかなり有力な材料の一つというところが実際であろう。出典が「トリノ王名表」と書かれていても、関連記述を頭から信ずるような態度は好ましくないのである。

図Ⅱ-2-2-1　トリノ王名表（模写）
出典ウィキペディア（日本語）

□神官マネト著作の歴史書既述の信頼度

エジプト史で年代設定の有力資料となっているもう一つの資料は、紀元前三～四世紀に存在した神官マネト著作の歴史書『エジプト史（原語でアイギュプティカ）』であるが、これも原本は存在せず、ヘロドトスなどによって言い伝わった部分しか残っていないうえに、第十七・十八王朝以前はマネトにとってさえ遠い時代であったため、古代に関しての記述内容の精度はかなり低くなっている。それでも、現エジプト史の年代設定は別として、王朝区分はマネトの歴史書に拠っている。王の名前や在位期間などについては、現在はトリノ王名表の内容が採用されることが多い。

□中王国時代や第二中間期時代のトリノ王名表は正確

そのマネトの資料とトリノ王名表について、年表に関する信頼度を検証してみたい。一例として、第十五王朝の開始時期に関し、マネト資料ではB.C 1839に、またトリノ王名表ではB.C 1663に開始されたことになっている。後述するが、通史の「7年の飢饉」発生年次を基に筆者が探索したヨセフの誕生年と没年は、旧約聖書の記述内容が通史の流れにピタリと一致し、トリノ王名表の年次の精度の高さが裏打ちされた。トリノ王名表は、神々が地上を治めていた時代から第十九王朝のラメセス時代までの記録であり、第十五王朝はトリノ王名表が作成された第十九王朝時からは“近い過去”であったため、より正確なのであろう。マネトの記録では176年も時代が遡る設定となっており、その開きの分がそのまま筆者のマネトの年代設定に対する信用度を引き下げている。エジプト中王国時代やエジプト第二中間期時代を語る際には、年代表記はトリノ王名表に拠るに限るようである。

□古王国時代は開始時期さえ「誤差範囲225年」

それでは、「大洪水」が発生したエジプト古王国時代についてのトリノ王名表の年代精度は、どうであろうか。実はトリノ王名表のこの頃の記述部分は、既述のように傷みが激しく、ほとんど読み取れないのである。他の王名表を重ね合わせ、発掘事例研究を積み重ねて多くの研究者が推論し、最も有力とされる論が主体となって通史は形成されている。それでも、通史の年代設定が統一されているわけではない。研究者ごとに年代表記が異なっているのである。たとえば第一王朝の開始時期について、最も有力なのは紀元前3125年であるが、紀元前3100年説や紀元前3000年説もかなり有力であり、また遺跡発掘の際の地層判断を根拠として紀元前2900年説も存在する。エジプト史の始まりである第一王朝の開始時期でさえ、「誤差範囲225年」という状態である。

第三章　「大洪水」発生探索と検証

第Ⅰ部において、「大洪水」は紀元前2284年に発生したと、その発生年を特定した。この第Ⅱ部では、その設定がエジプト通史において正しく当てはまるのかどうか、具体的には、どの王朝のどの王の時に「大洪水」が発生し、通史内容に照らして「大洪水」事件発生は史実たり得るのかどうかを検証する。

第一節　B.C 2284「大洪水」発生について

「大洪水」発生年特定考察のレビュウ

まず、「大洪水」が紀元前2284年に発生したことについて、その発生年を特定した思考のプロセスを整理してみたい。

①アダム出現から洪水発生までが1656年
②洪水後からヤコブの誕生までが450年
③ヤコブの誕生年不明
④モーセ導きのエジプト脱出をB.C 1280に仮設定
⑤イスラエル人のエジプト滞在期間が430年
⑥ヨセフの兄弟たちが全員エジプトに揃った年はB.C 1710
⑦B.C 1705年頃以降ナイル川デルタ地域に干ばつによる長期の飢饉の痕跡あり
⑧その飢饉を旧約聖書『創世記』記載の「７年の飢饉」に設定
⑨イスラエル人のエジプト滞在開始年を飢饉二年目のB.C 1704に設定
⑩ヤコブも行動を共にしたのでヤコブのファラオ面会年を同年に設定

⑪ヤコブのファラオ面会時の年齢は130歳
⑫ヤコブの誕生年はB.C 1834
⑬「大洪水」発生年はヤコブ誕生年の450年前のB.C 2284

「大洪水」発生年であるB.C 2284の誤差――「３年以内」

次に、その設定をエジプト通史に照らし合わせる前に、その「大洪水」発生年の筆者の特定について、考え得る誤差範囲を定めておきたい。

□大前提

最初に確認すべきことは、筆者の「大洪水」発生年特定のプロセスは、「発生年特定に関連する旧約聖書の記述は正しい」という前提に立っていることである。この大前提に疑義を挟まれると、筆者の設定は成立しない。

□飢饉始まりの歴史年設定及び歴史事件相互の関係

次に、上記の「大洪水」発生年特定のプロセスは、⑦の「ナイル川デルタ地域において発生した干ばつによる長期の飢饉」の発生年を基礎として成り立っている。つまり、エジプト通史に記録された一つの考古学的な事実に基づいて、発生年の特定が成立したのである。もしこの発掘調査の飢饉発生年設定が動くようであれば、筆者の「大洪水」発生年もその分修正されることになる。しかし、次章で発掘調査報告どおりの年代設定で第十四王朝から第十六王朝までのエジプト史を検証するが、その年代設定が他の歴史事件との関係で非常に的確に符合するので、筆者は通史における「B.C 1705年頃」という飢饉始まりの西暦年設定は、かなり正確であると受け止めている。とりわけ、旧約聖書のヨセフに関する記述を通史に照らすと、歴史事件との繋がりが明快となる。遺跡調査の年代測定については言及する立場にはなく、もしその年代測定に誤差がなければ、筆者の「大洪水」発生年についても、通史面から影響を受ける誤差はないことになる。

□イスラエル人のエジプト滞在開始年の関係

「大洪水」発生年特定に関する誤差についてのもう一つの不確定要素は、イスラエル人のエジプト滞在開始年である。筆者は、ヨセフの兄弟たちがエジプトに行った年を飢饉二年目のB.C 1704に設定した。ヨセフとの再会を終えて彼らが一度カナンに戻り、ヤコブを含めて家族全部がエジプトに移住したのも同年と設定した。干ばつ飢饉で食べ物のないカナンに長期滞在はしないし、できないとの判断であるが、実際の移住年は飢饉三年目であった可能性もなくはない。その意味で、「1年」の誤差発生の可能性がある。

□旧約聖書記述における問題点

さらにもう一点、第Ⅰ部で既述であるが、旧約聖書の記述自体についての問題があった。セムの子のアルバクシャドの生年についての旧約聖書内での記述不一致で、その年数誤差は「2年」であった。

□誤差範囲は「3年以内」

これらの要素を勘案すると、筆者のB.C 2284という「大洪水」発生年についての誤差範囲は、「通史に照らして1年以内」そして「旧約聖書の記述において2年以内」ということになり、誤差範囲は最大で「3年以内」ということになる。「3年」という数字をどう見るかにもよるが、旧約聖書とエジプト通史に照らす限りにおいては、B.C 2284という設定の確度は高いと言える。

第二節　通史における「大洪水」発生年の特定

B.C 2284という「大洪水」発生年についての誤差範囲は、最大で「３年以内」とした。それでは通史では「大洪水」はいつ起きたことになるのか、具体的には「どの王朝」の「どの王」の時に「大洪水」は起きたのかについて、究明していきたい。

第六王朝の年代設定誤差

□「大洪水」発生年は第六王朝時代に該当

「大洪水」が発生した紀元前2284年を通史に当てはめてみると、この時代のマネトの年代設定は信頼度が低いので不採用とし、通常用いられているトリノ王名表を重視した年代設定に照らしてみると、B.C 2345からB.C 2184まで存在した第六王朝の中途に位置することとなる。この期間においては、「３年以内」とした「大洪水」発生年の設定誤差には影響されない。

□第六王朝の年代設定誤差は「50年から100年」

そうなると次の作業として、その第六王朝の年代設定についての誤差範囲を調べる必要がある。第二章で述べたように、初期王朝時代から古王国時代にかけての時代における年代設定誤差は大きく、初期王朝時代の始まりの「誤差範囲225年」はともかくとして、第六王朝に関しても資料を手繰っていくと、年代設定誤差は「50年から100年」というのが研究者たちの正直な考え方なのである。仮に第六王朝が100年早く始まったとすると、B.C 2445からB.C 2284が第六王朝期間となり、偶然にも筆者設定の「大洪水」発生年に第六王朝は終了したことになる。逆に第六王朝が100年遅く始まったとすると、B.C 2245からB.C 2084が第六王朝期間となり、「大洪水」

は第六王朝ではなく第五王朝時代に発生したことになる。ところが、第六王朝の四人の王の墓がサッカラに実在するので、「大洪水」が第五王朝時代に発生した可能性はない。

「最後の王」は誰か

□あまりに違い過ぎる王名表の在位年数

「大洪水」が発生した時代は第六王朝であったことが確定した。そこで第六王朝に存在した王の名を探ってみると、最も一般的な王名表は以下の通りである。

王名	トリノ王名表による在位	他資料による在位
テティ	6ヶ月	12年
ペピ一世	20年	49年
メルエンラー	44年	5年
ペピ二世	90年	94年もしくは64年

第六王朝の開始年を通史に従ってB.C 2345と仮設定すると、「大洪水」は第六王朝開始の61年目に発生したことになる。トリノ王名表に基づけばメルエンラー王の在位40年目頃、また他資料に基づけばペピ一世の没年と重なる。上表を一瞥して分かるように、トリノ王名表と他資料による在位年数の違いはあまりに大き過ぎる。それゆえ通史での「大洪水」発生年の特定は、王名表だけでは王別での時期判定は困難であり、王朝時代を特定する程度のことしかできない。

□ペピ二世が古王国時代最後の王

他の要素を調べてみると、王墓の存在がある。これら四王ともサッカラに王墓が発見されている。第六王朝の王墓は全てサッカラに存在し、次の第七王朝や第八王朝の王墓は存在しない。すると、ペピ二世の王墓が発見されたエジプト古王国時代最後の墓ということになる。ファラオの墓は、ファラオが即位するとすぐに造営が始まった。古王国時代最後の王墓の持ち主であるペピ二世の在位の長さから、彼の王墓は当然完成され、埋葬の準備は全て整っていたと推定できる。その墓に彼のミイラが発見されていない。それは埋葬が何らかの事情で成されなかったか、あるいは埋葬の機会そのものがなかったことになる。そのため、ペピ二世が「大洪水」発生時の王であったと推察される。

□長過ぎるペピ二世の在位の真相

ペピ二世の在位は94年間とされてきた。彼がたとえ六歳という年齢で即位したとしても、エジプト史で後にも前にも、これほどの長い在位の記録は他に例がない。考古学資料として確認されたペピ二世の活動記録は、治世62年〜63年までである。「在位94年」という記録はマネトの資料に基づくもので、実は「64年」の書き誤りであったという説も近年有力であるが、それにしても長い。ペピ二世の治世64年の時に「大洪水」が発生して彼の治世は突然終了し、後世から見て突然終了の事情や以後の情勢に関し、混沌としていて何の情報も得られず、後世の宮廷歴史官の誰かが「第一中間期の一部とペピ二世の治世期間を足し合わせて年数調整を行い、結果としてペピ二世の治世終了を大幅に引き延ばして歴史としての体裁を整えた」というのが、筆者が考える「在位94年」という長過ぎる在位の真相である。

□ペピ二世の次の二人の王の存在は後世の誤記

「アビュドス王名表」によると、ペピ二世の次にメルエンラー二世王、さらにその次にネチェルカラー王の名があり、それぞれの在位が一年にも満たない。また資料に乏しく正確性は欠くが、二人ともサッカラに王墓の史跡がないようである。ネチェルカラー王については、1883年にエジプト学者ルートヴィ・シュテルンは、ネチェルカラー王とメルエンラー二世王の妻と目されるニトクリス女王が同一人物であるとの説を唱えた。これら二人の王の王名表への記載は、後世における誤記と筆者は考えている。ペピ二世は長寿であったため、子のメルエンラー二世は熟年の皇太子として存在し、さらに孫のネチェルカラーも成人し、彼は通常であれば世継ぎの後継王としての資格を得ていたであろう。これら二人の名は実在するファラオ後継として記録に残り、「大洪水」で一切が失われた後の事情が暗くなってしまった中で、歴史が組み上げてしまったものと考えられる。ペピ二世の治世期間が異常に長くなってしまったのと、同じ事情であったと推測する。

「歴史の中断」が示す「大洪水」発生

「大洪水」発生時の王がペピ二世であると特定したならば、次に通史の状況において、「大洪水」発生後となる第七王朝以降の歴史記述内容が、「大洪水」によって歴史がゼロからリスタートしたような状況となっているかどうかについて、点検する必要がある。

□「第六王朝は理由も分からず途中終了」が学説

この第六王朝の終焉をもってエジプト古王国時代は幕を閉じ、第七王朝以降の次の時代は王名表によって王の名だけは残されているが、実態は全くないと言って良いほどに不明な、「第一中間期」という括りの時代に突入する。「第六王朝は理由も分からず途中終了した」というのが、学会での定説である。それを象徴する解説文があるので、以下に紹介したい。

（第六王朝解説の冒頭で）

古代王国の繁栄が突如として崩壊し、暗黒の時代が訪れる。中央集権制が崩壊し、地方領主たちが下克上を狙う中、エジプト王国は突如「戦国時代」を迎える。永遠と思われた繁栄の終焉。秩序の破壊。記録さえも混乱したこの時代、本当は一体何が起こっていたのか……今ではそれを、正確に窺い知ることは出来ない。

これは岡沢秋氏の「無限＆空間」というweb資料からの抜粋であるが、第六王朝が原因も分からず突然終了し、以後は混とんとした時代が訪れたことが文脈によく表れている。これが、エジプト史の研究者の第六王朝終焉に関する一般的な印象と捉えて良い。

□「歴史の中断」＝確かに起きていた「大洪水」発生

一つの権力体系が壊れて次の新しい秩序が生まれる時は、人々のあらゆる“欲”というものがぶつかり合い、分裂と新たな集合を繰り返しつつ別の権力体系が生まれる。それらの動きはたとえどのように激しくとも、新たな歴史として刻まれ後世に伝わる。日本の歴史においても実例がある。「応仁の乱」である。この事件は血筋による支配から土地所有者による武力実力支配への転換点となり、日本史での「支配秩序混乱」を示す象徴的な事件の一つとなった。一つの権力支配を崩壊させるようなどんな事件があっても、そこに人が存在する限りは新たな歴史が生まれ、そして記録や痕跡が必ず残る。ところが、エジプトの第六王朝の途中から、次の第七王朝や第八王朝などについては、人や行跡を含み、まるで全てが一度消えてしまったかのようになった。ようやく第九王朝あたりから、諸侯と呼べるような集団が現れた。この様子は、第六王朝途中でエジプトに大事件が発生して人々が死滅し、生き残りか別の人々によって、時間をかけ新たな権力社会が生まれたと想定すると、現在のエジプト史における「第一中間期」の様相と符合する。彼らは以前に倣ってファラオをトップとする権力体系を築き、そして宗教までも以前と似ていた。宗教に関しては理由があるのだが、横道にそれるのでここではそのことは書かない。それゆえ遥か後世の歴史家たちは、第六王朝の途中をもって旧新の切り替えが完璧に行われたことに、気づきにくかった。第六王朝諸王の王墓存在及び第七・第八王朝王墓不存在の関係や、第六王朝の突然な異常終了という状況から判断すると、第六王朝途中で確かに「大洪水」は起きていたのである。

第四章　「大洪水」後のエジプトの変化

第一節　「大洪水」発生に伴う地勢と気候の変化

エジプト通史に照らして、「大洪水」は確かに発生していた。それでは「大洪水」前後でエジプトの地勢や気候がどのように変化したか、Ⅰ部の推論を下敷きにして整理をしておきたい。

（1）平坦な地形

有史以前には、ナイル川を含むサハラ地方には広大なステップ（草原地帯）が広がっていた。（ウィキペディア）

□アフリカは基本的に安定陸塊の地盤で平らな地形

ステップとは平地の草原地帯である。筆者の認識では、「有史以前」ではなく第六王朝のペピ二世の治世までは、エジプトを含めてサハラ地域の全域が平坦な地形であり、草原地帯であった。平坦な地形であったことの根拠となるのが、アフリカの地体構造である。「地体構造」については第Ⅰ部で言及したが、世界の地盤を大きく「造山帯」と「安定陸塊」に区分けした地質分類の一つの方法であり、筆者の考え方によれば、「大洪水」後の地球膨張の過程で、世界中の陸地が受けた影響の程度に基づく分類である。「造山帯」は地球膨張の影響を受けて地殻の変化を促された場所であり、「安定陸塊」とは逆に影響をあまり受けなかった陸地である。「安定陸塊」は三種類に区分されている。①「楯状地」（次図で塗り潰し部分）の地層とは、「大洪水」前の地盤である先カンブリア紀の地層が表出している場所である。②「卓状地」（次図で横線部分）とは、先カンブリア紀の地層の上に古生代や中生代に分類される地層が乗っている場所である。卓状地はさらに分けられて、③新生代以降の新しい堆積物に覆われた場所を区別することがある。アフリカはほぼ全域が安定陸塊の地盤である。そのことが意味することは、アフリカ大陸は「大洪水」後の地球膨張時に、大地溝帯などの例外区域はあるものの、全体的には海嶺圧力による隆起などの地形変形の影響は少なかったと言える。つまりアフリカは、現在は砂漠の砂に隠れて分かりにくいが、「大洪水」前の地形が多く保存されている場所であり、「大洪水」前も後も基本的に平らな地形なのである。「草原地帯であった」とは、一定量以上の雨量があったということであり、そのことについては後述する。

図Ⅱ-4-1-1　アフリカの地体構造

（2）ナイル川と崖地の形成

□幅平均20kmという崖に挟まれた谷地

第Ⅰ部第六章の第三節「陸地の割れと低地形成」で既述のとおり、地球が膨張してアフリカ大陸の地殻が皿状に浮き上がり、地殻がまるでブリッジのような状態になった折に、自らの重みに耐え切れずに何箇所にもわたって地殻が割れ、割れた部分が沈降した。その割れの一つがナイル川ラインであった。エジプトはカイロから南方は、幅平均20kmという崖に挟まれた谷地となった。低地ゆえに雨水の通り道となり、「大洪水」後もナイル川は川として機能した。そのことが「大洪水」後も、エジプトの地に人々の集住を成らしめ、埋蔵文化財の影響による「大洪水」前の文化の継承もあって、エジプトの地は再び文化地となった。人は水のある所にしか住めないため、エジプトでは三角州以外では、崖に挟まれた蛇のように長い谷地以外の広大な地には人が全くいないという、世界でも珍しい状態が現出した。「大洪水」前にはこの崖は存在せず、ナイル川の水流を中心として、現在よりも遥かに広い一定の範囲内に人々が居住していたことを想像してほしい。現在の崖地の外側に、ある日突然砂漠の砂の下から「大洪水」前の居住痕跡が発見されるということも、有り得るのである。

（3）ステップから砂漠へ

紀元前５万年ほど前には、サハラ地域には現在と同じような広大な砂漠が広がっていたとされている。（ウィキペディア）

□未だに成されていないサハラ砂漠形成の論理的な解明

有史時代にはサハラは全域が砂漠であったという先入観があったため、あの巨大な砂漠が形成されるために必要な時間を少なくとも数万年と、学者が設定した。しかし、サハラ砂漠が形成された理由についての合理的な説明は成されず､砂漠形成について「気候変動」以外の理由づけはなかった。サハラ砂漠の砂質は約97％が石英であり、その形状はとても丸い。石英は非常に風化に強い岩石であり、あのように丸くなるためには、絶えず流水に晒されていても万年という単位での侵食期間を必要とする。サハラ砂漠という広大な地域全体が砂漠になるというようなこと自体が、地球の大きさでは考えることができない奇跡なのである。信じられないことではあるが、砂粒や砂漠形態の変化など、砂漠の現状についての研究はなされているが、あれほど広大な砂漠が形成された合理的な論説は、ただの一度も拝見したことがない。よくある解説では、アフリカの赤道付近で発生した上昇気流がその近辺で降雨をもたらし、フェーン現象によってサハラ砂漠には乾燥した空気しか運ばれず、そのため時間をかけてサハラ砂漠が形成されたというものである。しかし、この説明では数十万年かかっても、石英がまず細かく分解され、さらに丸い形状の砂となり、終にはサハラ砂漠全体を厚く覆ってしまうようなことにはなり得ない。世界中の地質学者は、サハラ砂漠に限らず、大砂漠の形成理由の論理的な解明を避けているのである。

□風化によらずに形成されたサハラ砂漠

サハラ砂漠に関しては、砂漠形成に関してもう一点大きな疑問が存在する。現代科学の進歩により各種検査機器の能力が向上し、陸地をスキャンして陸地の構造を探ることができるようになった。そのことにより、サハラ砂漠の下に奥深い谷や川が存在することが判明した。このことが意味することは重大である。サハラ砂漠は、土地の表層部分が風化などにより砂礫化して形成されたのではない。それでは元の地形がスキャン映像に現れることはない。従前の土地の表層の上に厚さ数キロにも及ぶ大量の砂が被ったことにより、サハラ砂漠が形成されたのである。砂粒についてのみ議論するのではなく、このことについても直視されなければならない。

□アフリカの砂漠化の始まりはギザのピラミッドの完成後

アフリカで砂漠化がいつ始まったのかということについて、考慮しなければならない決定的な要因が一つある。ギザのピラミッドやスフィンクスは、建造後に一度砂を被り埋もれたのである。それだけではない。古王朝時代の遺跡建造物も、砂の中から掘り出されたのである。その砂の量は、決して砂嵐などで実現できる量ではなかった。つまり、砂漠というのは信じられないことではあるが、ギザのピラミッドが完成した後に形成されたのである。ギザのピラミッドが完成した頃は、その敷地周辺どころか見渡す限りにおいて、なんと草原地帯であった。

（4）土壌

□一度砂に埋まったエジプト全域

エジプトの周囲はリビア砂漠とネフド砂漠、そしてヌビア砂漠という具合に砂漠に囲まれて位置しているため、エジプトも周囲同様に「大洪水」後は砂で埋まった。現在の地図を一覧すると、ナイル川が白ナイルと青ナイルに分岐する地点であるハルツームあたりを境にして、ナイル川の上流は草原地帯と変わっていき、もう砂漠は存在しない。ハルツームから下流一帯は、一度砂に埋まったと考えて良い。そこに地球膨張時の地盤の沈降線が生じ、その線に沿って沈降した部分にナイル川ができたため、時間をかけつつ砂が川に沿って海に向かって流されていった。

□「赤い土」と「黒い土」の正体

そこは楯状地でもある。楯状地にしろ、砂漠にしろ、「大洪水」後はメソポタミアで純粋粘土層と認識された沈殿物が、エジプトでも一様に覆ったはずである。楯状地であるということは、それら沈殿物は雨水によって流し去られた地体であることを意味する。ハルツームから上流一帯は「大洪水」後の早い時期に、学説では先カンブリア代の地層とされる「大洪水」前の表層に戻っていった。一方、ハルツームから下流については砂漠地帯であったため、雨は降らずに沈殿物は砂の上に残り、乾燥と風により沈殿物は砂に撹拌されていった。沈殿物による土の色は赤色であり、楯状地の表層土は腐葉土で黒色である。

□「大洪水」後に生じた「塩害」

「大洪水」時に生じた沈殿層は、大きな問題を抱えていた。塩分を多く含んでいたのである。その沈殿層は世界中の地表を覆ったため、世界中で「塩害」という問題が一斉に起き上がった。山が多いなど高低差のある地形では、塩分は雨水によってすぐに流し去られた。「大洪水」後の生き残り人数は僅かであり、彼らは塩分が流し去られた高地から住み着いていったため、この問題は歴史上あまり表面化していない。低地であったメソポタミアやエジプトでは記録に残った。エジプトでの塩害問題が、「赤土」と「黒土」の問題となった。

□エジプトに再度定住が行われた事由

上述のように、エジプト地帯には砂だけでなく土も少しく存在し、その色は赤色をしていて栄養分に乏しく、さらに塩分を含んでいる。砂漠地は全般的になだらかであるうえに小さな凹凸が無数に存在したため、砂漠地全体に塩分は相当量残されてしまい、エジプトの赤土も塩分を含んでいた。この赤土の谷への流入がエジプト農業の悩みの一つであり、ナイル川の流量を調整して一気に水を流し、塩分を流し去るという試みが歴史的に繰り返されてきた。そしてナイル川で氾濫が起きると、ハルツームより上流から栄養分豊かな黒い土が下流に運ばれた。「豊富な水があり、塩分を取り除く方策を持ち、毎年栄養分が補給される土地」であるエジプトに、人類の一部は再び定住することとなった。

（5）気候

有史以前は非常に温暖な気候であった。（ウィキペディア）

□大洪水前の降雨は霧雨程度

「大洪水」前は地球全体が厚い大気層にくるまっていたため、「温暖」であるとともに「湿潤」でもあった。「大洪水」前の第三王朝ジョセル王の時代に、「ナイル川が７年にわたって氾濫せず、深刻な飢饉が発生した。」とある。筆者の提示した紀元前2284年頃の「大洪水」は、エジプト第六王朝の時に確かに起きていた。すると、「大洪水」前にも氾濫は起きていたことになる。そこで考えられることが二つある。一つは、既述のことではあるが、「大洪水」前にもナイル川が存在し、かつ川の氾濫も起きていたことは、少なくとも「大洪水」前にも地球に「水循環」があったことを証明している。しかし、その循環の内容は現在とは様変わりしていた。太陽熱は地球に達してはいたが、地上ではなく空気層の暖冷によって水循環が成されたのである。風も起きたであろうが通常は微風程度であり、強風は想定しにくい。これらのことから、大洪水前は降雨と言っても霧雨のようなものであったと推測できる。

□大洪水前にも存在した乾季と雨期

川の氾濫があったことから考えることができる二つ目は、「大洪水」前の乾季と雨期の存在である。第Ⅰ部で既述のように、本格的な降雨は大洪水後に始まった。「大洪水」前にも川の氾濫があったとすれば、霧雨程度では洪水にはなり得ず、時期による降水量の偏りが存在したと考えざるを得ない。するとそれは、「大洪水」前のエジプトに乾季と雨期が存在したことを推測させる。ただ、記録にはないが、「氾濫」とは言っても大規模な静かな溢水のようなもので、濁流が家屋を押し流すようなものでは決してなく、氾濫の規模や激しさとしてはそれほど大きくなかったことが推察される。

□乾燥化の始まりは第六王朝のペピ二世の死後

ペピ二世の死後の社会が混乱した時期には、中東全域で長期に及ぶ乾燥化が始まっており、エジプトでは第一中間期を通して食糧難が民衆と支配層を苦しめた。（ウィキペディア）

中東全域で長期に及ぶ乾燥化が始まったのは、第六王朝のペピ二世の死後なのである。この記述に関しては、筆者推論の「大洪水」発生時期に完全一致する。エジプトでの本格的な乾燥化は、「大洪水」後に始まったのである。この「時」と「様子」が符合する事実が他に一つ存在する。グリーンランドの氷床やアンデス山脈の氷河から採取されたコアの調査より、"紀元前2200年頃"に大量の火山灰が広範な地域に降り注いだことが分かっている。これによりヨーロッパでは寒冷化、中東では乾燥化がもたらされたとされた。"紀元前2200年頃"とは、通史ではまさに第六王朝のペピ二世の治世なのである。火山爆発が一斉に起きた原因は、「大洪水」時に発生した地球の割れ裂けにより、地球内部のマグマが世界中で地上近くまで上昇したことによって、至る所で火山が形成されたためであった。

第二節 「大洪水」後の人の住み着き

着実な新居住者の増加

□時間の経過とともに整う居住環境と人口増加

このように変貌を遂げた自然環境となったナイル川沿いに、「大洪水」受難を生き延び、再び繁殖を始めた人々の一部が定住を始めた。現トルコ領東端のアララト山近辺の高地から徐々に低地に移動し、豊富な水があって塩もある程度流れ去り農業が成立する大河沿いは、人々にとって魅力ある定住地であった。世界の主要文明が大河沿いから始まるには、そのような事情があった。このように思考をめぐらすと、「大洪水」後にエジプトに住み着いた人々の暮らしの一部が見えてくる。「大洪水」後は、川が砂を流し去った限られた部分だけが居住地となった。メソポタミアやインダスでは砂漠の拡大が人々を他地に追いやったが、ここエジプトでは逆に時の経過によって砂が押し流されていき、場所によっては元の地面の位置を回復し、居住地域は時間をかけて少しずつ広がっていき、人口も増えていった。それでも、彼らの暮らしは砂との戦いであった。砂を押し退けた分耕地が広がり、そして居住地域も少しずつ広がった。エジプト人は千年、二千年という時間をかけて砂と闘い、ナイル川流域にこつこつとグリーンベルトを築いていった。

「大洪水」発生後の部族人の住み着き

□ハム族の住み着き

エジプト領内ナイル川は全域が砂に埋まったようであるが、それでも川の流れは絶えなかったため、「大洪水」発生後に推定で100年以上が経過した後に、新たに多くの人々が住み着いた。旧約聖書記載によれば、ノアの三人息子の一人であるハムの子は、クシュ、エジプト、プト、カナンの四人であり、エジプトにはリディア人、アナミム人、レハビム人、ナフトヒム人、上エジプト人、カスルヒム人、カフトル人が生まれた。このカフトル人からペリシテ人が出た。ユダヤ古代誌を書いたフラウィウス・ヨセフスによると、ハムの子ミツイライムがエジプトに住み着いた。ミツイライムの八人の子も全て、ガザからエジプトの至る土地に住み着いた。「大洪水」以後は、エジプト人とは基本的にハム族であり、黒人種であったはずである。

□ギリシア系人の住み着き

ところが、旧約聖書には書かれていないが、ノアの三人息子の一人であるヤフェトの子孫である白人種の一部も、ナイル川のエジプト上流部に住み着いた。彼らはギリシア系人とされている。エジプトに地理的に最も近いクレタ島は、紀元前21世紀頃から紀元前15世紀頃にかけて栄えたミノア文明の地であり、そこは筆者の見解によれば、フェニキア人の海洋交易拠点であった。第Ⅰ部第六章で既述のように、図Ⅰ-6-2-4（P167）で示したキクラデス諸島を中心とする島々の難民が、ナイル川をフェニキアの船で遡上し、上エジプトの地に定住したと推察される。

□セム系黄色人種の住み着き

下エジプトはミツイライム系の黒人種が、上エジプトは黒人種であるエジプト系の上エジプト人とギリシア系の白人種が、それぞれ住み着いた。それだけでなくノアの三人息子の一人であるセムの系統の黄色人種も、水を求めてナイル川河口三角州の東端に住み着き始めた。すぐ北隣は、ハム系黒人種が住むパレスティナであった。彼らセム系黄色人種の故地は、シリアからその南部パレスティナやシナイにかけての領域であったが、水の豊富なナイル河口域に自然と多くが住み着くようになっていった。

□エジプトにおける住人分布

このようにして、洪水後のエジプトでは、ナイル川上流域に黒人種と白人種が、下流域には黒人種が、そして下流域東部の限られた地域には黄色人種が、それぞれ住み着き人口を増していった。

遺跡の破壊

□砂に埋まり損傷を受けた「大洪水」前の文化遺産

彼らがエジプトのデルタ地帯に住み始めた時、第六王朝までのかつての居住者たちの文化遺産である構造物の多くは砂の下に埋まり、水による侵食と砂の重さにより、そのほとんどは何らかのダメージを受けた。洪水前に建造された大ピラミッド群の多くは、この時に傷んだ。ギザの三大ピラミッドは特別の完成度であったため、現在まで建設時の形態を保っているが、砂には覆われた。スフィンクスもダメージを受け、向かって左側の獅子の方は補修されて現存しているが、右側の一角獣の方は完全に崩れ去ってしまった。

□遺跡の破壊者となってしまった新居住者

砂の下からは洪水前の居住者が築いた文化遺物が次々と現れ、新居住者の文化意識醸成に大きな影響を与えた。新居住者は「大洪水」前の文化担い手の人々とは何の関連もなかったが、ノアやセムそして新居住者の先祖に当たるハムも、それぞれが「大洪水」後に数百年も生き延びたので、「大洪水」前の歴史は新居住者の間でもある程度は知られていた。しかしながら、商業システムも確立していないこの時代は新居住者にとっては物資に乏しく、砂に埋もれていた構造物は彼らにとって格好な建築材となってしまい、彼らは遺跡の破壊者ともなってしまった。たとえば「大洪水」後の第十二王朝では、「大洪水」後に初めてピラミッドの再建が試みられたが、その建築材は信じられないことに、ギザのピラミッドを壊しつつ供給された。新居住者たちは、「大洪水」前のエジプト文化の担い手と、人種面だけでなく精神面で直接の繋がりがないからこそ成し得たことであった。

第五章　「大洪水」後エジプト史

第一節　エジプト前・後史の設定

筆者推論に基づく時代分類

「大洪水」発生の事実をエジプト通史で確認し、「大洪水」前後の状況変化も認識した後の作業として、「大洪水」後のエジプト史について、「大洪水」が実際に起きたことの検証を行いたい。さらに、検証作業を行うことに止まらずに筆者固有の視点や知識を持ち込み、独自の歴史分析や解釈を伴い、新たなエジプト史を組み上げたい。これから個別個々の検証に入るが、その前に筆者推論に基づく時代分類を以下に掲載する。

[エジプト前史]

第一王朝〜第六王朝

▶B.C 2284　「大洪水」発生

[エジプト後史]

黎明期・ハム系人王朝時代

第七王朝（年代推定不能）

第八王朝（年代推定不能）

ギリシア系人王朝時代

第九王朝（B.C 2160〜B.C 2130頃）

第十王朝（B.C 2130〜B.C 2040頃）

第十一王朝（B.C 2134〜B.C 1991頃）

　第十二王朝（B.C 1991～B.C 1782頃）
　第十三王朝（B.C 1782～B.C 1650頃）
アジア人王朝時代
　第十四王朝（B.C 1725～B.C 1663頃）
　第十五王朝（B.C 1663～B.C 1555頃）
　第十六王朝（B.C 1634～B.C 1555頃）
エジプト新王国時代
　第十七王朝（B.C 1580～B.C 1550頃）
　第十八王朝（B.C 1550～　　　　　）

　第六王朝のペピ二世の治世中に「大洪水」が発生し、第七王朝以降はゼロからの再出発となったため、第六王朝までを“エジプト前史”、第七王朝以降を“エジプト後史”と区分けした。エジプト後史については、王朝権力者の民族的な属性を主体にグループ化を行った。また、これまで第一中間期、中王国時代、第二中間期は、エジプト史においては例外的に最も不明確な歴史期間であったが、その全容解明についても筆者なりに努めてみたい。

　これからの記述はエジプト通史に照らして個々論説していくが、まず通史のあらましを箇条的に整理し、次に筆者の推論を述べる形態をとっていく。なお、通史の内容については、主にウィキペディア（日本版）を参考にさせて頂いた。

第二節　黎明期・ハム系人王朝時代

（1）エジプト通史

■第七王朝　年代推定不能

具体的なことは、何も分かっていない。

・マネトは「70日に70人の王が存在した」と記した。

■第八王朝　年代推定不能

統治について分かっていることはほとんどない。

・多くの王がペピ二世のホルス名であるネフェルカラーを名乗っていることから、第六王朝から受け継いだ王権の正当性を主張し、これを保持しようとしていたことが窺える。

・各地で自立した州候が相互に争った。

（2）筆者推論

短期間に形成された村落や町そして都市

□古代の高い繁殖率

人々は人種・部族毎に、最初は一ヶ所ずつに住んでいたのかもしれないが、家族が増え人口が増すごとに分散居住していった。洪水直後の彼らの寿命は旧約聖書によれば現在の４倍に相当し、一組の男女が産む子の数も、旧約聖書記述のヤコブの事例を根拠とすれば、健康な女性であれば30人以上は産んでいた。一例として、日本の明治期の女性を挙げてみる。生涯に10人くらいの子を産んだ彼女らの昭和における家族写真は、合計で100人くらいが写真に写っていた。それよりも３倍も高い繁殖率である。大洪水後のエジプトは明治期と比較して、一世代で３倍、二世代で９倍、三世代で27倍という繁殖率の違いが出た。さらに明治期の女性の場合は、日露戦争や太平洋戦争という大戦争を二回も経験し、戦争による死者数も多かったが、洪水後のエジプトでは人の数そのものが少なかったため、大きな戦争が起きて人口増加が抑制された可能性は極めて低い。

□人口の着実な増加に伴う村落・町・都市の形成

しかし、ここで顧慮すべきことも一つある。通史にある「エジプトでは第一中間期を通して食糧難が民衆と支配層を苦しめた」という事実である。通史で定義された「第一中間期」とは、(「大洪水」後の）第七王朝から第十王朝終焉までの約三百年弱の期間を指している。その時期は塩害にも悩まされた時期であり、牧畜はともかくも農作物の収穫面では苦労を伴ったであろう。現在のような高度な貨幣経済社会を除けば、一般的に貧困が出産数に与える影響は少ないが、乳児死亡率は高くなる。上述の計算は机上のものであるが、実際は計算ほどには高い人口増加率には至らなかったかもしれない。それでも現在より遥かに長寿であったことにより、「大洪水」後300年間は老衰で亡くなる人は無かった状態で、「産めよ、増やせよ」という意識が社会に充満して、人口は増加の一途を辿った。人々は分立を繰り返して集落数がどんどん増えていき、村落や町そして都市が短期間に形成されていった。

第六王朝断絶後の新住民担い手による第七・八王朝

□第七王朝は存在しないも同然

第七王朝以降の通史の内容は、「大洪水」後の状況を如実に物語っている。第七王朝は王名の記録はあるのかもしれないが、存在しないも同然である。マネト記述の「70日で70人の王が存在した」とは、大洪水後に新たに住み着いた人々が、既存の組織など何もない中で、あちこちで「自分こそは王である」と言い張っている状態である。

□第八王朝の多くの王が「ネフェルカラー」を名乗った理由

さらに次の第八王朝は、「各地で自立した州候が相争う」ことができるほどに、人口規模が拡大したことを意味している。「州」などは後世の表現であって、もちろんその当時のエジプトには州など存在していない。この第八王朝記述で着目すべきは、「多くの王がペピ二世のホルス名であるネフェルカラーを名乗った」ということである。ペピ二世の時に大洪水は起きた。エジプト最後の王がペピ二世であったことは当然の如く、ノアの一行八人にも知られていたことであったろう。それは大洪水後にエジプトの地に渡ったノアの子孫も当然知るところであり、エジプトでの新住民で王になりたいと思った者は、王としての自らの正当性を世に示すために、偽ってでも大洪水前の最後の王であったペピ二世との繋がりを示すため、ペピ二世のホルス名を名乗ったのであろう。参考までにホルス名とは、エジプト初代王から引き継がれてきたホルス信仰を示す王名表示である。王家の信仰がセト神やアメン神に代わると、「セト」や「アメン」が王名に取り入れられた。王名には他に即位名や個人名が存在した。ところで、第八王朝で多く名乗られた「ネフェルカラー」という名は、筆者の考えではペピ二世のホルス名ではなく、ペピ二世の孫の名であった。孫ネフェルカラーは、「大洪水」発生時には20歳前後くらいの成人であり、第八王朝の時代にファラオとして存在するのに相応しい王名であった。

□第七王朝と第八王朝の担い手は新住民

第七王朝から第八王朝にかけての通史内容は、このように新天地に新住民が入り込み、人口増と居住地拡大により覇権争いが生じ、その規模が年数の経過とともに拡大していく様子が、まるでシミュレーションモデルを見ているが如く把握できる。通説のように、もし原因不明で第六王朝の時に突然無秩序状態が生まれたのだとしたら、規模の大小は問わず、少なくとも抗争は絶え間なく続き、そしてその記録や痕跡が残ったであろう。第六王朝から住民が引き続き継続定住していたという設定の方が、筆者の説よりも遥かに無理があるのである。

第三節　ギリシア系人王朝時代

(1) エジプト通史

■第九王朝　B.C 2160～B.C 2130頃　ヘラクレオポリスの政権

・王朝の実態はほとんど分かっていない。

・首都ヘラクレオポリスの位置は、メンフィスの南方200km辺りに位置している。

・存在が確定しているのは、上エジプト第20県の首都の自主勢力であったケティ一世とケティ二世のみである。

■第十王朝　B.C 2130～B.C 2040頃　拠点ヘラクレオポリス

・上エジプトの北部地方を支配した政権。第九王朝の延長となる王朝。

・下エジプトは「アジア人」が満ち、第二代ケティ三世がこれを海岸線まで撃退した。

・第十王朝とほぼ時を同じくして上エジプト南部地方に第十一王朝

が興り、ケティ三世の時代に武力衝突が起き、ケティ三世はアビュドスを占領して領土を南に拡大した。
・ケティ三世の子のメリカラーの世に第十一王朝が再度攻勢をかけ、メリカラーが劣勢となった際に有力州侯が寝返り、国境が大幅後退し滅亡に至った。

■第十一王朝 B.C 2134〜B.C 1991頃 テーベ

・一村落から上エジプト第4県の首都となったテーベに興った州侯の王朝であり、第十王朝と存立時期がほぼ重なり合う。
・アビュドス以南を領地とした。
・第五代メンチュヘテプ二世の時に、第十王朝の首都ヘラクレオポリスを陥落させる。
・第六代メンチュヘテプ三世が、紀元前2022年にエジプトを完全統一した。
・次代のメンチュヘテプ四世の時に、クーデターで王朝終焉。

■第十二王朝 B.C 1991〜B.C 1782頃 首都イチ・タウィ

・首都イチ・タウィの位置は、デルタ地帯の扇の要の位置に近いメンフィスの南方で、ヘラクレオポリスの東南100km辺りに位置していた。
・エレファンティネ島出身の宰相アメンエムハトが反乱によって王権奪取し、王位を得た。
・そのアメンエムハト一世は首都をテーベからイチ・タウィに遷都し、権力の国内基盤整備に尽力した。
・その子のセンウセレト一世はシナイ半島やリビア、そしてヌビアへの遠征を行い、クシュ（現スーダン）を征服して金鉱を確保し、王国の経済基盤を固めた。
・続くアメンエムハト二世とセンウセレト二世の治世は、親子で50年余りに及ぶ平和が継続し、建築活動が盛んとなり、ファイユームで三代にわたっての干拓が成され、ファイユームはエジプト有数の穀倉地帯となった。
- アメンエムハト三世の治世が絶頂期で、彼が建てた巨大な葬祭殿はクレタ島のクノッソス宮殿とよく比較される。
- 次のアメンエムハト四世は早世し、王妃が女王となったものの王朝は終焉した。

■**第十三王朝** B.C 1782～B.C 1650頃 首都イチ・タウィ
- 第十二王朝の延長線上にある王朝であるが、平民出身の王が複数存在するなど単一家系ではない王朝で、トリノ王名表でも三十六人の短命な王名が連なり、その王達の多くについて詳細は分かっていない。
- セベクヘテプ四世の治世に下エジプトの狭い領域で新政権（第十四王朝）が発足した。
  この王朝期に同じく下エジプトでアジア人勢力が増大し、紀元前1720年頃に即位したアイ王を最後として、下エジプトは第十三王朝の支配から離れた。
- 第十四王朝に引き続いた第十五王朝はアジア人ヒクソスの王朝で、第十三王朝の全期間国家運営は安定していたが、アイ王に引き続いた王達は第十五王朝の宗主権の下に存続したと考えられている。この王朝時代は宰相の世襲化が進んだ時代でもあった。

（2）筆者推論

エジプト第九・十王朝

□上エジプト北部に興った第九王朝

第九王朝について、詳細はほとんど分かっていない。存在が確定しているのは二人の王だけであるが、それも後世の表現で「上エジプト第20県」という一地方の豪族的な勢力であり、統一王などでは決してない。続く第十王朝になって、抗争を主体とした記録で国家らしい記述が生まれてくる。

□第九王朝の延長となる第十王朝

第十王朝は第九王朝の延長となる王朝であり、なぜ別王朝に分けられたのか不明である。第二代のケティ三世が海岸線まで撃退した「アジア人」とは、後の第十四・十五王朝を築いた南セム族の人々であり、彼らはこの早い時期から下エジプトに住み始めていた。「第十王朝とほぼ時を同じくして上エジプト南部地方に第十一王朝が興った」とある。蛇の形をしたエジプトの細長い胴体部分をさらに上下二つに分け、蛇の胴体上下で同時に二つの王朝が誕生した。両王朝が相互に攻め合い、第十一王朝が第十王朝を制覇し、さらに下エジプトも征して最終的にエジプトの覇権を得た。

□第九・十王朝の担い手をギリシア系人とした理由

第九・十王朝の根拠地は、位置的にもデルタ地帯の付け根にあたり、ギリシア系人というよりもハム系人の王朝であったと考える方が自然である。このあたりは、ハム系人ミツライムの８人の子が植民した中心地と考えられるためである。ところが通史では、「第十王朝は、その有力州候が第十一王朝側に寝返り滅亡に至った」ということになっているので、第九・十王朝の担い手をハム系人とすることに無理が生じることとなった。当時の民族意識として、現在のような肌色の違いによる人種差別意識は無かったであろうが、いつの時代においても、人口が増加して家族が分化して植民を拡げていく過程では血縁意識が非常に強く、当時においてもそのことは例外ではなかったであろう。利のために誰彼構わず組むというようなことは、社会の複雑化が進行して後に起こり得ることであり、ゼロから再出発して間もない当時ではそうそう起こり得ない。その時期に「寝返り」があったということは、第十王朝と第十一王朝が同じ人種であったことを暗示している。第十一王朝の担い手をギリシア系人とする以上は第十王朝もギリシア系人の王朝と判断した。ギリシア系人は上エジプトの区域に、少なくとも二つのグループに分かれて植民したのである。

ギリシア系人の出自

第九王朝の開始時期であるB.C 2160頃において、白人種の住み着き分布としてエジプトの地だけが南方に飛び地となっている。そのことは、第九王朝民は特殊な事情があってエジプトの地に住み着いたと推測できる。そこで筆者が考えたことは、彼らがギリシア南部から天災の難民となってエジプトの地に逃れてきたということである。下図に示したギリシア南部の地形を見てほしい。この図は第I部の六章で、島の成り立ちに関して掲載した図の一部分である。キクラデス諸島が、陸地沈降により形成された島々であることを示している。既述のように、第九王朝民は元はキクラデスの地に住んでいて、そこが造山運動の影響を受けて沈降してしまったため、フェニキア人の助けを借りてエジプトの地に逃れたとい

図II-5-3-1　ギリシア系人の出身地

うのが、筆者の推測である。言わば難民であったため、一度に勢力を成して移住したわけでなく、船で三々五々エジプトの地に辿り着いたと推測できる。そのため武力の備えに乏しく、「ハム系人が先住している農業条件の良いデルタ地帯よりも条件の劣る上エジプトの谷あい」に行かざるを得なかったと考えられる。しかし、ギリシア系人は基本的には狩猟・遊牧民族であったために、低地で湿気の多いデルタ地帯を避けたとも考えられる。

彼らが上エジプトに移住した時期は、第九王朝の開始時期であるB.C 2160頃よりもさらに10〜20年は前であったろう。その時期は、B.C 2284に起きた「大洪水」後の地殻変動が最も激しかった頃であった。

中王国時代の突然の文化興隆（エジプト第十二王朝）

第十二王朝はB.C 1991よりB.C 1782までであるが、フラウィウス・ヨセフスの「ユダヤ古代誌」によれば、ヘブライ人の始祖であるアブラハムが、筆者がアブラハムの生年から起算した西暦年によると、B.C 1914頃から約５年間エジプトに滞在した。

［古代誌の抜粋］

（アブラハムが）彼ら（エジプト人）に算術をすすんで教え、また天文学を伝えた。エジプト人は、アブラハムが来るまではこれらの学問を知らなかったのである。こうしてこれらの学問は、カルデヤ人（アブラハムはカルデヤ出身）のもとからエジプトへ入り、そこからギリシア人に伝わったのである。

つまり、中王国時代は通史では建築文化などの文化開花期であるとされているが、その始まりはエジプト第十二王朝のアメンエムハト二世からであり、その芽や茎・枝はエジプト人の中から生まれ育ったものではなく、外部から持ち込まれた種から発芽したものであった。「大洪水」後のエジプトに高度の文化をもたらしたのはアブラハムであり、突然の文化開花には、それなりの背景が存在した。

エジプト第十二王朝の王名リスト

アメンエムハト一世	B.C 1991～B.C 1962
センウセレト一世	B.C 1971～B.C 1926
アメンエムハト二世	**B.C 1929～B.C 1895**
センウセレト二世	B.C 1897～B.C 1878
センウセレト三世	B.C 1878～B.C 1841
アメンエムハト三世	B.C 1842～B.C 1797
アメンエムハト四世	B.C 1798～B.C 1786
セベクネフェル	B.C 1785～B.C 1782

なお余談ではあるが、アブラハムがエジプトを去った翌年、彼の年齢86歳の時のB.C 1908に、エジプト人の侍女ハガルとの間にアブラハムの第一子イシマエルが生まれ、その子がアラブ民族の始祖となった。歴史の旋律と年次が綺麗に噛み合っている。また、エジプト第十二王朝は「中王国時代」に属し、通史では中王国時代には工芸技術なども含めて開花したように書かれている向きもあるが、それは後述するが、アジア人による第十五・十六王朝時代の内容が混同されていることを、一言述べ添えたい。

ギリシア文化のルーツはエジプト（エジプト第十三王朝）

第十三王朝はB.C 1782～B.C 1650頃までということであるが、実は終わりがはっきりしない王朝であり、次に述べるアジア人王朝時代と並行して存続していることに注目する必要がある。

アジア人王朝

第十四王朝　B.C 1725〜B.C 1663頃

第十五王朝　B.C 1663〜B.C 1555頃

第十六王朝　B.C 1634〜B.C 1555頃

ギリシア人王朝

第十七王朝　B.C 1580〜B.C 1550頃

第十八王朝　B.C 1570〜B.C 1293頃

□第十三王朝関連氏族がギリシアに出戻り移転

第十三王朝は、覇権という意味ではB.C 1650に終わったのかもしれないが、第十五王朝の傘下にあった第十六王朝の支配下にあって、勢力としては長く存続したようである。第十三王朝では「平民出身の王が複数存在」したとあるように、第十三王朝を構成した種族は、おそらくはギリシア時代の出身地別、たとえばキクラデス諸島やエーゲ海あるいはトルコ西岸といった具合に、いくつかの氏族に分かれていた。それらの一部が後に勢力を盛り返し、第十七王朝や第十八王朝を築いたとも考えられる。ところが、筆者が特にこの第十三王朝に着目することがある。それは第十三王朝の氏族のいくつかが、しばらくの間第十六王朝の支配下にあってその文化的な影響を受けた後に、キクラデス諸島やペロポネソス半島など、地中海領域内の親戚部族が領する地域に出戻ったと推測できることである。ミケーネ文明はB.C 1650頃に始まったことになっているが、第十三王朝が滅びた時に彼らの先発隊が出戻り移住を開始したと考えれば、その推定は時期的にピタリと符合する。もしかすると彼らの一部は、ペロポネソス半島間近のアカイア人が先住していた、アテネ周辺にも住み着いたのかもしれない。そうであれば、ギリシア神話や建築文化などのギリシア古代文化の種をエジプトから渡来した彼らが持ち込み、それが紆余曲折を経てギリシア文化として開花したと考えることができる。その種は次に述べるように、第十六王朝文化の遺伝子を内包したものである。それは第十七王朝の残党が成した可能性も少しはあるが、第十七王朝の根拠地はテーベであり、第十六王朝の根拠地と推定できるヘリオポリス（現カイロ近辺）と地理的に遠く離れ過ぎていることと、第十七王朝は第十六王朝を滅ぼして第十六王朝民を奴隷にした王朝であるので、その候補とは考えにくい。尊崇する文化の持ち主を奴隷にすることは、考えにくいためである。第十三王朝関連氏族こそが当事者であり、彼らが第十六王朝と良好な関係を築き、ヘブライ人の高い文化を吸収した可能性が高い。その高い文化が、ギリシアに移住後の彼らの地位を高め、そしてギリシアからローマそして現在のヨーロッパに至る文化の礎となったと、筆者は考えている。

□ヴェーダをギリシアに持ち込んだ第十三王朝残党

筆者のヘブライ研究によれば、ギリシア神話のルーツはヘブライ人の第十六王朝時代のカッバーラにある。ちなみに、第十六王朝時代のヘブライ人の一部は、第十七王朝に征服された際にエジプトを脱出し、かなり多数がインダス川流域に逃れ、そこでバラモン教を興した。バラモン教のルーツは、エジプト第十六王朝時代の「ヴェーダ」である。ギリシア神話のルーツも同時代のヴェーダであるが、そのカッバーラの質はバラモン教と比較してかなり低く、ギリシアにヴェーダを持ち込んだのはヘブライ人ではなく、第十六王朝時代にヴェーダに触れて感銘を受け、その中心宗理であったカッバーラを吸収した人々であった。そのことを成し得たギリシア系人は、第十六王朝時代にヘブライ人の宗教文化に深く接し得た、第十三王朝関連氏族に限られるのである。

□ヨーロッパ哲学の起源はカッバーラ

余談であるが、バラモン教の一資料として『ウパニシャッド』が残っている。「ウパニシャッド哲学」という言葉があるが、筆者の知識と判断に基づけば、ウパニシャッドは哲学の書ではなくカッバーラの解説書である。ウパニシャッドを読み込んでみると、カッバーラ解説の質の程度が少し低いことから、インダスに渡ったヘブライ人は本隊ではなかったことが判る。ところで、カッバーラというのは“抽象の極み”であり、また“思考の極限”をもってしても理解し得ない内容となっている。そこには数えきれない数の“真理”が潜んでいる。そのカッバーラの真理を模索する学問が、後世ヨーロッパにおける「哲学」という学問になり、そこからさらにカッバーラの技術的側面に走った「神秘学」が派生した。ギリシアに芽生えた哲学は、人づてに伝わったカッバーラを宗教としてではなく、学問として何とか理解しようとする試みから生まれたものであった。それ故、科学が発達もしていない文化レベルの世の中で、非常に高度な抽象世界を理解しようとする学問が生まれたのである。ギリシアの古代において、宗教と哲学の文化レベルが突出していた背景には、古代ヘブライ人から伝わったカッバーラの存在が影響していた。

エジプト通史の262年間に及ぶ空白は推論と一致

□紀元前2284年を境に前後二つに分けられるエジプト史

第七王朝の時の自称“王”が日々存在した頃から時間を経てこの時代に至り、国家の覇権を争うほどに大洪水後の新住民の人口規模が拡大した。そして、第十一王朝が「紀元前2022年にエジプトを完全統一」して、やっと大洪水前のエジプトに近い状態に戻った。筆者推論の大洪水発生から、エジプト再統一という大洪水前に近い状態に戻るまでに、通史で262年を要している。世界歴史学会という公的組織から編み出されたエジプト通史の、262年間に及ぶ実質的なブランクは、筆者の大洪水実在の推論と合致するのである。エジプト史は全編通史ではなく、紀元前2284年を境に明確に前後二つに分けられなければならない。また、エジプト史研究者の多くは、「第六王朝は組織分裂や下克上のような様子で“瓦解”した」という先入観を持ち、以後しばらくの間は専ら王朝組織復活のような視点でこのブランクを論じてきた。しかしながら実際は、その時に「大洪水」が発生していて、「“復活”などではなく新生民族による“再構築”であった」という仮定を、彼らが研究俎上に上げてみることを筆者は期待したい。

□「大洪水」後の国家規模回復に要した年数は約300年

第十一王朝から第十三王朝は連続した王朝である。通史では第十一王朝と第十二王朝をもって「中王国時代」とし、第十三王朝は「第二中間期」という次の括りに入れられているが、筆者にはその理由は理解できない。第十一王朝あたりから通史の記述量が急に増えていく。紀元前1991年から始まる第十二王朝の頃になってようやく、エジプトが以前の古王国時代に匹敵する国家規模となったようだ。「大洪水」の災禍を克服するのに、約300年を要したことになる。

第四節　アジア人王朝時代

エジプト史における「大洪水」発生自体の検証は前節で終了し、当節以降では、エジプトの「大洪水」以後の王朝や社会が具体的にどのように展開したかを探っていく。当節では「第二中間期」とされている時代の中核部分の、第十四王朝から第十六王朝までの解明を試みたい。通史ではこの期間の歴史的内容はほとんど把握されていないが、筆者の古代ヘブライ人研究の視点を持ち込んだ結果、この期間の出来事や様子がかなり鮮明に浮かび上がってきた。

(1) エジプト通史

■**第十四王朝**　B.C 1725～B.C 1650頃　首都アヴァリス(下エジプト)

・首都アヴァリスの位置は、現在のスエズ運河のイスマイリアに近い所で、パレスティナからエジプトに入る入り口ともいえる場所に位置している。

・この王朝が支配した地域は、下エジプトあるいはそのごく一部であったと推定され、残された記録は僅かで全体像は分かっていない。

・第十四王朝の遺物のほとんどは第十三王朝中期以降の地層から発見されているので、第十三王朝のセベクヘテプ四世(在位B.C 1730～B.C 1720頃)の治世半ばかそれ以降の年代に王朝成立したと考えられる。

・カナン人の王権である。

・初代ネヘシ王の治世と思しき紀元前1705年頃以降、デルタ地域が長期の飢饉と疫病に見舞われた痕跡が発見されている。

・短命王朝であるのに王の数は多く、初代王を含め、数多くの王が治世僅か１～３年程度で次の王に代わっている。

・この時代の王室の人々の名前が刻まれた印章が、各地で多数見つかっている。また、第十四王朝のものと見られる紋章が上エジプト、ヌビア、パレスティナなどで見つかっていて、王朝は広範囲にわたる交易を行っていた。

■第十五王朝 B.C 1663〜B.C 1555頃 首都アヴァリス

・アヴァリスは第十二王朝時代には既に存在していた。発見された十二王朝初期の居住区はエジプト的なものであったが、それは第二代王の時には放棄され、十二王朝後期頃に南西に新たに築かれた居住区は、住居の配置や構造が北シリアのものと類似していた。この場所からはシリアやパレスティナ方面の武器が発見され、発掘された石製坐像はアジア人の特徴を示していた。

・宗教的には、第十三王朝時代にはシリア・メソポタミア地方の習慣であった「墓の前にロバを埋葬する習慣」が確認され、シリア地方のヴァアル神信仰の痕跡も認められた。このヴァアル神はエジプトのセト神と関連付けられ、第十四王朝時代にはセト神がアヴァリスの主神となった。第十五代王朝のヒクソスもセト神を崇拝した。

・ヒクソスとは「異国の支配者達」という意味で、後世では敵視の対象となり、資料も乏しく通史としての歴史は掴めていない。

・第十四王朝から第十五王朝への移行の様子も不明であるが、両朝ともにアヴァリスを拠点としていることから、双方同民族による王朝と考えられる。

・クレイトン記述の王名表によると、第二代ヤコブヘル王と第三代キアン王の名が見られるが、それらは西セム系の要素を持った名前である。

・テーベ拠点の第十七王朝のセケンエンラー王（紀元前1574年頃即位）が、第十五王朝への朝貢を取り止めて攻撃を開始し、王は戦死して戦争は一時頓挫させられたものの、子と孫が戦争を継続し、第十五王朝はエジプト支配を失った。その後、彼らのパレスティナの拠点もエジプト軍に包囲され、第十五王朝は滅亡した。

■**第十六王朝**　B.C 1634～B.C 1555頃　首都ヘリオポリス（推定）
・第十七王朝が第十五王朝を滅ぼすと、同時存在していた第十六王朝も第十七王朝の支配下に入った。
・第十六王朝は第十五王朝に従属する諸侯がまとまったもので、従来は第十五王朝の「大ヒクソス」に対して「小ヒクソス」と呼ばれていたが、近年では「第十六王朝は第十七王朝以前にテーベを本拠地としたエジプト人による王朝であり、ヒクソスではなかった。」という研究もあり、新たに第十四王朝に分類し直される王も複数存在している。
・この王朝についての歴史記録はほとんどなく、僅かにアナト・ヘル王やヤコブアアム王の名が、下エジプトやパレスティナで発見されたスカラベに記されていた。

（2）筆者推論

ヒクソス人の王権奪取（エジプト第十四王朝）

□ヒクソス人の出自

第十王朝の時に下エジプトには「アジア人」が満ち、第二代ケティ三世がこれを海岸線まで撃退している。この「アジア人」という表現は、レヴァントやシリア、アナトリア地方南岸の人々を指すそうで、セム族の居住地域と重なるので黄色人種であったと推測する。「大洪水」後にエジプト北東部の一角に住み着いた黄色人種は、他の黒人種や白人種同様に人口拡大し、下エジプトのデルタ地帯東部で勢力を増していった。この延長線上で王国・王朝を成したのがヒクソス人である。ヒクソス人の出自は通史では明らかにされていないが、筆者はパレスティナからウガリット近辺にかけて居住した、ノアーセムーアラムーウズという家系に属した、南セム族に分類される人々であったと推定している。南セム族の本拠は、現在のダマスカスを中心にしたゴラン高原からヒムシュに至る地域と想定できるが、シナイ半島にもセム族一派の定住が記録されているので、彼らが遊牧を目的として利用し領域化していたと推測できる。彼らにとって現在のスエズ運河沿いにあるイスマイリア以西のエジプトの土地は、農業目的だけでなく遊牧目的においても魅力的であり、ヒクソス人は第十王朝の頃より侵入を始めていた。

□第十四王朝はヒクソス人の王朝

第七王朝から第八王朝までは、実在すればミツライムのハム系人の政権である。第九王朝から第十王朝まではギリシア系人の政権で、上エジプトの北部で勃興して下エジプトのデルタ地帯までも勢力圏に入れた。次の第十一王朝は上エジプトの深部で勃興し、紀元前2022年には第十王朝を征してエジプトを完全統一した。第十一王朝を継承した第十二王朝の時が、この時期のギリシア系人の政権の絶頂期であり、ヒクソス人はエジプトの地からの後退を余儀なくさせられるが、紀元前1782年に第十二王朝がクーデターにより滅亡し、第十三王朝が興った隙をついて、ヒクソス人はナイル川デルタ地帯東部域のアヴァリスに拠点を築き、紀元前1725年頃に建国した。それが第十四王朝である。

史実であった旧約聖書記載のヨセフ関連話

旧約聖書には、ヤコブと彼の十二人の子の話の一部として、エジプトに関連する話が頁を割いて記録されている。それは、ヨセフが他の兄弟たちによって父ヤコブの溺愛を妬まれておとしめられ、エジプトに使用人として売られてしまう話から始まり、ヨセフがファラオに認められて宰相になり、十二人の兄弟全てと父ヤコブまでエジプトに呼び寄せる話が載っている。そして紀元前1274年頃のモーセの導きによるエジプト脱出まで、イスラエル民族（筆者はヘブライ人と表現）は430年間エジプトに定住したことになっているが、通史ではこれらの記録を見出すことができない。通史にとって旧約聖書の記述はまるで宗教書のような扱いになっていて、ヘブライ人の存在はエジプト史には奴隷として存在するのみで、それ以前の彼らのエジプトにおける歴史は、まるでなかったようになっている。しかし筆者は、「大洪水」事件の有無の検証過程で、旧約聖書記載のヨセフに関連する様々な話は史実であることを確認し、エジプト史におけるヘブライ人の実在を鮮明に浮き彫りにした。

□旧約聖書の記述とエジプト史の状況符合

「紀元前1705年頃以降、デルタ地域が長期の飢饉と疫病に見舞われた痕跡が発見されている。」という通史での記述発見が、「大洪水」が史実であることを確認する大きな足がかりとなった。旧約聖書に記述のあるヨセフが予言した「７年の飢饉」をこの飢饉に該当させると、ヨセフ以下兄弟全員がエジプトに移住した年は飢饉の二年目頃と推定できるので、紀元前1704年頃であったことになる。この時のエジプト王朝は紀元前1725年から始まった第十四王朝である。ヨセフは若者の頃にエジプトに売られ、ファラオの仲介で結婚したことも併せ考えると、受難してから宰相になるまでに、ひとかたの年数を要したはずである。それは、兄弟が再び宰相であるヨセフに会ってもヨセフと認識できなかったことで裏づけられる。仮に兄弟を呼ぶまでに十数年の時間を経ていたと仮定すると、ヨセフがエジプトに初めて行ったのは初代ネヘシ王の治世と思しき、ざっくり紀元前1720年頃であったことになる。第十四王朝が始まって、僅か５年後のことである。ヨセフが齢30歳でファラオに見出された折に、宰相は存在していなかった。それはヒクソス人がエジプトで初めて王朝を開いてから、十数年経過した時点でのことである。この王朝の初代ネヘシ王以降のファラオの任期は短命で、毎年新しいファラオが就任するほど政治的に不安定な状態であった。王朝の組織整備がまだ未成熟であったことを示唆している。旧約聖書の記述とエジプト史の状況がピタリと一致する。ちなみに、南セム族のヒクソス人は、西セム族あるいは北西セム族に分類されるヘブライ人の祖エブラ人にとっては、隣人のようなものであった。その近しい関係があったればこそ、ヘブライ人ヨセフがヒクソス王朝で宰相職にまで上り詰めることができたのであろう。

ヨセフの誕生年と没年の推定

旧約聖書には、ヨセフがファラオの前に立ったのは30歳の時であったことが記されている。そのことから、ヨセフの誕生年と没年を推定してみたい。筆者がアジア人王朝時代と定義した時代は、通史では「第二中間期」というくくりで内容不明の時代となっている。このヨセフの誕生年と没年の推定が、歴史解読の一つのキーとなるからである。

□ヨセフの誕生年は紀元前1745年、没年は紀元前1635年

ヨセフは投獄されていた時に、「７年の豊作と７年の飢饉」を預言した。「７年の飢饉」は紀元前1705年に始まったので、「７年の豊作」は紀元前1712年に始まったことになる。ヨセフによる預言は少なくとも豊作が始まる２～３年は前に行われたことになる。そこで、ヨセフが宰相になった年を紀元前1715年に推測・設定する。誤差は１～２年の範囲である。その時にヨセフは年齢30歳であったのだから、彼の誕生年は紀元前1745年であり、寿命は110歳であったので、

没年は紀元前1635年であったことになる。

□ヨセフの誕生年と没年設定の裏づけ

父親のヤコブは紀元前1835年の生まれであるから、ヨセフは父ヤコブの年齢90歳の時の子である。現在の寿命と照らし合わせれば父親が高齢過ぎて不可解なことになるが、ヤコブの寿命は147歳であった。現在の男性の寿命を90歳と仮定すれば、現代では55歳の時の子であったことになる。余分なことであるが筆者は64歳で末子を授かっており、ヤコブの90歳での子の授かりは決して異常なことではない。ヨセフは他の兄弟とは年齢の離れた“年寄りっ子”であったゆえ父親に溺愛され、またそのことで兄弟たちの妬みを買った。父ヤコブの年齢に絡めたヨセフの誕生年そして没年に関しても、旧約聖書に記述された事象に一致する。

印章発見の事実が示す第十四王朝におけるヘブライ人の実在

イスラエル族長ヤコブが齢130歳の時に会ったファラオとは、ネヘシ王であった。この王朝は小さいながらその交易は活発で、第十四王朝の紋章入りの印章が、上エジプト、ヌビア、パレスティナなど広範囲で見つかっている。

□印章はヘブライ人の交易道具

「印章あるところにエブルまたはヘブルあり」というのが、筆者の持論の一つである。「エブルまたはヘブル」は「大洪水」後の世界の交易を一手に担ってきた民族で、印章はエブラ人や、エブラ人の兄弟民族あるいは同民族とも言えるヘブライ人の交易道具の一つである。原始的な交易では荷物は泥を使って封印され、そこに送り主の絵模様の判を押印した。それが原始的な印章である。交易文化が進むにつれ、荷の受け取り主も受け取った証拠として印章を使うようになったが、それは幾分時が経ってからのことである。封印するために使用したヘラの端を使って、荷の内容を示す文字が書かれた。それが楔形文字であり、ヘラの端を使って書かれたことにより楔形文字の特徴的な形が生まれた。この印章文化は長い時を経て、古代ヘブライ人の本流と支流双方が合流した日本国の現在に受け継がれている。印章文化の詳細は筆者の次著『真実のインド史』で述べるので、印章文化に関するそれ以上の言及は避けるが、とりわけメソポタミア方面の古代史研究者は、日本の印章文化も研究材料の一つとしてほしい。

□印章発見はヘブライ人交易者存在の証

エジプト内外における印章発見の事実は、第十四王朝に交易部族たるヘブライ人が存在していたことを示し、ヘブライ人ヨセフが一族をカナンからエジプト第十四王朝に呼び寄せた後、ヘブライ人の交易人が活発に商業活動を展開していたことを証明している。ヨセフが宰相であったので、彼らはファラオの代理人として交易することができた。

宰相ヨセフの存在と歴史展開（エジプト第十五王朝）

□第十五王朝の初期までヨセフは宰相

第十四王朝（B.C 1725〜B.C 1663頃）が存在した期間は、最長で70年程度と言われている。通史では経緯は不明であるが、第十四王朝は次のヒクソスによる第十五王朝（B.C 1663〜B.C 1555頃）に吸収されたか引き継がれた可能性が高い。第十四王朝の王たちは次々と入れ替わったが、旧約聖書の記述から推測できるヨセフの宰相寿命は長く、彼の推定没年が紀元前1635年であることを考慮すると、ヨセフは第十四王朝の次の第十五王朝の初期まで宰相であったことになる。

□宰相ヨセフの権力は強大化

下エジプトにあった第十四王朝と同時期に存在した、ギリシア系人による上エジプトの第十三王朝では、宰相職の世襲化が進んで宰相の権力が増大していた。ヨセフの宰相在任期間が長かった第十四王朝も似た状況にあり、王は一年で次々と入れ代わっても宰相は代わらなかった。そのために、王朝の行政運営は長期にわたって安定維持されることができた。そのような状態では宰相の権力は強大となり、第十五王朝時も含めて宰相ヨセフの存在感はひとかたならぬものがあったであろう。

□第十五王朝の第二代と第三代の王名はヘブライ人

気になるのは第十五王朝の王名である。第二代ヤコブヘル王と第三代キアン王の名は、西セム族由来のものと目されている。西セム族と言えば先祖がエブラ人であるヘブライ人である。とりわけ「ヤコブヘル」は、「ヤコブ・ヘブル」の略形に見える。ヘブライ民族の族長名ヤコブと民族名「ヘブル」が王名となっているという背景は、ヘブライ人の直系人がファラオになったことが推察される。ヘブライ人の初めてのファラオ誕生であるから、王名も個人ではなく民族を象徴する名となったのであろう。この王に関して、ヘブライ人以外の王は想定できない。

□当初よりのヒクソス人勢力間での覇権争い顕在化

第十五王朝の初代王はヒクソス人の名前であった。そのことで考え得ることは、第十四王朝において、ヒクソス人の間での覇権争いが顕在化していたことである。これは筆者の推測に過ぎないが、おそらくはヒクソス人王朝では、ダマスコ系とシナイ系が対立していた。第十五王朝が滅びた時、彼らはパレスティナの拠点に籠もって戦い敗れた。そのことは、第十四王朝はダマスコ系であり、第十五王朝はシナイ系のヒクソスであったことを示唆している。ヒクソス人のテリトリーは、現在のダマスカス付近からシナイ半島に至る領域であった。ダマスコ系とシナイ系という表現は、この領域区分に基づいている。ダマスコ系は、ヨルダン川沿いの豊かな農地を抱え、ダマスカスを核とした商業が発達した人々であり、統治能力は高いが戦闘能力は低かったことが推測できる。一方シナイ系は、雨量少ない地域における羊や山羊などの遊牧系の人々であった。馬に仕立てた二輪戦車の所有は、ヒクソス人が史上初めてである。その新しい兵器と軍事技術が、ヒクソス人がギリシア系人の王朝を打ち破った勝因であったろうが、その新兵器の担い手が遊牧民であったシナイ系のヒクソス人であったと、容易に推測できる。そのシナイ系ヒクソス人の戦闘能力は極めて高かったが、統治能力には問題があったかもしれない。ダマスコ系とシナイ系という二つの集団は、結束して事に当たれば強い力を発揮するが、双方の気質や利益関係が相当に異なるため、平時においての両立は難しかったのであろう。推測の域を出ないが、第十四王朝において、初代ネヘシ王に続くファラオが一年程度の在任で次々と代わったのも、おそらくは二つの派の勢力争いの反映であろう。

□ヨセフが宰相職に就くことができた背景

ヨセフがエジプトで第十四王朝初代ネヘシ王に見出された折に、王朝組織に宰相の席が空席であった。これはヒクソス人が初めてエジプトに樹立した第十四王朝において、当初からヒクソス人の間での勢力争いが存在し、実質的な権力者である宰相の地位をどの勢力が占めるかについて、容易に決着がつかなかったことに因るのであろう。その宰相の地位を、ヒクソス人にとって異邦人ではあるが親戚民族のヨセフが占めることは、争い合う勢力間での妥協点であったに違いない。ヨセフは行政者としてこの上なく有能であったゆえに宰相職は安定し、権力争いの矛先は専ら王位の争奪に向かったと推察される。

□宰相ヨセフの采配でヘブライ人王の誕生

ヒクソス人のダマスコ系とシナイ系との対立に一旦終止符を打ったのが、第十五王朝の初代王であったと推定できる。シナイ系ヒクソス人は、権力を掌握して新しい王朝を成立させた。首都も居住区は異なるものの、第十四王朝と同じアヴァリスに置かれた。既述のように、ヨセフの宰相在任期間が非常に長かったということから判断できることは、新王朝の宰相もヨセフであった。この第十五王朝の初代王に何が起きたのか推測もできないが、何か不都合が生じ、宰相ヨセフの強力なリーダーシップにより事態収拾が図られ、第二代と第三代の王はヘブライ人の王となってしまった。ヘブライ人はヒクソス王朝に実在したどころか、なんとファラオにまでなっていたのである。この頃にはヘブライ人の米食に基づく繁殖率の高さにより、その人口規模は一大政治勢力を成すほどに拡大していた。

□宰相ヨセフの死によってヒクソス人が王権奪回

第十五王朝における西セム族人の名前は連続二代で途切れたが、その時期は筆者推定のヨセフの没年と一致する。それ以降は、ヒクソス人の王が再び王位を占めたということになる。第十五王朝においては宰相ヨセフの死によって新たな政治的な動きが生じ、以後はヒクソス人が王朝支配を奪回した。

エジプト第十六王朝はヘブライ人の王朝

□第十六王朝の二人の王名もヘブライ人

第十六王朝はB.C 1634からB.C 1555頃という、筆者の設定である。開始年のB.C 1634は、ヨセフの没年である紀元前1635年の翌年に当たる。その第十六王朝の王名で気になる王が、他にまだ二人存在する。第十六王朝で僅かに存在が確かめられているたった二人の王の、アナト・ヘル王とヤコブアアム王である。二人ともにヘブライ民族の名前である。それらの名前が記されたスカラベは、下エジプトとパレスティナで発見された。

□第十六王朝は第十五王朝に従属する形で平和裏に発足

筆者に一つの推測がある。第十五王朝の宰相ヨセフが死去した際に、ヒクソス人が政治勢力を結集してファラオの地位をヘブライ人から奪回したが、その時にヘブライ人側から、ヒクソスとヘブル両民族のエジプトの地での住み分けと、ヘブルの第十五王朝ファラオへの従属が提案されたのではなかろうか。その結果としてヘブライ人は、第十五王朝に従属する形で独自に第十六王朝を平和裏に開設し、アナト・ヘル王が即位したと考えることができる。ヘブライ人にとってエジプトは仮住まいの土地であったし、ヤコブもヨセフも彼らの死に際し、イスラエル十二部族の将来におけるエジプト脱出と、カナン定住の未来を子たちに言い遺している。ヘブライ人が血を流してでも、第十五王朝における権力面での既得権益を死守しようとしたとは、筆者には想像し得ない。第十五王朝に従属しつつ平和裏に住み分けすることにより、ヘブライ人は交易業を継続することができた。また後世における歴史把握としては、ヘブライ人王朝が第十五王朝の隠れた存在となることにより、後世における第十六王朝の存在把握が非常に困難となった。

□平和な王権運営が成された第十六王朝

そのことは、第十六王朝というのはエジプト王朝ではなかった可能性も示している。イスラエル十二部族が単に自らの王を立てただけの話で、第十五王朝に従属してはいるが、周辺域と活発に交易を行っていたので、彼らの王国は決してエジプト人に対して覇権を唱えるような性格は持っていなかった、と推測できる。そのことは、第十三王朝に関連する記述とも一致する。第十六王朝の首都は不明であるが、ヨセフが第十四王朝のネヘシ王から居住を許されたヘリオポリスが、彼らの本拠地であったと推察される。それは第十三王朝関連氏族が居住した上エジプトの地に隣接し、両者の平和的な文化交流が十分に実現し得た。後の「ギリシア文化」は、この平和的な文化交流から芽生えたのである。

筆者推論によれば、第十六王朝は僅か80年の寿命であった。“王”の位置は当然のこととして、ヨセフ直系のエフライム族が占めたことになる。このことについて、十二部族間において抗争などは有り得ない。80年という短い王朝期間であったが、王朝としては平和で安定した治世が続いたと思われる。王の名前は80年間に二人しか確認されていないが、政権運営はこの上なく安定していたはずであるので、本当に二人の王しか存在しなかったという可能性もある。

ヘブライ人工芸文化の開花

□第十六王朝はヘブライ人工芸文化の基礎形成期

この僅か80年間という短い期間に、ヘブライ人工芸文化の基礎が形成された。ヘブライ人には、エブラ時代から継承された“嗣業の伝統”が存在した。世帯別に先祖から伝わる職業が存在し、後継者だけに技術が伝承されていく仕組みである。この仕組みは現在でも、日本人の伝統工芸分野で生きている。日本の伝統工芸の裾野の広さと質の高さは、世界中で比類がない。それは人間としての個々の能力に基づくというよりも、古代ヘブライ人の時代から、正確に言えばエブラ人の時代から継嗣されてきた、伝統的な仕組みと精神性の存在に負う所が大である。通史では、エジプト中王国時代に生活文化の花が開いたとされている。それは一部については誤りではない。既述のように、ギリシア系人の第十二王朝時代にヘブライ人始祖のアブラハムがエジプトに短期滞在し、そこで数学や天文学、医学、そして建築技術をエジプト人に習熟させた。そのため、特に建築面において一大発展が成された。しかし、通史で語られているような工芸技術の分野での開花は、第十四王朝時代にエジプトに移住した、ヨセフを筆頭とするヘブライ人によって成されたのである。文化は何もなかった所に突然花開くようなことはない。第十二王朝時代のギリシア系人は武力闘争に関しては強かったかもしれないが、彼らに伝統工芸分野での芽を見出すことはできない。

□ヘブライ人の伝統工芸例１　織物業

　伝統工芸について、例を挙げて説明したい。ナイル川沿いでは現在、エジプト領内に限らずスーダンの領域においても、綿花の栽培が盛んである。綿花の栽培地には必ず綿織物業も栄えている。綿に限らず織物業は、過去においては全てがエブラ人と続くヘブライ人の手によって営まれてきた。綿に関して言えば、綿を見出したのはインダスのエブラ人であり、その綿製品がエブラ人の交易によりカナンとエジプトに伝わった。その頃、同胞たるエブラ人の交易に参加しつつあったヘブライ人は、定住地であるエジプトにおいて、農作物には不向きでも綿栽培ならば可能である土地に綿の作付けを開始し、同時に嗣業としてヘブライ民族に伝わってきた織物技術が、エジプトの地で独自の発展をみた。その時期がちょうど第十五・十六王朝の頃なのである。イランのマシュハトやウズベキスタンのサマルカンド、カザフスタンのタシケントなどの川沿いの耕作可能地での綿栽培は、同じような頃にインダスから移住したエブラ人によって始められた。

□ヘブライ人の伝統工芸例２　紙業

執拗であるが、もう一例を示そう。パピルスである。パピルスはエジプトの特産であり、ヘブライ人交易者の専売品であった。紙である故に埋蔵文化財として残りにくく、パピルスがエジプトのいつの時代から生産されるようになったのか、調べてもなかなか掴めない。ところで、パピルスに代わったのは紀元前後に発明された羊皮紙であるが、もう一つ中国で発明された「紙」がある。発明地は中国であったが、発明者は揚子江文明を担ったエジプト発のヘブライ人である可能性が極めて高い。古蜀国の三星堆遺跡で発掘された立像と三本木に蛇が絡む透かし彫りの埋蔵品から、揚子江文明は「エジプト文明の担い手で、ユダヤ神秘主義の文化継承者によって築かれた。」ということが、明白である。それはインダス経由で揚子江流域に至ったエジプト第十五王朝と第十六王朝のヘブライ人しか該当せず、年代的にもピタリと符合する。紙の発明者は、エジプトでのパピルス製造の技術を継承していた人々であり、それはヘブライ人以外には有り得ない。日本の和紙製作現場を一度見てみれば分かることであるが、紙の製作といえども技術の結晶であり、紙は熟練技術者たちの分業作業によって作り出される。紙製作の技術の芽がなかった中国に、突然紙は生まれない。第十五王朝と第十六王朝のヘブライ人が、当時のエジプトでパピルス生産に携わっていたことは、パピルス交易の様子から確実である。ヘブライ人が交易で取り扱った工芸品は、彼ら自身による産出がほとんどであった。パピルス文化そのものが、ヘブライ人によって生まれたと推測できる。

エフライム族とユダ族の両立

□エジプト時代に十二部族連合から外れたユダ族

話を王朝記述に戻そう。「ヘブライ人はヒクソス人と同居していた。」という旧約聖書の記述がある。さらに、「ヒクソス人は増え過ぎたヘブライ人を憎むようにもなり、ヘブライ人に苦役を課すようになった。」とも書かれている。このことは、ヘブライ人の第十六王朝とは別に、ヒクソス人の第十五王朝内部にもヘブライ人の一部が残留していた状況を示している。新王朝を開設するのであるから、当時のイスラエル十二部族の主要部分は第十六王朝の方に所属したと想定できる。その政体は当然のこととして既述のように、ヨセフ直系のエフライム族が王族、そしてマナセ族が貴族になったと推察する。そうであれば、全てのヘブライ人が第十六王朝に参集したわけではなく、この政体を好まなかった部族が存在し、その部族が第十五王朝に残留して「ヒクソス人と同居」した可能性が高い。それは次著で詳細を述べるが、後のインダスでエフライムの王国とは別国を築いたユダ族であったと推察される。

□「ヤコブの祝福」から始まるエフライム族とユダ族の両立

エフライム族とユダ族の覇権争いはソロモン王の死後に顕在化するが、筆者の独自研究によれば、遥か以前のエジプトのアジア人王朝時代の終焉にあたり、エジプトを脱出したヘブライ人がインダスで確立した王国でも、彼らは別々の国を建てた。その原因は、彼らがエジプトに在った時の状態に根づいていたと推察される。さらにその対立の原因を探っていくと、ヤコブの死に際の言葉に辿りつく。ヤコブは死に際に子たちを枕元に呼び寄せ、その子たちにこれから起こることを各自に告げた。そして、言い終わってから最後の遺言をし、彼の生涯を終えた。「ヤコブの祝福」とされた、その言葉の中身が重要である。ユダに対しては「王笏はユダから離れず、統治の杖は足の間から離れない。」と告げ、またエフライムの父ヨセフに対しては、「父の祝福がヨセフの頭の上にあり、兄弟たちから選ばれた者の頭にあるように。」と告げた。ユダとヨセフ双方が、それぞれの部族がイスラエル十二部族の筆頭であると自覚したに違いない。あるいはユダ族は、自族だけは独自で王国を持つ義務感を持ったかもしれない。ヤコブの死以降、これらの意識は常に両部族に潜在して彼らの行動が成されたと推測する。第十五王朝から第十六王朝が分離独立した際にも、ユダ族はエフライム族の下につくことを避け、冷遇覚悟で第十五王朝に居残ったと推測する。ただし、考慮すべきことは、モーセのエジプト脱出時にユダ族も行動を共にしていることである。それは、ユダ族が分族して第十五と第十六王朝の両方に存在した可能性と、あるいは第十五王朝が滅びた際に、第十七王朝により第十五王朝下のユダ族が、第十六王朝のヘブライ人と併合させられた可能性も考慮できる。いずれであったのかは、不明である。

第十六王朝の位置と規模

なお、通史では第十六王朝の位置さえ不明となっている。イスラエル十二部族がエジプトに移住した時、彼らはファラオよりヘリオポリスの土地を遊牧用として与えられた。現在のカイロの高級住宅街の地域である。第十六王朝はそのヘリオポリスを中心にして、パレスティナに至る下エジプトの東端部分と、メンフィス南部の上エジプトの北端部分に、多少の領土を得ていたと推測できる。「王朝」などという言葉は適さず、いくつかの州程度の広さであったかもしれない。領土は狭くともヒクソスに従属し、その委託を受けて上エジプトを掌握し、上エジプトにおける存在感はあったのであろう。また、この当時の工芸文化の開花と発展、そして広域ネットワークによる交易の担い手は彼らであった。彼らは当時の国際人であった。

第五節 エジプト新王国時代

（1）エジプト通史

■第十七王朝 B.C 1580〜B.C 1550頃 拠点テーベ

・ヒクソスの第十五王朝を滅ぼしただけの王朝であり、統一を成し遂げたイアフメス王からは第十八王朝に分類されている。

■第十八王朝 B.C 1570〜B.C 1293頃 首都テーベ（現ルクソール）

・第十七王朝と完全に連続した政権である。

（2）筆者推論

世界史の転機となった第十七・十八王朝

第十七王朝と第十八王朝に関しては、「大洪水」との関連で述べるべきことは何もない。ただ、この第十七王朝と第十八王朝の存在は、エジプト史だけでなく世界史の一つの分岐点となった。第十七王朝が滅ぼした第十五王朝と第十六王朝を構成したヘブライ人の一部が、第十七王朝に滅ぼされる際に陸路と海路で逃亡移住を実行し、後期インダス文明や揚子江文明、さらには後期エラム文明の担い手となり、マシュハドやサマルカンド、タシケントといった中央アジアへの入り口が開かれていくことになったからである。

第十三王朝関連氏族の一部が地中海の島々に出戻りした時期は、第十七王朝の成立と関係している可能性もある。それは彼らがもたらしたギリシア神話の成立時期は紀元前16世紀頃であり、彼らが平和裏に交流していた第十六王朝の滅亡時期と重なるためである。それにしても、欧米人にとってギリシア神話は、天地の始めや近代文化の源を感じさせるほどに古く、また由緒の正しさを感じさせるものであるが、成立は紀元前16世紀頃であり、実は他文明と比較して、さほど古い歴史は持っていない。

第十六王朝は第十七王朝の前身とする説への反論

□第十六王朝が第十七王朝の前身説への疑問二つ

近年、第十六王朝はテーベを本拠地とした第十七王朝の前身であり、エジプト人による王朝であった、という研究もあるそうだ。その基本的な考え方は、第十七王朝に家系の途切れがあるので、第十七王朝の前半部を実態のほとんど分かっていない第十六王朝としたのである。第十六王朝の内容は通史ではほとんど不明に近く、実はその所在地さえも判明していない。第十五王朝が下エジプトを支配していたのであれば、第十六王朝の位置は当然のごとく、空いている場所である上エジプトしかないという発想に基づく論である。ところが既述のように、第十六王朝でたった二人の実在が確かめられている王の名は、ヘブライ固有の個人名なのである。第十七王朝は明確にギリシア人による王朝であった。第十六王朝は第十七王朝の前身とするのであれば、そのことへの納得いく説明が必要である。さらに、それらの王名が記されたスカラベが、なぜ上エジプト南部のテーベとは真反対の下エジプトやパレスティナで発見されたのか、その理由づけも必要になろう。それらの地域はハム族主体でセム族混住地域であり、ギリシア人が属するヤフェト族は当時存在していなかった。第十七王朝の前身と考える王朝は、第十六王朝よりはむしろギリシア系人支配の第十三王朝の方が現実的である。第十三王朝は既述のように、第十五王朝と第十六王朝の時代もそれらの王朝に従属しつつ、上エジプト全域でいくつかの氏族に分かれ、長いこと生き残っていた。

終章　検証総論

エジプト通史と一致した大洪水発生の筆者推論

エジプト第六王朝のペピ二世王の治世に「大洪水」が発生し、約300年かけて「大洪水」前の状態にまで戻ったという筆者の推論は、この期間を「第一中間期」としたこれまでの通史よりも、様々な面で遥かに筋が通っていると考えている。また、「大洪水」発生を紀元前2284年に設定したことで、旧約聖書に書かれているヘブライ人のエジプト移住やヨセフ関連記述について、これまで歴史学会では無視されたかのように記述がなかったが、通史の中にしっかりと位置づけることができた。「大洪水」を絡めた年代設定で、通史の歴史事件と時や内容がピタリと噛み合った。そのことが、「大洪水」が史実であったことを裏づけている。そのほか、紀元前1274年のモーセの導きによるエジプト脱出に関しても、彼らヘブライ人がなぜ奴隷という身分に落とされていたのか、通史では納得いく説明はこれまでなかったが、「大洪水」起点の筆者の推論によれば、「ヘブライ人は第十六王朝の担い手であり、第十七王朝の非征服民となったゆえに、彼らが奴隷となった。」というふうに、合点がいくのである。

推論と通史との一致から生ずる別の問題

□軒並み信用を失う可能性のある有史以前の遺跡の年代測定

「大洪水」を史実とすることで、歴史学では全く別の問題が浮かび上がってしまう。それはアダムが地球に連れてこられた年が紀元前3940年になることにより、これまでの「石器時代」や「新石器時代」という時代区分が意味を成さなくなってしまうことである。「アダムの話」なんてお伽噺話であり、歴史項目としてハナから成立し得ない。」と思っている人も多いであろう。でも、これまでノアの話もおとぎ話であったのである。ところが、ノアに関しては筆者が史実であるとして、これまでのお伽噺話的なベールは取り去られた。旧約聖書の記述がこれだけ確かであると、次はアダムの話の信ぴょう性も高まってくる。人類の歴史は6000年弱前に僅か１～２名で始まったということになると、数万年前にまで設定されている有史以前の遺跡の年代測定は、軒並み信用を失うことになる。日本では今から20年位前に一度、日本考古学は人々の信用を失った。僅か一人の心無い研究者の犯罪とも言える虚偽行為が発覚して、日本考古学全体の信用を失ってしまい、おそらくは日本考古学学会は未だに信用回復はできていない。世界でも日本と似たようなことが起きるかもしれない。

□信用回復の道は最新方法での年代測定再検査と公開

世界中の考古学学会が為すべきことは、可能な限り年代測定を最新の方法でやり直し、全てのデータを公表することである。その際に、「大洪水」前後の環境の変化を考慮した「補正値」を求め、補正のプロセスを含めて公開することである。失われた信用回復には、資料や判断の“完全公開”以外に道は開かれないであろう。

「科学の限界」について一言

□必要な「科学的に判明していないことの方が多い」という認識

仮にエジプト史において「大洪水」発生が公的に位置づけされ、そのことを大方の人が消極的に受け容れたとしても、上述のようなアダムが地球上に突然出現した事柄まで許容することはできないであろう。筆者の考えは第Ⅰ部の「寿命」の項で述べたが、荒唐無稽で読む気にもならなかった人も多いと推測する。筆者としても一つの小さな可能性を述べただけで、自己主張してその正しさを言い張るようなことをするつもりはない。ただ、一つだけ述べたいことがある。それは、「科学で説明できるものしか信じないとすれば、それが科学の限界である。」ということである。現人類はAIを実用化するほどに科学的に進歩したが、未だ進歩の途上に過ぎず、科学で分かり得ないことはまだまだ多く、現時点においてさえも「科学で分かっていることの方が依然として少ない」と言って良い。「分からないことは信じない」ということではなく、「現段階ではまだまだ、科学的に説明あるいは理解し得ないことは多い。」という気持ちを持てることが大切である。

□自分の頭で考えてみる姿勢が大切

　地球内部にしろ、宇宙そのものにしろ、本当に分かっていないことだらけなのである。「重力」とは何であるのか、そんな簡単なことさえ解明されていない。より大切なことは、信じるとか信じないとかではなく、自分の頭で考えてみることである。現代人とりわけ日本人は恐ろしいほどにこの能力が低く、通説とか常識が驚くほどに幅をきかせ、それらを疑ってみて真実を探る態度に乏しい。日本人は成人して後も、世間常識とされているレールから外れ、独自の生き方をできる人が非常に少ない。おそらくは、この数十年間の教育方法から生じた歪みであろう。世界中の研究者たちに向かって「自分の頭で考えてみてほしい」などと言うことは、なんと不遜で傲慢なことだと思われる方も、さぞかし多いであろう。その非難を承知の上で、筆者は言及している。「常識」というものがいかに根拠なく形成されてきたか、世界常識を覆す事例を次著のインド史で具体的に示してみたい。

筆者が抱える「大洪水」に関する疑問

「大洪水」が史実であったと考えることについて、筆者に揺らぎはない。その一方で、いくつも小さな疑問を抱えてもいる。いくつか紹介しよう。

［疑問１］エジプト古王国時代までのミイラの体格

「大洪水」前の人々の体格は現在よりも大きかった。現在の男の体格は150〜210cmくらいだと思うが、「大洪水」前の人のそれは170〜300cmくらいはあったと思われる。エジプト第六王朝の途中で「大洪水」が発生していたのであれば、第一王朝から第六王朝までのミイラの体格は、第七王朝以後のものと比較して筆者の推論のように本当に大きいのであろうか？　その頃の全身ミイラも発見されているが、その手のコメントは皆無であるので筆者には判断ができないでいる。

［疑問２］エジプト古王国時代までの遺跡物の「濡れ」との関係

第一王朝から第六王朝までの、ミイラに限らず全ての埋蔵文化財は、第Ｉ部の地球膨張の項で既述のように、地上1,243m位の高さの水に浸かったはずである。それらが、ギザのピラミッドのような完璧な出来栄えの構造物内部に閉じ込められていたならば、高い水圧にもめげずに埋蔵文化財は濡れないで保管された可能性もあるが、そのような例は希少であろう。エジプト古王国時代の発掘物と濡れとの関係は、実際はどうなっているのであろうか？　埋蔵文化財を保管する構造物の入り口や全体が砂に覆われたために、濡れを免れたというようなことがあるのだろうか？

［疑問３］「大洪水」前の恐竜の存在

「大洪水」前にはエジプトにも恐竜は存在したし、植生も現在とは相当異なっていたはずである。エジプト古王国時代の発掘物の中に、たとえば壁絵とか彫り物のデザインの中に、恐竜の姿が描かれていたり、あるいは巨大なシダ類の植物が描かれていたり、現在とは明確に異なる内容が見出された文化財はなかったのであろうか？　現在の上エジプトのある民家の壁には、大きな恐竜の絵が描かれていた。あれは地域に残る歴史や神話の類と関係があるのか、はたまたそういうこととは無関係で、全くの偶然で描かれたのであろうか。エジプトで恐竜がかつて存在したような民間伝承のようなものが、未だに残っているというようなことはないのであろうか？　もしエジプトに恐竜の痕跡が全くなかったのであれば、「大洪水」前に恐竜は既に存在せず、何らかの別の理由で死滅していたのであろうか？

［疑問４］ナイル川河口に一大油田が存在する可能性

　ナイル川は「大洪水」前も同じような場所を流れていた。そのことは、ナイル川沿いに存在した生き物は、「大洪水」時に死体となって一気に河口まで流され、その上をサハラ砂漠と同じ砂が覆ったはずである。この状態は産油国クウェートに酷似している。ナイル川河口に一大油田が眠っているというような徴候が、これまでに指摘されたことはないのであろうか？

　筆者の推論に対する筆者自身の疑問は、まだまだ浮かびそうである。これまでもそうであったが、科学の進歩や新しい発掘などにより、これまでは筆者の推論に沿う形で疑問は解消されてきた。この推論に対して、多くの反論や批判などを享受したいと考えている。そのことにより通説がより真実に近づくことを筆者は信じて疑わないし、またたとえ筆者の推論が間違っていたとしても、本書の存在価値を自ら確かめることができるからである。

おわりに

筆者の歴史研究の目的は、日本人のルーツを明らかにすることである。血液DNA検査により、日本人の43％は古代ヘブライ人の血を引いていることが判明している。その古代ヘブライ人の歴史を過去に遡り手繰っていくと、古代のエジプトに辿り着く。本書執筆の筆者自身の目的は、実は「ノアの箱舟」の話が真実であったことを示すことではなく、エジプト史の第一中間期から古王国時代を経て第二中間期に至る期間のエジプト史に、ヘブライ人実在の新たな光を当てることであった。そのための歴史証明の導入部において、「ノアの箱舟」の話が史実であることを示す必要があったのだが、この大事件の史実性を担保するためには、事件発生について精一杯の科学的な根拠を示さねばならず、その努力を重ねた結果として、本書のヴォリュームの四分の三くらいまでも、歴史学ではなく地学の領域の内容となってしまった。

ところで、筆者は日本人である。日本人というのは奇妙な民族である。日本には、世界中を見回しても類例がない非常に高度な伝統的な手工芸文化が現存しているが、それらの伝統文化の中でも古いものを担っている人々は、親から子へ営々と技術が引き継がれてきたのに、それがいつ始まったのかについてほとんど知らない。一例として絹織物を取り上げてみよう。富士山の北麓に宮下家という、絹織物の製作と販売を生業とする古来より継がれてきた名家がある。有史以前の日本を探るうえでの貴重な資料である「宮下文書」を継承してきた家系である。そこの娘さんと知り合う機会を得て、当主である父君とお会いすることができた。その時に生業がいつから始まったのかを尋ねたが、彼は「知らない」と言った。少し突っ込んで訊いてみると、どうやら奈良時代以前（約1300年前）くらいの“古い”時代より始まったのであるが、それ以上のことは分からないと言う。それは漆器とか､木工技術とかについても同様である。彼らの共通の言葉は、彼らの生業は「古い」時から行われてきて、それ以上のことは分からないということである。伝統工芸だけではない。言葉や文字、宗教や歴史さえも同様であり、日本人は過去を記憶喪失してしまった民族なのである。

執拗であるが、日本人とエジプトとの繋がりについて一つ例示したい。北野たけしさんのＴＶ番組で、ツタンカーメン時代のエジプト史を探るものがあった。その中で、ツタンカーメンのパンツと履物の実物が紹介された。パンツの映像と着用の仕方が紹介された時に、たけしさんは「越後褌だ！」と驚愕の声を発した。履物も番組ではサンダルという名で紹介されたが、それは親指と人差し指の間にひもを通すようになっており､日本の伝統的な履物である「草履」にそっくりであった。たけしさんだけでなく、番組に登場していた他の日本人たちも、それらが日本の伝統的な着用物と酷似しているため息を呑み、少しの間妙な沈黙が訪れた。しかし、多くの日本人はそれ以上の追究はしない。文化というのは人間の営みなのであるから、「世界は広く、相互に似るということは有り得ること」と考える。あるいは、「人間の長い歴史の中では色々なことが起きたであろうし、場所は遠く離れていても、過去に何かの繋がりは有り得たかもしれない。」とまでは考えるが、その考えは一般化され、具体的に本当に日本人がエジプトに関係したとまでは考えない。

次著で詳述するが、綿織物はエブラ人のインダスで生まれ、その伝達先の一つがエブラ人と同族のヘブライ人のエジプトであった。

ツタンカーメンのパンツの製作者は、当時奴隷となっていたヘブライ人であった。奴隷となる前のヘブライ人の一部がエジプトを脱出し、インダスを通り抜けて揚子江に下り、そこで別の素材を発見して織物業を発展させた。それが絹織物である。だから絹織物の産地は揚子江沿いであり、中心地は杭州であった。絹織物の担い手であった倭族は、複数のルートを経て最終的に日本列島に至った。その伝統技術の繋がりを証する証拠の一つが、ツタンカーメンのパンツの織物技術である。そのパンツの布は、僅か1mmの間に10本もの糸で織られている。それを聞けば、日本人で織物産業に関わっている人であれば、すぐにピンと来る。「それは日本の伝統技術と同じである」と。日本とエジプトは、過去に確かに人で繋がっていたのである。

著者プロフィール

金子　孝夫（かねこ　たかお）

1950年 東京都日野町（当時）生まれ
1991年 NGO Nepal Foster Mate 設立

【著書】
『64歳からの二度目の子育て日記in スリランカ』
　2018年12月15日：文芸社
『日本人とは誰か？』
　2019年12月15日：東京図書出版

エジプト史が裏づける史実「ノアの箱舟」大洪水

2021年10月15日　初版第１刷発行

著　者　金子 孝夫
発行者　瓜谷 綱延
発行所　株式会社文芸社
　　　　〒160-0022 東京都新宿区新宿1－10－1
　　　　　　　　　電話 03-5369-3060（代表）
　　　　　　　　　　　 03-5369-2299（販売）

印刷所　株式会社晃陽社

ISBN978-4-286-22943-0